Heidelberger Taschenb

---

## Sammlung Informatik

Herausgegeben von F. L. Bauer und M. Paul

---

Friedrich L. Bauer · Gerhard Goos

# *Informatik*

Eine einführende Übersicht

Erster Teil

Mit 110 Abbildungen

Springer-Verlag Berlin · Heidelberg · New York 1971

Dr. rer. nat. FRIEDRICH L. BAUER
ord. Professor der Mathematik an der Technischen Universität München

Dr. rer. nat. GERHARD GOOS
ord. Professor der Informatik an der Universität Karlsruhe (TH)

ISBN 3–540–05303–4 Springer-Verlag Berlin · Heidelberg · New York
ISBN 0–387–05303–4 Springer-Verlag New York · Heidelberg · Berlin

*Dem Gedächtnis an*

*Alwin Walther*
*1898–1967*

*Hans Piloty*
*1894–1969*

*Robert Sauer*
*1898–1970*

*gewidmet*

# Vorwort

Informatik ist die deutsche Bezeichnung für „computer science", ein Gebiet, das sich vor allem in den USA, daneben in Großbritannien, in den sechziger Jahren zur selbständigen wissenschaftlichen Disziplin entwickelt hat. Neuerdings auch durch das Bundesministerium für Bildung und Wissenschaft gefördert, nimmt das Studium der Informatik in Deutschland einen raschen Aufschwung. Das Buch gibt eine einführende Übersicht über die Informatik, die im Einklang mit den Empfehlungen der Fachverbände GAMM und NTG steht. Es kann insbesondere zur Unterstützung einer zweisemestrigen Einführungsvorlesung dienen. Entstanden ist das Buch aus solchen Vorlesungen, die seit 1967 mit der Aufnahme des regulären Informatik-Studiums in der Abteilung Mathematik der Technischen Universität München gehalten wurden.

Die Darstellung geht vom Allgemeinen zum Speziellen. Sie stellt die Grundbegriffe der Programmierung an die Spitze, anstatt sie, wie es anderswo häufig geschah, aus speziellen Maschinenfunktionen herzuleiten. Der Vorteil, der darin liegt, daß man sich von Zufälligkeiten der technischen Entwicklung frei macht, um zu tragfähigeren Aussagen zu kommen, ist nicht gering zu veranschlagen; noch stärker scheint uns das Vorgehen dadurch motiviert zu sein, daß es den Anfänger zum Nachdenken zwingt, anstatt ihm Patentlösungen vorzusetzen. Als „top-down-teaching" wird diese Methode neuerdings auch in den USA, unter anderem von ALAN PERLIS, propagiert. Schließlich zielt auch die Entwicklung der Programmiersprachen im Hinblick auf die Formalisierung der Semantik darauf hin, schrittweise das Komplizierte auf Einfacheres zurückzuführen, ein Weg, den A. VAN WIJNGAARDEN zuerst begangen hat.

Mit der einführenden Übersicht will das Buch insbesondere die Zusammenhänge aufzeigen, die zwischen einzelnen Spezialvorlesungen über Themen der Informatik bestehen. Das erste Kapitel „Information und Nachricht" zeigt Querverbindungen zur *Nachrichtentechnik* und zu *Sinnesphysiologie*, *Psychologie* und *Neurologie* auf und spannt damit die Informatik in den allgemeineren Rahmen benachbarter Disziplinen. Auch *Codierungstheorie* und *Informationstheorie* werden berührt. Das zweite Kapitel „Begriffliche Grundlagen der Programmierung" bringt die Einführung in das Herzstück der Informatik, das nach unseren Vorstellungen in einer fortgeschrittenen Vorlesung „*Algorithmische Sprachen*" gipfeln muß. Das dritte Kapitel „Maschinenorientierte algorithmische Sprachen und maschinennahe Programmierung" hat Ausblicke auf den *Funktionellen Aufbau von Rechenanlagen*, ein Thema, in das auch das vierte Kapitel „Schaltnetze und Schaltwerke" einführt. Dieses Kapitel, mit dem der erste Teil schließt, findet eine Vertiefung in der *Schaltwerktheorie*, ergänzt wird es durch Kenntnisse, die der Studierende der Informatik über die *Physikalischen und elektrotechnischen Grundlagen der Informatik*, auch anhand eines *Elektronik-Praktikums*, erwerben muß. Der zweite Teil wird sich mit den Themen: dynamische Speicherverteilung, Hintergrundspeicher und periphere Geräte, Betriebssysteme und Dienstprogramme, Automaten und formale Sprachen, Syntax und Semantik der Programmiersprachen beschäftigen und eine Einführung bringen in die Spezialvorlesungen über *Halbgruppen- und Automatentheorie, Formale Sprachen, Systemprogrammierung, Betriebssysteme, Übersetzerbau*.

Neben das theoretische Studium der Informatik muß eine praktische Übung treten, für den Anfänger eine *Praxis des Programmierens*, die an den Besuch der Einführungsvorlesung anschließt. Auch hierfür soll eine Grundlage gelegt werden. Durch die Verwendung von ALGOL 68, einer begrifflich ebenso reichhaltigen wie differenzierten Sprache mit übersichtlichem Aufbau, ist der Übergang zu anderen Programmiersprachen sehr leicht gemacht.

Bei der im Text gewählten Anordnung ist nachteilig, daß man zu Beginn wenig Material für die Übungen hat. Dem kann abgeholfen werden, indem man die Abschnitte 1.1, 1.4, 4.1 und 4.2 vorwegnimmt und damit rasch zu Übungen über Codes und Schaltungen kommt. Anschließend können die Abschnitte 1.2, 1.3, 1.5, 1.6 zusammengefaßt werden; auch kann 4.3 an das dritte Kapitel angehängt werden.

Beim Aufbau dieser Vorlesung konnten wir uns auf konstruktive Beiträge unserer Herren Kollegen K. SAMELSON, M. PAUL, F. PEISCHL stützen. Eine erste Ausarbeitung fertigte im Studienjahr 1967/68 Frau D. MAISON an. Bei den Übungen zur Vorlesung, insbesondere der Zusammenstellung von Aufgaben, hatten wir die Hilfe von Herrn R. GNATZ und Herrn H. J. WALTHER, welch letzterer auch eine zweite Ausarbeitung im Studienjahr 1968/69 redigierte. Herr Kollege SAMELSON, der die Einführungsvorlesung im Studienjahr 1969/70 las, hat uns wertvolle Kritik geliefert, daneben hatten wir zu einzelnen Kapiteln nützliche Hinweise von den Herren Kollegen J. EICKEL, P. DEUSSEN, W. HAHN und Frl. U. HILL. Eine Durchsicht des ersten Kapitels besorgten auch die Herren Kollegen W. KEIDEL, Erlangen, und H. ZEMANEK, Wien. Allen, die an der Fertigstellung mitarbeiteten, danken wir herzlich, auch wenn wir sie nicht sämtlich namentlich nennen können. Dies gilt nicht nur für Sekretärinnen und für Mitarbeiter, die uns beim Lesen der Korrekturen halfen. Herrn H. WÖSSNER, der die ALGOL-Beispiele auf syntaktische Richtigkeit prüfte, müssen wir hier besonders nennen. In der Zeit, in der der ältere der beiden Autoren Vorsitzender des Terminologie-Ausschusses im Fachnormenausschuß Informationsverarbeitung war, hat er viel von den dort geführten Diskussionen gelernt, wofür er ebenfalls seinen Dank zum Ausdruck bringen möchte.

In den schwierigen Jahren des Aufbaus nach der Zerstörung hatte Deutschland das Glück, drei Männer zu haben, die den Mut hatten, an ein Aufleben wissenschaftlicher Leistung auf dem neuen und bis 1955 nur mit Einschränkungen erlaubten Gebiet der Rechenanlagen zu glauben. Ihnen, die die Einführung der Informatik in Deutschland vorbereiten halfen, ist dieses Buch gewidmet.

München, im Sommer 1970                        F. L. BAUER · G. GOOS

# Inhaltsverzeichnis

## 1. Kapitel

## Information und Nachricht

2. Kapitel

**Begriffliche Grundlagen der Programmierung**

3. Kapitel

# Maschinenorientierte algorithmische Sprachen

## 4. Kapitel

## Schaltnetze und Schaltwerke

# Information und Nachricht

Wir beginnen mit einer Diskussion der zentralen Begriffe „Nachricht" und „Information" und studieren dann neben Beispielen zwischenmenschlicher Nachrichtenübertragung einige der Grundbegriffe, die im Hinblick auf die Verarbeitung digitaler Nachrichten wesentlich sind.

## 1.1 Nachricht und Information

„Nachricht" und „Information" sind Grundbegriffe der Informatik, deren technische Bedeutung sich nicht vollständig mit dem umgangssprachlichen Gebrauch der beiden Worte deckt. Die daher notwendige Präzisierung ihres Begriffsinhalts kann nicht durch eine Definition erfolgen, da diese sich auf andere, ebenfalls undefinierte Grundbegriffe abstützen würde. Wir führen deshalb **Nachricht** und **Information** als nicht weiter definierbare Grundbegriffe ein und erläutern ihre Verwendung an einigen Beispielen. Die Richtigkeit der dabei gewonnenen Vorstellung wird sich im weiteren Verlauf überprüfen lassen.

Zur gegenseitigen Abgrenzung von Nachricht und Information gehen wir von Redewendungen wie

„diese Nachricht gibt mir keine Information"

aus und gelangen zu der Beziehung:

Die (abstrakte) Information wird durch
die (konkrete) Nachricht mitgeteilt.

Diese Beziehung erlaubt es häufig, das Wort Nachricht durch das Wort Information zu ersetzen und umgekehrt, ohne daß eine falsche Aussage entsteht; jedoch ändert sich der Sinn: Die Betonung liegt einmal auf der konkreten, dann auf der abstrakten Seite. Nachricht und Information sind relative Synonyme; manchmal kann es sogar zweckmäßig sein, den Unterschied ganz außer acht zu lassen.

Die Zuordnung zwischen Nachricht und Information ist nicht eindeutig. Bei gegebener Information kann es verschiedene Nachrichten geben, welche diese Information wiedergeben – z. B. Nachrichten in verschiedenen Sprachen oder Nachrichten, die aus anderen Nachrichten durch Hinzufügen einer **belanglosen** Nachricht entstehen, welche keine weitere Information mitteilt. Umgekehrt kann ein und dieselbe

Nachricht ganz verschiedene Informationen wiedergeben: Die Nachricht vom Absturz eines Flugzeugs hat für die Hinterbliebenen eine ganz andere Bedeutung als für die Fluggesellschaft; verschiedene Leser entnehmen aus einem Zeitungsartikel ganz verschiedene, ihrer Interessenlage entsprechende Teilinformationen.

Ein und dieselbe Nachricht kann also, verschieden **interpretiert,** verschiedene Information ergeben. Information kann in vieler Hinsicht als Ergebnis der Interpretation einer Nachricht aufgefaßt werden. Als entscheidend für das Verhältnis zwischen einer Nachricht $N$ und einer Information $I$ erweist sich somit eine gewisse, zwischen dem Absender und dem Empfänger der Nachricht verabredete oder unterstellte Abbildungsvorschrift $\alpha$, die **Interpretationsvorschrift,** welche den abstrahierenden Schritt darstellt. In Zeichen schreiben wir die Interpretationsvorschrift in der Form

$$N \overset{\alpha}{\longmapsto} I.$$

Die Interpretationsvorschrift $\alpha$ für eine einzelne Nachricht ergibt sich häufig als Spezialfall einer allgemeineren Vorschrift, die auf eine Menge nach gleichen Gesetzen aufgebauter Nachrichten anwendbar ist. Formulieren wir etwa Nachrichten in einer **Sprache** (vgl. 1.1.1), so bringt der Satz

„$X$ versteht die Sprache"

zum Ausdruck, daß die Person $X$ die Interpretationsvorschrift für sämtliche (oder zumindest die meisten) Nachrichten kennt, welche in dieser Sprache formuliert sind.

Gelegentlich ist die Interpretationsvorschrift nur eingeschränkten Personengruppen bekannt: Hierher gehören die Interpretationsvorschriften für Spezialsprachen, insbesondere Berufssprachen (Jargon) und wissenschaftliche Fachsprachen. Cant, Argot oder Rotwelsch dienen der Bildung und Abschirmung einer sozialen Gruppe durch absichtliche Einengung der Verständlichkeit der verwendeten Sprache, sie sind aus echten Geheimsprachen krimineller Zirkel entstanden.

Überhaupt sieht man den Zusammenhang zwischen Nachricht und Information besonders deutlich in der Kryptologie: Hier soll niemand der übermittelten Nachricht die Information entnehmen können, es sei denn, er besitzt den Schlüssel.

Einige Möglichkeiten für den Zusammenhang von Nachricht und Information erläutern wir anhand der Beispiele in Tabelle 1:

Tabelle 1     *Sprachliche Nachrichten*

a)  „bis morgen" / „see you tomorrow"
b)  „Ta2–c2" / „Desoxyribonukleinsäure"
c)  „Seelöwe gesichtet"
d)  „Momepr" / „JDOOLD HVW RPQLV GLYLVD"
e)  „Lirpa"
f)  „tante anna gestorben + beerdigung uebermorgen
    13. november dinslaken + emma schubert"
g)  „Komme heute nacht" / „Komme heute nicht"
h)  „Rothschild behandelte ihn ganz famillionär" /
    „Mädchenhandelsschule"

Beispiel a) zeigt je eine deutsche und eine englische Nachricht, die normalerweise die gleiche Information übermittelt. Bei b) handelt es sich nicht um Nachrichten in Geheimsprachen, sondern in den Spezialsprachen des Schachspiels bzw. der Chemie. Bei c) könnte es sich um ein vereinbartes Stichwort zur Auslösung einer Handlung handeln, also um eine als offene Nachricht **maskierte Geheimnachricht**. Im Fall d) liegen verschlüsselte Nachrichten vor: Die Kaufmannschiffre zur Preisauszeichnung in einer Variante, die jahrelang zur Kennzeichnung des Verpackungsdatums für Butter benutzt wurde (Schlüsselwort MILCHPROBE), und die schon von Julius Caesar angewandte Methode, jeweils den drittnächsten Buchstaben des Alphabets zu benutzen. Während es sich in d) beide Male um eine Verschlüsselung durch Substitution handelt, findet sich in e) der einfachste Fall einer Verschlüsselung durch Transposition, der Krebs[1]. Rückwärts gelesen ergibt sich in e) die entschlüsselte Nachricht „April". Bei f) kann es sich um eine als offene Nachricht **getarnte Geheimnachricht** handeln: Die jeweils ersten Buchstaben ergeben, mit dem vierten Wort beginnend und zyklisch weitergelesen, das Wort BUNDESTAG. Das Beispiel g) zeigt, wie geringfügige Veränderungen am Text die Information beträchtlich verändern können. Bei h) schließlich liegen Grenzfälle vor, in denen die Nachricht eigentlich unverständlich ist, einmal wegen des orthographisch falschen Wortes famillionär (nach HEINRICH HEINE), zum anderen wegen der Doppeldeutigkeit; Wortspiel und Witz leben von der scheinbaren Sinnlosigkeit. Das zweite Beispiel wird durch Betonung und Phrasierung in gesprochener Mitteilung eindeutig.

### 1.1.1 Sprachliche Nachrichten

"If there is one thing on which all linguists are fully agreed, it is that the problem of the origin of human speech is still unsolved."

MARIO PEI

Für Nachrichten, die zwischen Menschen ausgetauscht werden, gibt es meist Abmachungen bezüglich ihrer Form. Von solchen Nachrichten sagen wir, daß sie in **sprachlicher Form** übermittelt werden, sie sind in einer **Sprache** abgefaßt. Das Wort Sprache wird dabei in einem wesentlich umfassenderen Sinn gebraucht als es der mit „sprechen" zusammenhängenden Bedeutung entspricht. Wir kennen die Sprech- und Schreibsprache, für Taubstumme ersatzweise eine auf Gestik und Mimik aufgebaute Sprache (Abb. 1), für Blinde die zur Tastwahrnehmung bestimmte Blindenschrift (vgl. Abb. 20). Die letzten beiden Beispiele zeigen, daß hochentwickelte sprachliche Äußerungen nicht auf mündliche und schriftliche Übermittlung beschränkt sein müs-

---

[1] Auch in der polyphonen Musik häufig benutzt (Krebskanon).

sen. Wenn auch vieles dafür spricht, daß die gesprochene Sprache den Beginn der Menschheitsgeschichte markiert, so bleibt doch auch in der heutigen Gesellschaft die Gebärdensprache – ergänzt durch eigentümliche Lautäußerungen wie Zischen, Brummen, Pfeifen oder Schnalzen – ein zwar primitives aber auch grundlegendes Hilfsmittel menschlicher Verständigung.

Abb. 1   Einige Zeichen der Taubstummensprache

Die Beispiele am Ende des letzten Abschnittes sind in diesem Buch in gedruckter Schreibsprache (Druckschrift) wiedergegeben; im Manuskript wurden sie zunächst handschriftlich formuliert, in einer Vorlesung werden sie auch in Sprechsprache gebracht. Sie könnten natürlich auch in Taubstummensprache oder Blindenschreibsprache (Blindenschrift) ausgedrückt werden; schließlich kann ein Tauber auch das gesprochene Wort von den Lippen lesen. Sprechen wir von **sprachlichen Nachrichten,** so meinen wir das all diesen Fällen Gemeinsame; auf die Art der Übermittlung – schriftlich, mündlich oder auch durch Tastsinn usw. – kommt es uns nicht an. Dabei ist jedoch zu beachten, daß z.B. die in mündlichen Mitteilungen übermittelten Informationen nicht immer gänzlich in der entsprechenden schriftlichen Mitteilung wiedergegeben werden. Stimmungen wie Ärger, Freude, Verbitterung, Vertraulichkeit kommen nur im gesprochenen Wort zum Ausdruck, und schon oben war erwähnt, daß auch Betonung und Phrasierung Information tragen. Daß diese oft nicht oder nicht einfach aus dem Kontext zu rekonstruieren ist, zeigt sich an manch peinlichem Versprechen von Ansagern.

Im Deutschen wird Sprache nicht nur im Sinn von frz. *langage* sondern auch im Sinn von frz. *langue* verwendet. Wir sollten in diesem Fall besser von **deutscher Zunge, englischer Zunge** usw. sprechen. Typisch für den Unterschied ist, daß man innerhalb einer bestimmten Zunge in gehobener Sprache, in Umgangssprache, in Gaunersprache (Slang), in einer Berufssprache (Jargon) sprechen kann. Es gibt auch Sprachen, die gar keiner Zunge angehören oder zugerechnet werden können, z.B. manche Fachsprachen, darunter die Formelsprache der Mathematik.

Schließlich ist der Begriff Sprache nicht auf die Kommunikation zwischen Menschen beschränkt, sondern wird auch für vergleichbar hochentwickelte Mitteilungsformen zwischen anderen Lebewesen verwendet. Ein Beispiel mag die von K. von FRISCH entdeckte Orientierungssprache der Bienen sein.

### 1.1.2 Schrift

In unserem Zusammenhang sind Sprachen besonders wichtig, die sich zur Übermittlung eines **dauerhaften Nachrichtenträgers** bedienen. Die Übertragung wird dadurch vom Druck der realen Zeit befreit, ja es wird sogar die Nachricht eines Menschen an sich selbst ermöglicht – die **Notiz** zur späteren Erinnerung – und damit das menschliche Gedächtnis durch Gebrauch eines Instruments entlastet.

Die Darstellung von Nachrichten auf dauerhaften Trägern nennen wir **Schrift**[2], einen dauerhaften Nachrichtenträger auch einen **Schriftträger.**

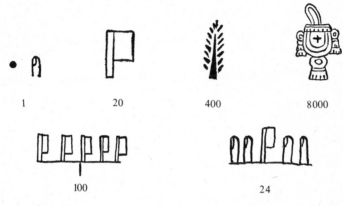

Abb. 2   Zahlzeichen der Azteken

Zunächst ist die **optisch lesbare Schrift** zu erwähnen, die durch Muskelbewegungen der Hand (Handschrift) oder maschinell (Schreibmaschinenschrift, Druckschrift) erzeugt wird. Eine **akustisch lesbare Schrift** war lange Zeit ein Erfindertraum[3], bis EDISON den Phonographen erfand. Eine **taktil lesbare Schrift** ist die Blindenschrift, die manuell (durch Nadelstiche) oder auch maschinell geschrieben wird. Auch die Aufzeichnung von Bildern (z. B. auf Film) liefert eine Schrift.

## 1.2  Sinnesorgane

In den vorangehenden Abschnitten wurden Sinnesorgane erwähnt, die zur Übermittlung sprachlicher Nachrichten dienen können. Die in Frage kommenden Sendeund Wahrnehmungsorgane des Menschen und höherer Tiere sind in Tabelle 2 zu-

---

[2] Die Anfänge der Entstehung der Schrift liegen ebenso im Dunkel wie die Entstehung der Sprache, jedoch scheinen Bilderschriften dabei eine große Rolle gespielt zu haben. Man denke etwa an Zahlzeichen (Abb. 2).

[3] MÜNCHHAUSENS eingefrorene Posthorntöne lösen das Problem nicht zufriedenstellend.

sammengestellt. Die Wahrnehmungsorgane dienen jedoch auch der einseitigen, nicht-sprachlichen Umweltkommunikation. Lediglich akustische, optische und taktile Übermittlung ist bei höheren Lebewesen differenziert genug, um normalerweise zur Übertragung sprachlicher Nachrichten dienen zu können. Neben die unmittelbaren Sprachen: gesprochenes Wort, Sprache der Locklaute, der Warnlaute (akustisch), Taubstummensprache (optisch), „in die Hand geschriebene" Sprache für Blinde (taktil), treten Sprachen, die Werkzeuge benutzen: Trommel-, Klopf-, Pfeif-, Horn- und Trompetensignale sowie Sirenenalarm (akustisch), Flaggen- und Blinksignale (optisch).

Tabelle 2    *Sende- und Wahrnehmungsorgane des Menschen und höherer Tiere*

| Sendeorgan (Effektor) | physikalischer Träger der Nachricht | Wahrnehmungsorgan (Rezeptor) | Art der Übermittlung |
|---|---|---|---|
| Sprechsinn (Sprechapparat des Kehlkopfes) | Schallwellen (16 bis 16 000 Hz) | Gehörsinn (Schnecke des Ohres) | akustisch |
| Mimik und Gestik (Gesichts- und andere Muskeln) | Lichtwellen (um $10^{15}$ Hz) | Gesichtssinn (Retina des Auges) | optisch |
| Handfertigkeit (Hand- und Arm-muskeln) | Druck | Tastsinn (Hautzellen) | taktil |
| — | Temperatur ($-20$ bis $+50\,°$C) | | |
| — | Konzentration von Molekülen in wäßriger Lösung | Geschmackssinn (Mundschleimhaut) | |
| (Duftdrüsen) | Konzentration gas-förmiger Moleküle | Geruchssinn (Mund- und Nasen-schleimhaut) | |
| — | Beschleunigung | Gleichgewichtssinn (Vestibularapparat) | |
| — | mechanische und andere Schäden | Schmerzsinn (freie Nervenenden) | |
| — | ? | Wettersinn (?) | |

## 1.2.1 Arbeitsweise der Sinnesorgane, Reizleitungen

Die Leistungsfähigkeit der Sinnesorgane unterliegt gewissen Grenzen. Hier ist zunächst die **Reaktionszeit** (Latenzzeit) zu nennen. Bei akustischen (Ertönen eines Geräusches) und optischen Signalen (Aufflammen einer Lampe) beträgt sie für den Menschen 140 bis 250 msec bis zur Antwort, bestehend aus dem Niederdrücken einer Taste. Für kompliziertere Aufgaben ist die Reaktionszeit deutlich länger (Lesen eines vorgezeigten Wortes: 350 bis 550 msec, Benennung eines vorgezeigten Alltagsgegenstandes: 600 bis 800 msec). Dies deutet schon darauf hin, daß der Wahrnehmungsvorgang nicht nur aus der Funktion der Rezeptoren besteht. Es schließt sich die Weiterleitung des Reizes in Nervenbahnen, eine Verarbeitung im Gehirn sowie die Weiterleitung der Antwort an den Effektor an. Dabei treffen auf das Auge als Wahrnehmungsorgan etwa 40 msec, auf die Betätigung des Handmuskels als Sendeorgan etwa 50 msec. Die Geschwindigkeit der Reizleitung in Nervenbahnen beträgt nach Messungen, die schon H. HELMHOLTZ 1852 vornahm, zwischen 1 und 120 m/sec und ist annähernd der Quadratwurzel aus dem Durchmesser der Nervenfaser proportional.

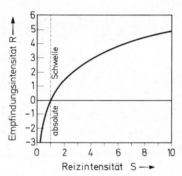

Abb. 3

Fechnersches Gesetz

Dabei läuft nach heutigen Erkenntnissen in den Nervenbahnen ein Impuls elektrochemischer Natur mit einer Höchstamplitude von 80 mV und einer Impulsbreite der Größenordnung 1 msec. Die Reizstärke ist durch die Häufigkeit solcher Impulse gegeben, und zwar ist die Impulsfrequenz im allgemeinen dem Logarithmus der Reizintensität proportional. Dieses Ergebnis steht im Einklang mit dem von G. TH. FECHNER 1850 postulierten, experimentalpsychologisch nachgeprüften Gesetz, daß die Reizempfindung proportional dem Logarithmus der Reizstärke ist (vgl. Abb. 3):

$$R = C \times {}_{10}\log{(S/S_0)}.$$

Im Jargon der elektrischen Übertragungstechnik handelt es sich um eine Pulsfrequenzmodulation (vgl. 1.3.1). Diese Art der Reizleitung (Abb. 4) macht auch verständlich, daß bei geringer Reizintensität und damit geringer Impulsfrequenz die Reaktionszeit vergrößert wird. Die Reizintensität muß einen gewissen Wert, den **Schwellenwert** $S_0$, übersteigen, um das Wahrnehmungsorgan überhaupt ansprechen zu lassen. Ferner ist bei einer Impulsbreite von 1 msec theoretisch eine Impulsfrequenz von höchstens 1000 Hz übertragbar, tatsächlich bis zu 250 Hz, woraus eine Höchstgrenze für die Reizintensität resultiert. Für das Auge erstreckt sich die Wahrnehmung auf einen Helligkeitsbereich von $1:10^{10}$.

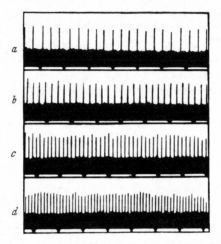

Abb. 4   Aktionsströme in einer Nervenfaser bei verschieden starken Reizungen

Die Funktion der Effektoren und Rezeptoren wird in der Sinnesphysiologie, die Funktion der Nervenreizleitung in der Neurophysiologie und Neuroanatomie genauer studiert. Es verbleibt die Frage, wo und in welcher Weise die eigentliche Verarbeitung und etwaige Beantwortung einer Wahrnehmung stattfindet.

Abb. 5 zeigt, daß sie in vier verschieden tiefen Stufen erfolgen kann: das Rückenmark, das verlängerte Rückenmark *(medulla oblongata)*, der Thalamus genannte Teil des Stammhirns[4] und die als Hirnrinde *(cortex)* bezeichnete Oberflächenschicht des

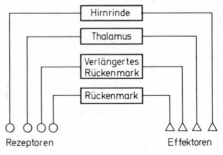

Abb. 5   Stufen der Reizbeantwortung

---

[4] Auch als Kleinhirn bezeichnet.

Neuhirns[5] können als sogenanntes **Reflex-Zentrum**[6] auftreten. Die Reaktion auf einen Schlag gegen die Kniescheibe (genauer: gegen die Patellarsehne) erfolgt unwillkürlich als Emporschnellen des Unterschenkels mit einer Reaktionszeit von ca. 30 msec. Dieser „Patellarsehnenreflex" wird über das Rückenmark als Reflex-Zentrum geleitet. **Bedingte Reflexe,** das sind erst durch Gewöhnung zustande gekommene, dann aber unwillkürliche Reflexe, haben deutlich längere Reaktionszeiten (etwa 200 bis 400 msec). Das Reflex-Zentrum liegt in diesen Fällen in höheren Zentren, jedoch nicht im Neuhirn. Vom verlängerten Rückenmark weiß man, daß es Reflex-Zentrum für vegetative Funktionen ist und u. a. das Atemzentrum enthält.

### 1.2.2 Reizverarbeitung im Gehirn

End- bzw. Ausgangsstationen der Reizübertragung für die wichtigsten Rezeptoren und Effektoren liegen in der Hirnrinde. Die Lokalisierung, seit ALBERTUS MAGNUS versucht, ist heute teilweise gelungen (Abb. 6). Über die Art und Weise der

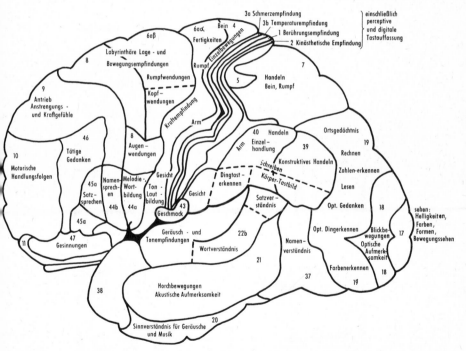

Abb. 6  Lokalisation der Funktionen in der Großhirnrinde, Seitenansicht der linken Gehirnhälfte

---

[5] Auch als Großhirn bezeichnet.

[6] Das Wort Reflex geht auf die Vorstellung DESCARTES' zurück, der vom Rezeptor ausgehende Reiz werde wie durch einen Spiegel zum Effektor reflektiert.

Reizverarbeitung im Neuhirn weiß man nichts genaues. Daß jedoch eine solche vorliegt und daß es sich um recht komplizierte, teilweise auch das Gedächtnis heran-
ziehende Vorgänge handelt, ist experimentell gesichert. Insbesondere besteht zwischen Reiz und Empfindung keine eindeutige und unveränderliche Beziehung.

Zur Erläuterung betrachten wir das Gebiet der optischen Wahrnehmung. Zunächst ist zu bemerken, daß das Auge nicht nur auf Licht geeigneter Wellenlänge,
sondern auch auf mechanische und chemische Reizung hin die Wahrnehmung eines
Licht- und Farbeindruckes zustande bringt. Die Art der Empfindung wird nicht durch
den Reiz selbst, sondern durch die Endstation im Gehirn (Thalamus oder Cortex)
bestimmt. Damit steht in Einklang, daß der Zustand völliger Blindheit nicht nur
durch den Verlust beider Augen oder der Retina oder die Unterbrechung der Nervenbahnen bewirkt wird, sondern auch durch den Ausfall eines bestimmten Feldes der
Hirnrinde. Schädigungen in zwei anderen benachbarten Feldern führen dazu, daß
die bedeutungsverleihende Verarbeitung von Seheindrücken gestört ist (optische
Agnosie).

Abb. 7   Gestaltsphänomen, positiv          Abb. 8   Gestaltsphänomen, negativ

Einen weiteren Einblick liefert das Phänomen der **Konstanz:** Zweifellos vermittelt
das Auge eine optische Abbildung auf die Netzhaut, wobei die Entfernungseinstel-

lung durch Brennweitenanpassung der Linse erfolgt. Nähert sich eine Person, so wird das Bild dieser Person auf der Netzhaut des Betrachters größer, nichtsdestoweniger scheint die Person gleich groß zu bleiben. HELMHOLTZ nannte das (1866) einen „unbewußten Schluß", eine von dem Verarbeitungszentrum der Seheindrücke in der Hirnrinde automatisch, ohne Nachdenken und unbewußt vorgenommene Korrektur. Experimentell hat man festgestellt, daß die zur Korrektur notwendige Entfernungsmessung statisch durch die Linsenkrümmung und durch die Schielstellung der Augen, sowie durch den stereoskopischen Seheffekt, dynamisch durch Bewegungsparallaxe beim Bewegen des Kopfes geschieht.

Weiterhin ist das Phänomen der **Gestalt** zu erwähnen: In der Sehempfindung heben sich gewisse abgesonderte, umgrenzte, einheitliche und geschlossene Bereiche („Figuren") vom gering strukturierten „Grund" ab. In Abb. 7 erkennt man „mit einem Blick", daß es sich um dieselbe Figur handelt. In Abb. 8 handelt es sich ebenfalls um eine Drehung und um eine Schwarz-Weiß-Vertauschung: Dies festzu-

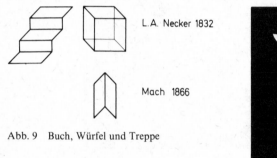

L.A. Necker 1832

Mach 1866

Abb. 9   Buch, Würfel und Treppe

Abb. 10   Pokal und Gesichterpaar ▶

stellen erfordert jedoch einen Einzelvergleich, Feld für Feld, es ist keine Gestalt erkennbar, an der die Drehung vollzogen werden kann. Für das Zustandekommen von Gestalten in der Sehempfindung ist das Auge nicht selbst verantwortlich. Dies zeigt sich schon daran, daß gewisse Bilder zweierlei Figuren erkennen lassen, so in Abb. 9 das Buch (nach MACH 1866) und der Würfel (nach NECKER 1832) sowie die Treppe, die stereoskopisch zweideutig sind; in Abb. 10 (nach E. RUBIN) der Pokal oder das Gesichterpaar, je nachdem ob der Grund schwarz oder weiß ist; in Abb. 11 (nach F. BARTLETT), einem Vexierbild, eine junge und eine alte Frau. Beim Betrachten dieser Bilder erfolgt häufig ein periodisches Umkippen, eine „Umstrukturierung" der Sehempfindung.

Besonders bekannt ist das Vorkommen von **optischen Täuschungen,** das Phänomen der **Illusion.** Abb. 12 zeigt Beispiele, u.a. die Pfeiltäuschung von MÜLLER-LYER 1889 (die linke Strecke wirkt länger als die rechte), das Parallelogramm von SANDER (die Diagonale $A-B$ wirkt länger als die Diagonale $B-C$), die Parallelentäuschung von HERING 1861 und die Kreistäuschung von EBBINGHAUS (der von den großen Kreisen eingeschlossene Kreis wirkt kleiner als der von den kleinen eingeschlossenen). Weniger

Abb. 11
◀ Vexierbild

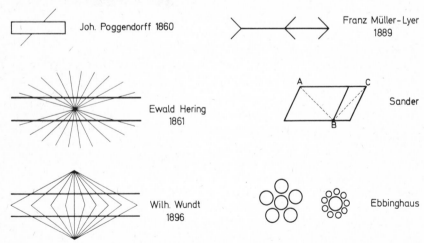

Joh. Poggendorff 1860

Franz Müller-Lyer
1889

Ewald Hering
1861

Sander

Wilh. Wundt
1896

Ebbinghaus

Abb. 12   Optische Täuschungen

bekannt, aber sehr eindrucksvoll ist das Phänomen der **figuralen Nachwirkung**. Betrachtet man die in der Abb. 13 wiedergegebene Figur eine Weile mit festgehaltenem Fixierpunkt und sieht dann rasch gegen ein daneben befindliches Stück weißen

Abb. 13    Figurale Nachwirkung

Papiers, so meint man eine Schar von senkrecht zur Vorlage verlaufenden, in Bewegung befindlichen Linien zu sehen. Es liegt natürlich nahe, an eine Filterung der retinalen Reizung hinsichtlich der Richtung der Kontur zu denken, insbesondere da eine Reihe anderer Effekte auf das Vorkommen von Filterung hinweisen – so der seit dem Altertum bekannte Wasserfall-Effekt: Nach längerem Betrachten eines Wasserfalls meint man, eine „ruhende Bewegung" in entgegengesetzter Richtung zu sehen, was ebenfalls auf eine Filterung, und zwar der Geschwindigkeit, hindeutet.

Über akustische Wahrnehmungen wären ähnliche Bemerkungen wie über die optische Wahrnehmung zu machen. Das Heraushören eines bestimmten Sprechers aus einem Stimmgewirr oder einer Stimme aus einem polyphonen Stück liefert den Ansatz für das akustische Phänomen der Gestalt; auch hier muß mit der Fähigkeit, Gestalten wahrzunehmen, das Vorkommen von Illusionen und Nachwirkungen in Kauf genommen werden.

### 1.2.3  Leistungsfähigkeit der Sinnesorgane

Eine gewisse Kenntnis der Eigenschaften und Leistung der menschlichen Sinnesorgane ist wesentlich, wenn ein Mensch sinnvoll am Anfang oder Ende einer Kette von Informationsverarbeitungen eingesetzt werden soll. (Einige der in diesem Zusammenhang interessierenden quantitativen Fragen werden im Abschnitt 1.6 über „Shannonsche Informationstheorie" behandelt.) Neben dem in 1.2.2 behandelten Fechner-

schen Gesetz gehört hierher das Webersche Gesetz, welches besagt, daß das Auflösungsvermögen für Reizunterschiede proportional der Reizstärke ist. E. H. WEBER
sprach es 1834 erstmalig für den Tastsinn aus.

In einer logarithmischen Skala, wie sie nach dem Fechnerschen Gesetz für die
Reizempfindung gilt, ist also das Auflösungsvermögen konstant, sobald die Reizschwelle überschritten ist. Bezeichnet $S$ die Reizstärke und $\delta S$ das Auflösungsvermögen, d. h. den kleinsten Reizunterschied, der noch zu einem feststellbaren Emp-
findungsunterschied führt, so lautet das Webersche Gesetz

$$\delta S = k S .$$

Die Werte der dimensionslosen Zahl $k$ streuen über einen weiten Bereich, abhängig
von der Versuchsperson und der betrachteten Wahrnehmung. Die kleinsten Werte
von $k$ für besonders „feinfühlige" Versuchspersonen sind

| | |
|---|---|
| Helligkeit | $k \approx 0.016$, |
| Länge von Strecken | $k \approx 0.025$, |
| Lautstärke | $k \approx 0.088$, |
| Tonhöhe | $k \approx 0.003$, |
| Gewicht | $k \approx 0.019$, |
| Geschmack | $k \approx 0.250$, |
| Geruch | $k \approx 0.350$. |

Die wahrnehmbaren Reizstärken von der Reizschwelle bis zur Schmerzgrenze liegen bei den meisten Reizen in einem großen, mehrere Zehnerpotenzen umfassenden Bereich, z. B. für

| | |
|---|---|
| Helligkeit | $1 : 10^{10}$, |
| Lautstärke | $1 : 10^{12}$, |
| Tonhöhe | $1 : 10^{3}$. |

Da nach dem Weberschen Gesetz für zwei gerade noch unterscheidbare Reizstärken
$S, S'$ gilt

$$S = (1 + k) S' ,$$

folgt für die Gesamtzahl der unterscheidbaren Reizstärken z. B.

$$10/_{10} \log 1.016 = 10/0.0069 \approx 1500 \quad \text{Helligkeitsstufen},$$
$$12/_{10} \log 1.088 = 12/0.0366 \approx 330 \quad \text{Lautstärken},$$
$$3/_{10} \log 1.003 = 3/0.0013 \approx 2300 \quad \text{Tonhöhen}.$$

Völlig anders wird das Bild, wenn es sich um die Anzahl der Reizstärken handelt, die
sich eine Versuchsperson merken kann. Im Hörbereich sind das nur 5 bis 7 verschiedene Tonhöhen.

**1.2.4  Tragweite informationistischer und „kybernetischer" Vorstellungen**

Der Ausblick in die Sinnesphysiologie und -psychologie lehrt uns verschiedenes: Zunächst, daß Informationsverarbeitung (und nicht nur Informationsübertragung) ein unabdingbarer Bestandteil unserer Sinneswahrnehmung ist. Wenn wir im weiteren von künstlicher, nämlich von Menschen erfundener und maschinell ausgeführter Informationsverarbeitung sprechen, so soll uns das daran erinnern, daß Informationsverarbeitung nichts grundsätzlich Neues ist. Es soll uns aber auch zur Bescheidenheit mahnen: Wir verstehen den tatsächlichen, wirkungsmäßigen Ablauf der Informationsverarbeitung im Gehirn nur ungenügend, und wir wissen nicht, welche Schranken diesem Verständnis wesensnotwendig gesetzt sind. Voreilige Schlüsse, wie sie eine in Deutschland von K. STEINBUCH unter dem Schlagwort „Kybernetik"[7] vertretene Richtung naiverweise durch (unzulässige) Umkehrung ziehen möchte („der Mensch ist physikalisch erklärbar"[8], „was wir an geistigen Funktionen beobachten, ist Aufnahme, Verarbeitung, Speicherung und Abgabe von Informationen"[9]), sind abzulehnen. Bereits der Bereich der Sinneswahrnehmung zeigt so komplexe Vorgänge im Gehirn, daß die Behauptung STEINBUCHS nicht als Arbeitshypothese dienen kann. Andere „geistige Funktionen" aus dem der unmittelbaren Sinneswahrnehmung entrückten Bereich, von STEINBUCH polemisch mit „Seelenleben" bezeichnet, unter Einschluß des Phänomens des Bewußtseins, lassen sich nur in rein spekulativer Weise mit naiven Vorstellungen der maschinellen Informationsverarbeitung in Verbindung bringen.

Zu allen Zeiten hat der Mensch versucht, sich selbst im Lichte der jeweils letzten naturwissenschaftlichen Erkenntnis zu verstehen, und ist dabei im Überschwang der Begeisterung in Gefahr geraten, einen Totalitätsanspruch zu erheben. Das war im Altertum so, es passierte DESCARTES und LOCKE, der Materialismus wollte alles energetisch erklären. Um die Jahrhundertwende, als die ersten automatischen Telefon-Wählvermittlungen aufkamen, mußten sie bereits zur Erklärung der Funktion des Gehirns herhalten. Die naiv-informationistischen Kybernetiker meinen, unter Hinzuziehung des Informationsbegriffes alles erklären zu können oder zu müssen. Das kann sich wiederum als falsch erweisen. Es wird aber auch dann ein Gutes haben: Es wird zur Abgrenzung des eigentlichen Bereichs „geistiger Funktionen" gegenüber dem automatisch durchführbaren, durch Informationsmaschinen oft besser zu erledigenden Teil und zu einer Befreiung des Menschen von der geistigen Tretmühle, ähnlich der Befreiung von körperlicher Fronarbeit durch Energiemaschinen, beitragen.

---

[7]  K. STEINBUCH, Automat und Mensch, 3. Auflage, Springer-Verlag, Heidelberg, 1965, Seite 9.

[8]  K. STEINBUCH, Automat und Mensch, 1. Auflage, ibid. 1961, Seite 229.

[9]  K. STEINBUCH, Automat und Mensch, 3. Auflage, ibid. 1965, Seite 2.

# 1.3 Nachrichtengeräte

Brief und Zeitung gehören zu den ältesten und immer noch nicht überholten Beispielen von (fallweiser und periodischer) Nachrichtenübermittlung durch Schriftaufzeichnung auf einem **dauerhaften** Nachrichtenträger. Auch im Fall der Nachrichtenübertragung durch **nicht-dauerhafte** Nachrichtenträger bedient sich der Mensch, dem Stand der Technik entsprechend, physikalischer Apparate. Beispiele solcher ,,Nachrichtengeräte'' sind das Telefon und Rundfunk oder Fernsehen für fallweise und periodische Nachrichtenübertragung.

Äußerlich betrachtet besteht ein **Nachrichtengerät** oder genauer ein ,,Nachrichtenübertragungsgerät'' aus einem Rezeptor, dem **Empfänger,** und einem Effektor, dem **Sender.** Über den internen Aufbau des Geräts lassen sich keine generellen Aussagen machen, außer daß sich viele Nachrichtengeräte bei genauerer Betrachtung als aus mehreren kleinen Nachrichtengeräten zusammengesetzt erweisen (s. u.).

Es kann vorkommen, daß für die Nachrichten am Eingang und am Ausgang derselbe Nachrichtenträger verwendet wird. Dann dient das Gerät vielleicht nur der **Verstärkung** oder Entstörung **(Regeneration),** es handelt sich um ein **Relais**[10]. Schalltrichter und Hörrohr bzw. ihre modernen elektronischen Varianten, Megaphon und Hörgerät, sind Beispiele hierfür (vgl. Abb. 14). Werden für die Nachrichten am Eingang und Ausgang verschiedene physikalische Träger verwendet, so heißt das Nachrichtengerät ein **Wandler.**

Soll ein Nachrichtengerät zur zwischenmenschlichen Kommunikation eingesetzt werden, so müssen die Nachrichten am Ein- bzw. Ausgang von Menschen erzeugbar bzw. wahrnehmbar sein, die Nachrichtenträger müssen also denen menschlicher Effektoren bzw. Rezeptoren entsprechen. Als Beispiele nennen wir ein mittels Tastatur zu bespielendes Musikinstrument (physikalischer Träger am Eingang ist der Druck, am Ausgang Schallwellen) oder ein durch ein Mikrophon gesteuerter Oszillograph (am Eingang Schallwellen, am Ausgang Lichtwellen).

Wie schon erwähnt, lassen sich zwei oder mehrere Nachrichtengeräte so hintereinanderschalten, daß das zusammengesetzte Gerät wieder als Nachrichtengerät aufgefaßt werden kann. Der Empfänger des Gesamtgeräts ist der Empfänger des ersten beteiligten Geräts, der Sender des Gesamtgeräts ist der Sender des letzten Geräts. Zwischen dem Sender eines Nachrichtengeräts und dem Empfänger eines anderen können dann auch Nachrichtenträger verwendet werden, welche menschlichen Effektoren bzw. Rezeptoren unzugänglich sind. Eine Telefonverbindung über Draht oder Funk ist ein Beispiel hierfür (vgl. Abb. 15); Abb. 16 zeigt ein aus mehreren Wandlern zusammengesetztes Nachrichtengerät zur Übertragung akustischer Nachrichten. Abb. 17 zeigt zusammengesetzte Nachrichtengeräte für optische Nachrichten.

---

[10] Von franz. relayer, die Pferde wechseln.

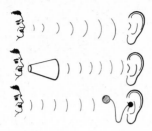

Abb. 14 Nachrichtengeräte zur Verstärkung

Abb. 15 Elektrischer Strom als Nachrichtenträger

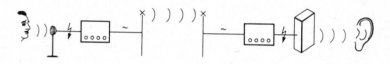

Abb. 16 Übertragung mit mehrfacher Wandlung

| Nachrichten-träger am Eingang | Nachrichtengerät ("Sender") | Nachrichtenträger der Strecke | Nachrichtengerät ("Empfänger") | Nachrichten-träger am Ausgang |
|---|---|---|---|---|
| | Kamera ———— | Film per Post ———— | Projektor | |
| | Fernsehkamera — | frequenzmodulierte elektromagnetische Wellen | Fernsehgerät | |
| Licht | Faksimileabtaster – | Telegraphenleitung ——— | Faksimileschreiber —— | Licht |
| | Mikroskop ——— | Licht ———————— | — | |
| | — ——— | Licht ———————— | Fernrohr | |

Abb. 17 Übertragung optischer Nachrichten

Ausgehend von Beispielen dieser Art nennt man den Weg vom Sender eines Nachrichtengeräts zum Empfänger eines anderen Geräts, der durch einen Nachrichtenträger überbrückt wird, einen **(Übertragungs-)Kanal.**

Als Nachrichtenträger zur Nachrichtenübertragung auf einem Kanal kommen in der heutigen Technik am häufigsten vor:

Mechanische Bewegung,
Mechanischer Druck in Flüssigkeiten und Gasen (Hydraulik, Pneumatik),
Druckwellen in Flüssigkeiten und Gasen (bis 1 MHz, einschließlich Schallwellen),
Elektrische Spannungen und Ströme,
Freie elektromagnetische Wellen ($10^2$ kHz bis $10^6$ MHz) und Lichtwellen,
Gebündelte elektromagnetische Wellen (Blinkgeräte, Laser).

Als dauerhafte Nachrichtenträger, d.h. als Schriftträger, kommen, abgesehen vom menschlichen Schreiben und Lesen, in der heutigen Technik am häufigsten magnetisierbare und lichtempfindliche Schichten, sowie lochbares Papier (Lochkarten, Lochstreifen) zur Verwendung.

Die Analogie zwischen menschlichen Effektoren und technischen Sendegeräten, sowie zwischen menschlichen Rezeptoren und technischen Empfangsgeräten, ist Gegenstand der Untersuchung in der **Kybernetik.** Dort beschäftigt man sich vornehmlich mit den gemeinsamen Aspekten von Mensch und Gerät bezüglich Nachrichtenübertragung und -verarbeitung.

### 1.3.1  Signale und Signalparameter

Nachrichtenübertragung erfolgt grundsätzlich in der Zeit. Als Träger kommen daher nur physikalische Größen in Betracht, welche in der Zeit veränderbar sind. Der eine Nachricht übertragende (und damit Information wiedergebende) zeitliche

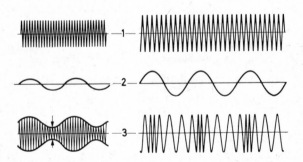

Abb. 18   Amplitudenmodulation (links) und Frequenzmodulation (rechts), 1) Trägerschwingung, 2) zu übertragende Schwingung, 3) modulierte Schwingung mit Amplitude (links), Frequenz (rechts) als Signalparameter

Verlauf einer physikalischen Größe heißt ein **Signal.** Die Nachricht kann dabei in verschiedener Weise durch Eigenschaften des Signals wiedergegeben werden. Diejenige Kenngröße des Signals, welche die Nachricht darstellt, heißt der **Signalparameter.**

Betrachten wir als Beispiel den Rundfunk: Hier sind die Signale stets elektromagnetische Schwingungen. Im Mittelwellenbereich wird die Nachricht durch die Schwingungsamplitude, im Ultrakurzwellenbereich durch die Schwingungsfrequenz wiedergegeben **(Amplituden-** bzw. **Frequenzmodulation).** Der Signalparameter ist also im ersten Fall die Amplitude, im zweiten Fall die Frequenz der Schwingung (vgl. Abb. 18).

Verwendet man Impulse zur Nachrichtenübertragung, so kann entweder die Höhe der Impulse oder der Abstand der Impulse als Signalparameter auftreten **(Pulshöhenmodulation** bzw. **Pulsfrequenzmodulation).** Die letztere Möglichkeit lernten wir bereits bei der Nervenreizleitung kennen (vgl. 1.2.1, Abb. 4).

# 1.4 Digitale Nachrichten

## 1.4.1 Zeichen, Zeichenvorräte, Alphabete

Sprachliche Nachrichten in schriftlicher Form baut man normalerweise durch Nebeneinandersetzen von Schriftzeichen (Graphemen) auf. Längere Nachrichten werden zwar auf mehrere Zeilen und Seiten verteilt, aber diese Einteilung ist im allgemeinen belanglos, sie trägt keine Information. Solche Nachrichten sind also im wesentlichen Zeichenfolgen. Das gleiche gilt für gesprochene sprachliche Nachrichten, wenn man den gesprochenen Text in elementare Bestandteile, sogenannte **Phoneme,** zerlegt und die Phoneme als Zeichen auffaßt. Um die Phoneme auch schriftlich wiedergeben zu können, sind für die einzelnen Phoneme internationale Schriftzeichen vereinbart. Die in der deutschen Sprache (ohne Fremdwörter) vorkommenden Phoneme sind in Tabelle 3 zusammengestellt.

Natürlich ist die Auffassung, eine Nachricht sei eine Zeichenfolge, nicht auf den Fall beschränkt, daß die Zeichen Phoneme oder Grapheme (z.B. Buchstabenzeichen, Ziffernzeichen, Interpunktionszeichen) sind. Auch Planeten- oder Tierkreiszeichen, ja sogar das Nicken und Schütteln des Kopfes, könnten als Zeichen auftreten[11].

---

[11] In Deutschland gibt Kopfnicken üblicherweise die Information ›ja‹ bzw. ›richtig‹ und Kopfschütteln die Information ›nein‹ bzw. ›falsch‹ wieder. In Griechenland hingegen ist Nach-oben-Nicken für ›nein‹ und Kopfschütteln für ›ja‹ gebräuchlich. Auch die elementarsten Zeichen können also verschiedener Interpretation fähig sein und verschiedene Information wiedergeben.

Tabelle 3.    *Phoneme der deutschen Hochsprache*

| Zeichen der internationalen Lautschrift | Beispiel in Lautschrift | Beispiel in deutscher Rechtschreibung |
|---|---|---|
| [ɑː] | [rɑːtə] | Rate |
| [ɑ] | [rɑtə] | Ratte |
| [ɛ] | [fɛt] | Fett |
| [e] | [lebɛn] | Leben |
| [ə] | [maxə] | mache |
| [ɪ] | [mɪç] | mich |
| [i] | [filaiçt] | vielleicht |
| [œ] | [hœlə] | Hölle |
| [ø] | [hølə] | Höhle |
| [ʏ] | [fʏnf] | fünf |
| [y] | [kyn] | kühn |
| [ɔ] | [fɔl] | voll |
| [o] | [zon] | Sohn |
| [ʊ] | [kʊrts] | kurz |
| [u] | [mʊt] | Mut |
| [p] | [pɑr] | Paar |
| [b] | [bɑl] | Ball |
| [t] | [tɑkt] | Takt |
| [d] | [dɑn] | dann |
| [k] | [kɑlt] | kalt |
| [g] | [gɑst] | Gast |
| [m] | [mɑrkt] | Markt |
| [n] | [næn] | nein |
| [ŋ] | [lɑŋ] | lang |
| [l] | [lant] | Land |
| [r] | [redə] | Rede |
| [f] | [fal] | Fall |
| [v] | [vant] | Wand |
| [s] | [lasən] | lassen |
| [z] | [razən] | Rasen |
| [ʃ] | [ʃandə] | Schande |
| [ʒ] | [ʒeni] | Genie |
| [ç] | [ɪç] | ich |
| [j] | [ja] | ja |
| [x] | [bax] | Bach |
| [h] | [hant] | Hand |
| [æ] | [baen] | Bein |
| [ao] | [haot] | Haut |
| ['] | [beˈobaxtʊŋ] | Beobachtung |

Wir definieren daher den Begriff Zeichen wesentlich umfassender als es unseren Beispielen am Anfang des Abschnitts entspricht:

Ein **Zeichen**[12] ist ein Element einer endlichen Menge[13] von unterscheidbaren „Dingen", dem **Zeichenvorrat.**

Ein Zeichenvorrat, in dem eine Reihenfolge (lineare Ordnung) für die Zeichen definiert ist, heißt ein Alphabet[14].

Einige Beispiele von Alphabeten (die Ordnung ist die des Aufzählens) sind:

a) Das Alphabet der Dezimalziffern
$\{0, 1, 2, 3, 4, 5, 6, 7, 8, 9\}$;

b) Das Alphabet der großen lateinischen Buchstaben
$\{A, B, C, D, E, F, G, H, I, J, K, L, M, N, O, P, Q, R, S, T, U, V, W, X, Y, Z\}$.

c) Das Alphabet der kleinen griechischen Buchstaben
$\{\alpha, \beta, \gamma, \delta, \varepsilon, \zeta, \eta, \vartheta, \iota, \kappa, \lambda, \mu, \nu, \xi, o, \pi, \rho, \sigma, \tau, \upsilon, \varphi, \chi, \psi, \omega\}$.

d) Das Alphabet der großen kyrillischen Buchstaben
А, Б, В, Г, Д, Е, Ж, З, И, Й, К, Л, М, Н, О, П, Р, С, Т, У, Ф, Х, Ц, Ч, Ш, Щ, Ъ, Ы, Ь, Э, Ю, Я,

e) Das Alphabet der 12 Tierkreiszeichen
♈ ♉ ♊ ♋ ♌ ♍ ♎ ♏ ♐ ♑ ♒ ♓

Zeichenvorräte ohne eine allgemein akzeptierte Anordnung der Zeichen sind etwa

f) Der Zeichenvorrat der Internationalen Lautschrift, d.h. der in natürlichen Sprachen vorkommenden Phoneme (Tabelle 3).

g) Der Zeichenvorrat einer Schreibmaschinentastatur.

h) Der Zeichenvorrat der japanischen Katakana-Schrift (vgl. Abb. 19).

i) Der Zeichenvorrat der Braille-Schrift (Blindenschrift, Abb. 20).

j) Der Zeichenvorrat chinesischer Ideogramme (einige tausend Zeichen).

k) Der Zeichenvorrat der Planetenzeichen, ☿ ♀ ⊕ ♂ ♃ ♄ ♅ ♆ ♇

l) Der Zeichenvorrat der Mondphasen ● ☽ ○ ☾

m) Der Zeichenvorrat der Spielkartenfarben ♡ ♧ ♢ ♤

n) Der Zeichenvorrat von SHERLOCK HOLMES (vgl. Abb. 21).

---

[12] DIN 44300 sagt aus: **Zeichen:** Ein Element aus einer vereinbarten endlichen Menge von (verschiedenen) Elementen. Die Menge wird **Zeichenvorrat** (character set) genannt.

[13] Theoretisch könnte man auch abzählbar unendliche Zeichenvorräte betrachten. Die formale Logik tut das gelegentlich. Praktisch spielt diese Frage keine Rolle, da man in endlicher Zeit immer nur Nachrichten übermitteln kann, die aus endlich vielen Zeichen aufgebaut sind.

[14] DIN 44300 sagt aus: **Alphabet:** Ein (in vereinbarter Reihenfolge) geordneter Zeichenvorrat. Der Unterschied zwischen Alphabet und Zeichenvorrat wird häufig übersehen.

Abb. 19    Katakana-Schrift

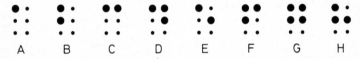

Abb. 20    Einige Zeichen der Braille-Schrift

Abb. 21    Eine Geheimnachricht ("Am here Abe Slaney") aus "The Adventure of the Danc-
ing Man" von CONAN DOYLE

o) Der Zeichenvorrat des „genetischen Codes",
bestehend aus den vier Buchstaben $A, C, G$ und $T$, die für die chemischen Verbin-
dungen Adenin, Cytosin, Guanin und Thymin stehen.

p) Der Zeichenvorrat des Flexowriter-Codes (8-Bit-Code, Abb. 22).

q) Der Zeichenvorrat des ISO 7-Bit-Codes (vgl. Abb. 23).

r) Der Zeichenvorrat des Lochkartencodes IBM (Abb. 24).

s) Der Zeichenvorrat des CCIT-2 Codes (Abb. 25).

t) Der Zeichenvorrat des Morse-Codes (Abb. 26).

u) Der Zeichenvorrat des internationalen Flaggen-Codes (Abb. 27).

| Spur-Nr. (P = Prüfbit) (T = Taktspur) | P | 7 | 6 | 5 | 4 | T | 3 | 2 | 1 |
|---|---|---|---|---|---|---|---|---|---|
| Zeichen | Lochkombination | | | | | | | | |
| Leerzeichen |  |  |  |  |  | ● |  |  |  |
| BS | ● |  |  |  | ● | ● |  |  |  |
| HT |  |  |  |  | ● | ● |  |  | ● |
| Wagenrücklauf |  |  |  |  | ● | ● |  | ● |  |
| Zeilenvorschub | ● |  |  |  | ● | ● | ● |  | ● |
| Zwischenraum | ● |  | ● |  |  | ● |  |  |  |
| ( |  |  | ● |  | ● | ● |  |  |  |
| ) | ● |  | ● |  | ● | ● |  |  | ● |
| % | ● |  | ● |  |  | ● |  | ● | ● |
| : |  |  | ● | ● | ● | ● |  | ● |  |
| / | ● |  | ● |  | ● | ● | ● | ● | ● |
| + |  |  | ● |  | ● | ● | ● |  | ● |
| − |  |  | ● |  | ● | ● |  | ● | ● |
| 0 |  |  | ● | ● |  | ● |  |  |  |
| 1 | ● |  | ● | ● |  | ● |  |  | ● |
| 2 | ● |  | ● | ● |  | ● |  | ● |  |
| 3 |  |  | ● | ● |  | ● |  | ● | ● |
| 4 | ● |  | ● | ● |  | ● | ● |  |  |
| 5 |  |  | ● | ● |  | ● | ● |  | ● |
| 6 |  |  | ● | ● |  | ● | ● | ● |  |
| 7 | ● |  | ● | ● |  | ● | ● | ● | ● |
| 8 | ● |  | ● | ● | ● | ● |  |  |  |
| 9 |  |  | ● | ● | ● | ● |  |  | ● |
| A |  | ● |  |  |  | ● |  |  | ● |
| B |  | ● |  |  |  | ● |  | ● |  |
| C | ● | ● |  |  |  | ● |  | ● | ● |
| D |  | ● |  |  |  | ● | ● |  |  |
| E | ● | ● |  |  |  | ● | ● |  | ● |
| F | ● | ● |  |  |  | ● | ● | ● |  |
| G |  | ● |  |  |  | ● | ● | ● | ● |
| H |  | ● |  |  | ● | ● |  |  |  |
| I | ● | ● |  |  | ● | ● |  |  | ● |
| J | ● | ● |  |  | ● | ● |  | ● |  |
| K |  | ● |  |  | ● | ● |  | ● | ● |
| L | ● | ● |  |  | ● | ● | ● |  |  |
| M |  | ● |  |  | ● | ● | ● |  | ● |
| N |  | ● |  |  | ● | ● | ● | ● |  |
| O | ● | ● |  |  | ● | ● | ● | ● | ● |
| P |  | ● |  | ● |  | ● |  |  |  |
| Q | ● | ● |  | ● |  | ● |  |  | ● |
| R | ● | ● |  | ● |  | ● |  | ● |  |
| S |  | ● |  | ● |  | ● |  | ● | ● |
| T | ● | ● |  | ● |  | ● | ● |  |  |
| U |  | ● |  | ● |  | ● | ● |  | ● |
| V |  | ● |  | ● |  | ● | ● | ● |  |
| W | ● | ● |  | ● |  | ● | ● | ● | ● |
| X | ● | ● |  | ● | ● | ● |  |  |  |
| Y |  | ● |  | ● | ● | ● |  |  | ● |
| Z |  | ● |  | ● | ● | ● |  | ● |  |
| Löschung einer Irrung | ● | ● | ● | ● | ● | ● | ● | ● | ● |

Abb. 22  Zeichenvorrat des Flexowriter-Codes

|      | 0 | 1 | 2 | 3 | 4 | 5 | 6 | 7 |
|------|---|---|---|---|---|---|---|---|
| 00 | NUL | DLE | b | 0 | $'$ χ | P | @ χ | p |
| 01 | SOH | DC$_1$ | ! | 1 | A | Q | a | q |
| 02 | STX | DC$_2$ | $''$ | 2 | B | R | b | r |
| 03 | ETX | DC$_3$ | # | 3 | C | S | c | s |
| 04 | EOT | STOP | \$ χ | 4 | D | T | d | t |
| 05 | ENQ | NAK | % | 5 | E | U | e | u |
| 06 | ACK | SYN | & | 6 | F | V | f | v |
| 07 | BEL | ETB | $'$ | 7 | G | W | g | w |
| 08 | BS | CAN | ( | 8 | H | X | h | x |
| 09 | HT | EM | ) | 9 | I | Y | i | y |
| 10 | LF | SS | * | : | J | Z | j | z |
| 11 | VT | ESC | + | ; | K | [ χ | k | { χ |
| 12 | FF | FS | , | $\langle$ | L | $^{-}$ χ | l | ¬χ |
| 13 | CR | GS | $-$ | = | M | ] χ | m | } χ |
| 14 | SO | RS | . | $\rangle$ | N | ∧ χ | n | \| χ |
| 15 | SI | US | / | ? | O | $_{-}$ | o | DEL |

Abb. 23   Zeichenvorrat des ISO 7-Bit-Codes (die ersten beiden Spalten enthalten sogenannte Steuerzeichen)

Tabelle zu Abb. 24

| Loch-kombination | Zeichen | Loch-kombination | Zeichen | Loch-kombination | Zeichen |
|------------------|---------|------------------|---------|------------------|---------|
| 0 | 0 | 11–4 | M | 12–2–8 | $\leq$ |
| 1 | 1 | 11–5 | N | 12–3–8 | . |
| 2 | 2 | 11–6 | O | 12–4–8 | ) |
| 3 | 3 | 11–7 | P | 12–5–8 | [ |
| 4 | 4 | 11–8 | Q | 12–6–8 | < |
| 5 | 5 | 11–9 | R | 12–7–8 | ↑ |
| 6 | 6 | 0–2 | S | 11 | $-$ |
| 7 | 7 | 0–3 | T | 11–2–8 | $'$ |
| 8 | 8 | 0–4 | U | 11–3–8 | \$ |
| 9 | 9 | 0–5 | V | 11–4–8 | * |
| 12–1 | A | 0–6 | W | 11–5–8 | ] |
| 12–2 | B | 0–7 | X | 11–6–7 | ; |
| 12–3 | C | 0–8 | Y | 11–7–8 | ¬ |
| 12–4 | D | 0–9 | Z | 0–1 | / |
| 12–5 | E |  | Blank (Zwr.) | 0–2–8 | $\neq$ |
| 12–6 | F | 2–8 | $\geq$ | 0–3–8 | , |
| 12–7 | G | 3–8 | = | 0–4–8 | ( |
| 12–8 | H | 4–8 | $'$ | 0–5–8 | $_{10}$ |
| 12–9 | I | 5–8 | : | 0–6–8 | $'$ |
| 11–1 | J | 6–8 | > | 0–7–8 | $\vee$ |
| 11–2 | K | 7–8 | ∧ |  |  |
| 11–3 | L | 12 | + |  |  |

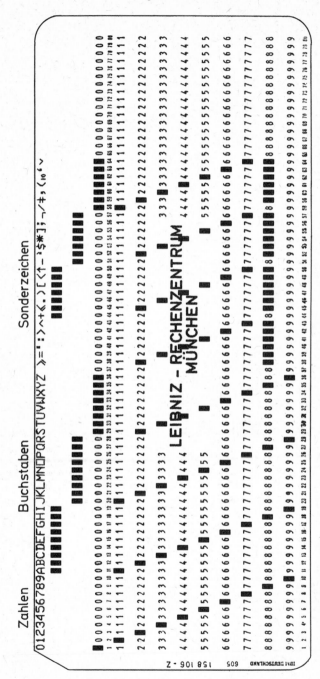

Abb. 24  Zeichenvorrat des IBM-Lochkartencodes (Schreiblocher IBM 029 Mod. A22, Zeichenbelegung DFG)

**Abb. 25** Zeichenvorrat des CCIT-2-Codes, Zeichenbelegung der ALCOR-Gruppe

| Ziffern/Zeichen | Buchstaben | 5 | 4 | 3 | T | 2 | 1 |
|---|---|---|---|---|---|---|---|
| Leerzeichen | Leerzeichen | | | | ● | | |
| 3 | E | | | | ● | | ● |
| Zeilenvorschub | Zeilenvorschub | | | | ● | ● | |
| Zwischenraum | Zwischenraum | | | ● | ● | | |
| Wagenrücklauf | Wagenrücklauf | | ● | | ● | | |
| 5 | T | ● | | | ● | | |
| – | A | | | | ● | ● | ● |
| 8 | I | | | ● | ● | ● | |
|  | N | | ● | ● | ● | | |
| 9 | O | ● | ● | | ● | | |
| , | S | | | ● | ● | | ● |
| 4 | R | | ● | | ● | ● | |
|  | H | ● | | ● | ● | | |
| 10 Wer da | D | | ● | | ● | | ● |
| ) | L | ● | | | ● | ● | |
| + | Z | ● | | | ● | | ● |
| 7 | U | | | ● | ● | ● | ● |
| : | C | | ● | ● | ● | ● | |
| . | M | ● | ● | ● | ● | | |
| [ | F | | ● | ● | ● | | ● |
| ] | G | ● | ● | | ● | ● | |
| ; | J | | ● | | ● | ● | ● |
| 0 | P | ● | | ● | ● | ● | |
| 2 | W | ● | | | ● | ● | ● |
| x | B | ● | ● | | ● | | ● |
| 6 | Y | ● | | ● | ● | | ● |
| ( | K | | ● | ● | ● | ● | ● |
| = | V | ● | ● | ● | ● | ● | |
| / | X | ● | ● | ● | ● | | ● |
| 1... | 1... | ● | ● | | ● | ● | ● |
| 1 | Q | ● | | ● | ● | ● | ● |
| A... | A... | ● | ● | ● | ● | ● | ● |

A... Buchstabenumschaltung (Löschung einer Irrung bei Lochstreifenbetrieb)
1... Ziffern- u. Zeichenumschaltung

**Morse-Code**

Buchstaben

| a | ·– | | n | –· |
|---|---|---|---|---|
| ä | ·–·– | | o | ––– |
| b | –··· | | ö | –––· |
| c | –·–· | | p | ·––· |
| ch | –––– | | q | ––·– |
| d | –·· | | r | ·–· |
| e | · | | s | ··· |
| f | ··–· | | t | – |
| g | ––· | | u | ··– |
| h | ···· | | ü | ··–– |
| i | ·· | | v | ···– |
| j | ·––– | | w | ·–– |
| k | –·– | | x | –··– |
| l | ·–·· | | y | –·–– |
| m | –– | | z | ––·· |

Ziffern

| 1 | ·–––– | | 6 | –···· |
|---|---|---|---|---|
| 2 | ··––– | | 7 | ––··· |
| 3 | ···–– | | 8 | –––·· |
| 4 | ····– | | 9 | ––––· |
| 5 | ····· | | 0 | ––––– |

**Abb. 26** Morse-Code

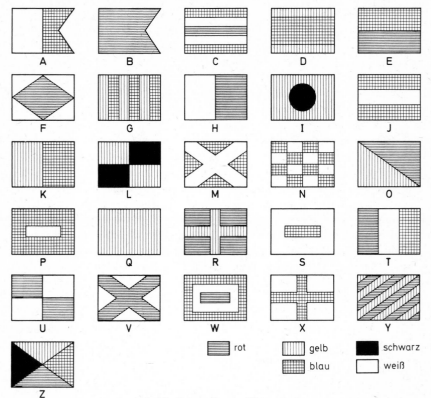

Abb. 27 Internationaler Flaggencode

Von größerer Bedeutung sind Zeichenvorräte, die nur aus zwei Zeichen bestehen. Man nennt einen solchen Zeichenvorrat einen **binären Zeichenvorrat**[15], und die Zeichen heißen **Binärzeichen**[16]. „Binärzeichen" (engl. *binary digit*) wird häufig abgekürzt zu **Bit**[17]. Beispiele binärer Zeichenvorräte sind:

v) Das Farbenpaar {»rot«, »grün«},

w) Das Intensitätspaar {»hell«, »dunkel«},

x) Das Ziffernpaar {0,1},

y) Das Zustandspaar {»gelocht«, »ungelocht«},

z) Das Gestenpaar {»Kopfnicken«, »Kopfschütteln«},

aa) Das Paar von Wahrheitswerten {»wahr«, »falsch«},

bb) Das Paar von Antworten {»ja«, »nein«},

---

[15] DIN 44300 sagt aus: **binär**: zweier Werte fähig.

[16] DIN 44300 sagt aus: **Binärzeichen**: Jedes Zeichen aus einem Zeichenvorrat von zwei Zeichen.

[17] Man beachte den Unterschied zwischen Bit und bit (vgl. die Fußnote S. 42).

cc) Das Paar von Zeichen $\{\curvearrowleft, \curvearrowright\}$ (»linksherum«, »rechtsherum«),

dd) Das Paar von Zeichen $\{\male, \female\}$ (»männlich«, »weiblich«),

ee) Das Paar von Zeichen $\{\odot, \circledcirc\}$ (»ein«, »aus«).

ff) Das Paar von Spannungen $\{12\,\text{V}, 2\,\text{V}\}$,

gg) Das Paar von Impulsen $\{\sqcap, \sqcup\}$,

hh) Das Paar von Zeichen $\{\cdot, -\}$ (»kurz«, »lang«),

ii) Das Paar von Zeichen $\{+, -\}$,

jj) Das Paar von Zeichen $\{\rightarrow, \leftarrow\}$ (»rechts«, »links«),

kk) Das Paar von Zeichen $\{\bigcirc, \bullet\}$,

ll) Das Paar von Zeichen $\{<, >\}$ (»kleiner«, »größer«).

Als abstrakte Zeichen für binäre Zeichenvorräte verwenden wir insbesondere das Zeichenpaar $\{\mathsf{L}, \mathsf{O}\}$. Dabei ist keine feste Zuordnung zu anderen binären Zeichenvorräten beabsichtigt, $\mathsf{L}$ kann mit 1, »ja«, »wahr«, »hell« identifiziert werden, muß aber nicht.

Digitale Nachrichten sind aus Zeichen aufgebaut. Oft werden sie dabei aus technischen oder sinnesphysiologischen Gründen in endliche Teilzeichenfolgen, in **Worte**[18], unterteilt[19]. Jedes Wort kann auf einer höheren Ebene wieder als Zeichen betrachtet werden, der entsprechende Zeichenvorrat ist dabei i. allg. umfangreicher als der ursprüngliche. Umgekehrt kann aber auch ein Zeichenvorrat durch Wortbildung über einem geringeren Zeichenvorrat, insbesondere einem binären Zeichenvorrat, gebildet werden. Manche der zuvor aufgezählten Zeichenvorräte sind durch Wortbildung über einem konkreten binären Zeichenvorrat, oder, abstrakt, über dem binären Zeichenvorrat $\{\mathsf{L}, \mathsf{O}\}$ gewonnen.

Worte über einem binären Zeichenvorrat heißen **Binärworte**. Sie brauchen keine feste Länge zu haben (vgl. den Morse-Code); ist dem aber so, dann spricht man von **n-Bit-Zeichen** und **n-Bit-Codes** (vgl. etwa den CCIT-2 Code (5-Bit-Zeichen), den ISO-7-Bit-Code oder den Flexowriter-Code (8-Bit-Zeichen)).

### 1.4.2 Codes und Codierungen

Eine Vorschrift zur Abbildung[20] eines Zeichenvorrats in einen anderen Zeichenvorrat (oder Wortvorrat) heißt **Code**[21,22]; auch die Bildmenge einer solchen Abbildung wird so bezeichnet.

---

[18] Nach DIN 44300: **Wort:** Eine Folge von Zeichen, die in einem bestimmten Zusammenhang als eine Einheit betrachtet wird.

[19] Die Nachricht selbst braucht dagegen im theoretischen Sinn keine endliche Zeichenfolge zu sein.

[20] Abbildung: eine eindeutige Zuordnung. Bei einer Abbildung **in** eine Menge muß nicht die ganze Menge als Bild auftreten.

[21] Nach DIN 44300: **Code:** 1. Eine Vorschrift für die eindeutige Zuordnung (**Codierung**) der Zeichen eines Zeichenvorrats zu denjenigen eines anderen Zeichenvorrats (Bildmenge), 2. Der bei der Codierung als Bildmenge auftretende Zeichenvorrat.

[22] Häufig sind die Zeichen des ursprünglichen Zeichenvorrats oder der Bildmenge selbst Zeichenfolgen über einem anderen Zeichenvorrat.

Abgesehen von der Hauptbedeutung »Gesetzbuch« (Code civile, Code Napoléon), bedeutet Code seit der Mitte des 19. Jahrhunderts ein Buch, in dem den Vokabeln einer natürlichen Sprache Zahlengruppen oder Buchstabengruppen zugeordnet sind. Der Gebrauch solcher Codes war weniger aus Gründen der Geheimhaltung als vielmehr aus Gründen der Ersparnis von Telegrammkosten zu einiger Bedeutung gelangt (ABC-Code von W. CLAUSEN-THUE, 1874).

Sind die Bilder einer Codierung sämtlich Einzelzeichen, so nennen wir die Abbildung eine **Chiffrierung** und die Bilder **Chiffren** (engl. *cipher*). Sofern eine kryptographische Absicht vorliegt, wird die Umkehrung der Abbildung – sofern sie eindeutig ist – als **Decodierung** bzw. **Dechiffrierung** bezeichnet.

In kommerziellen und kryptographischen Codes werden Wörter, Phrasen oder Begriffe aus natürlichen Sprachen meist durch Worte über einem Buchstaben- oder Ziffernalphabet codiert, üblicherweise in Fünfergruppen (Abb. 28).

**M. N. O. P. R. S. T. U. Y. Z.**

0　1　2　3　4　5　6　7　8　9

| | | | | |
|---|---|---|---|---|
| 19140 | UVVIM | slackness. | Schlaffheit, Geschäftsstille. | slapheid, stilte. |
| 19141 | UVVON | Slag(s). | Schlacke(n). | Schuim, slak(ken), metaalschuim(-slakken). |
| 19142 | UVWEO | Slander(s). | Verleumden(-e,-t), Verleumdung(en). | Belasteren, belaster(t), laster. |
| 19143 | UVWUP | slandered. | verleumdet. | belasterd. |
| 19144 | UVWYR | slandering. | verleumdend. | belasterend. |
| 19145 | UVYBS | slanderous. | verleumderisch. | lasterlijk. |
| 19146 | UVYCT | Slate(s). | Schiefer, Schiefertafel(n). | Lei(en). |
| 19147 | UVYDU | Sleeper(s). | (Bahn-)Schwelle(n). | Dwarsligger(s). |
| 19148 | UVYFY | Sleeve-valve. | Muffenventil. | Mofklep. |
| 19149 | UVYMZ | Slide(s). | Gleiten(-e, -et), Gleitbahn(en), Gleitführung(en). | Glijden(-t); schuif (schuiven), leibaan (leibanen), windklep(pen). |
| 19150 | UVYUM | slide-valve. | Schieberventil, Ventilschieber. | schuif, stoomschuif, schuifklep. |
| 19151 | UVYVN | sliding. | gleitend. | verschuifbaar, glijdend. |
| 19152 | UVYWO | sliding scale. | Gleitskala. | kalibermaat, proportioneele schaal. |
| 19153 | UVYZP | Slight. | Gering, von geringer Wichtigkeit. | Gering, onbeduidend. |
| 19154 | UVZUR | slightest. | geringst. | geringste. |
| 19155 | UVZYS | not the slightest. | nicht das (der, die) geringste. | niet de (het) geringste. |
| 19156 | UWAFT | slightly. | in geringem Masse, leicht. | lichtelijk. |
| 19157 | UWAGU | Slime(s). | Schleim(e), Schlamm (Schlämme). | Slijk, silk(ken). |
| 19158 | UWAHY | slimy. | schleimig, schlammig. | slikachtig, kleverig. |
| 19159 | UWALZ | Slip(s). | Schlüpfen(-e, -t), (aus)gleiten(-e, -t); Fehltritt(e). | Ontglippen, ontglip(t), uitglijden, sleephelling(en), abuis (abuizen). |

Abb. 28　Mehrsprachiger kommerzieller Code von MARCONI

In technischen Codes werden Buchstaben, Ziffern und andere Zeichen fast ausschließlich durch Binärworte codiert. Beispiele sind in den vorangehenden Abbildungen zu finden. Abb. 26 zeigt den Morse-Code. Seine Zeichen sind Worte verschiedener Länge über dem binären Zeichenvorrat {»kurz«}, {»lang«}, in graphischer Darstellung $\{\cdot, -\}$. Ein weiteres Beispiel liefert der Zählcode, der z. B. dem Fernsprechwählsystem zugrundeliegt:

| | |
|---|---|
| 1 | LO, |
| 2 | L L O, |
| 3 | L L L O, |
| 4 | L L L L O, |
| ⋮ | |
| 9 | L L L L L L L L L O, |
| 0 | L L L L L L L L L L O. |

Die meisten Codes haben Wörter gleicher Länge. Der älteste (Abb. 25) ist das auf
I. M. E. BAUDOT zurückgehende internationale Telegraphenalphabet Nr. 2 (CCIT
Nr. 2), ein 5-Bit-Code, der im deutschen und internationalen öffentlichen Fern-
schreibverkehr (Telex) bis heute verwendet wird[23]. Die beiden übrigen sind jüngeren
Datums: der ISO-7-Bit-Code (Abb. 23) und der Flexowriter-8-Bit-Code (Abb. 22),
beide international genormt[24]. Ein 12-Bit-Code ist der IBM Lochkartencode, der
auf H. HOLLERITH (1860–1929) zurückgeht (Abb. 24).

Binäre Codes als technische Codes wurden erstmals von GAUSS und WEBER im
Jahre 1833 betrachtet. Auf GAUSS-WEBERS ursprünglicher Anordnung basiert im
wesentlichen der CCIT-2-Code. Als kryptographischer Code wurde ein binärer
Code – ebenfalls ein 5-Bit-Code – bereits um 1580 benutzt, und zwar von FRANCIS
BACON[25].

Abb. 29 zeigt die Codetafel, mit 24 Zeichen, wobei zu bedenken ist, daß $u$ und $v$,
der Auffassung der Zeit entsprechend, nicht unterschieden werden. Die Worte des
Codes sind lexikographisch angeordnet.

| a AAAAA | e AABAA | i ABAAA | n ABBAA | r BAAAA | w BABAA |
| b AAAAB | f AABAB | k ABAAB | o ABBAB | s BAAAB | x BABAB |
| c AAABA | g AABBA | l ABABA | p ABBBA | t BAABA | y BABBA |
| d AAABB | h AABBB | m ABABB | q ABBBB | v BAABB | z BABBB |

Abb. 29    Binärer Code von FRANCIS BACON (um 1580)

Die zufällig erscheinende Anordnung des Baudotschen Codes hingegen ist unter
Berücksichtigung der Häufigkeit der Zeichen so bestimmt, daß die Anzahl der
Stromschritte und damit die Energiebelastung minimal wird.

Ein Sonderfall ist die Binärcodierung von Ziffern. Sie erfolgt nach Gesichtspunk-
ten, die auch die Verarbeitung von Zahlen, insbesondere die Addition, berücksichtigen. In Abb. 30 sind einige gängige Binärcodes für Dezimalziffern wiedergegeben.
Ihre Bedeutung ist in den letzten Jahren stark zurückgegangen, da interne Zahlen-
rechnungen meist im Zahlsystem zur Basis 2, mit **Dualziffern** 0 und 1, durchgeführt
werden. Zahlen, die im dualen Zahlensystem geschrieben sind, **Dualzahlen,** sind Worte
aus Dualziffern und *eo ipso* Binärworte. Oft findet man die Entsprechung

$$0 \leftrightarrow O,$$
$$1 \leftrightarrow L,$$

---

[23] **CCIT** ist die Abkürzung für Comité consultatif international de télécommunication.
Auf Einfachleitungen wird L durch » Strom ein« („Stromschritt"), O durch » Strom aus«
(„Pausenschritt") wiedergegeben.
[24] **ISO** ist die Abkürzung für International Organization for Standardization (International Standards Organization).
[25] FRANCIS BACON, 1561–1621, englischer Philosoph, Zeitgenosse SHAKESPEARES.

| Ziffern-symbol | Binäre Codierung | | | | | | | | |
|---|---|---|---|---|---|---|---|---|---|
| | direkt | Gray | Exzess-3 (Stibitz) | Gray-Stibitz | Aiken | biquinär | 1 - aus - 10 | 2 - aus - 5 | CCIT-2 |
| 0 | OOOO | OOOO | OOLL | OOLO | OOOO | OOOOOL | OOOOOOOOOL | LLOOO | OLLOL |
| 1 | OOOL | OOOL | OLOO | OLLO | OOOL | OOOOLO | OOOOOOOOLO | OOOLL | LLLOL |
| 2 | OOLO | OOLL | OLOL | OLLL | OOLO | OOOLOO | OOOOOOOLOO | OOLOL | LLOOL |
| 3 | OOLL | OOLO | OLLO | OLOL | OOLL | OOLOOO | OOOOOOLOOO | OOLLO | LOOOO |
| 4 | OLOO | OLLO | OLLL | OLOO | OLOO | OLOOOO | OOOOOLOOOO | OLOOL | OLOLO |
| 5 | OLOL | OLLL | LOOO | LLOO | LOLL | LOOOOL | OOOOLOOOOO | OLOLO | OOOOL |
| 6 | OLLO | OLOL | LOOL | LLOL | LLOO | LOOOLO | OOOLOOOOOO | OLLOO | LOLOL |
| 7 | OLLL | OLOO | LOLO | LLLL | LLOL | LOOLOO | OOLOOOOOOO | LOOOL | LLLOO |
| 8 | LOOO | LLOO | LOLL | LLLO | LLLO | LOLOOO | OLOOOOOOOO | LOOLO | OLLOO |
| 9 | LOOL | LLOL | LLOO | LOLO | LLLL | LLOOOO | LOOOOOOOOO | LOLOO | OOOLL |
| Gewichte der Stellen | 8 4 2 1 | 1 5 7 3 1 | | | 2 4 2 1 | 5 4 3 2 1 0 | 9 8 7 6 5 4 3 2 1 0 | 7 4 2 1 0 | |

Abb. 30  Gängige Binärcodes für Dezimalziffern

aber gegen die umgekehrte Zuordnung

$$0 \leftrightarrow \mathsf{L},$$
$$1 \leftrightarrow \mathsf{O}$$

kann ebenfalls nichts eingewandt werden.

Ziffern bilden auf natürliche Weise ein Alphabet: Die Zählfolge bestimmt die Reihenfolge. In Alphabeten kann es erwünscht sein, daß benachbarte Zeichen sich im Binärcode möglichst wenig, d. h. lediglich um ein Bit, unterscheiden. Es gibt Codes, die das erreichen, sie werden als **Gray-Codes** bezeichnet. Abb. 31 zeigt die mäanderartige Reihenfolge, mit der die 16 in 4 Zeilen angeordneten 4-Bit-Kombinationen durchlaufen werden können, um einen Gray-Code für Dezimalziffern zu ergeben.

Abb. 31   Mäander des Gray-Codes von Abb. 30

Interessant ist, daß man einen $n$-Bit-Code für ein Alphabet oft auch dadurch erhalten kann, daß man über eine geeignete zyklische Anordnung von höchstens $2^n$ Bits ein **Ablesefenster** wandern läßt, das je $n$ aufeinanderfolgende Bits herausgreift. Für $n = 3$ ist das z. B. möglich mittels der Anordnung

$$\rightarrow \! \mathsf{OOOLLLOL} \urcorner$$

von $8 = 2^3$ Bits. Codes mit einer so definierten Reihenfolge des Alphabets heißen **Kettencodes**. Der erste Kettencode ($n = 5$) wurde ebenfalls von BAUDOT erfunden. Auch ein **1-aus-$n$-Code** kann als Kettencode aufgefaßt werden, und zwar als $n$-Bit-Code mit einer zyklischen Anordnung von $n$ Bits, von denen alle bis auf eines gleich sind (Beispiel 1-aus-10-Code in Abb. 30).

Werden die Binärworte lexikographisch, beginnend mit $\mathsf{OO\ldots O}$, den Ziffern zugeordnet, so spricht man von einem **direkten Code**. Die durch die Ziffern bestimmte Zahl heißt das direkte ganzzahlige Äquivalent des Binärwortes. Dieser und einige andere der in Abb. 30 wiedergegebenen Codes für Dezimalziffern sind binäre **Stellenwertcodes** – der direkte Code mit den bitweisen Stellenwerten 8-4-2-1, der Aiken-Code mit den Stellenwerten 2-4-2-1. Stellenwertcodes vereinfachen ganz offensichtlich die Addition – nämlich zu einer bitweise erfolgenden Addition mit Übertrag. Der Exzeß-3-Code ist ein verschobener direkter Code: Vom direkten ganzzahligen Äquivalent ist 3 abzuziehen, um die dargestellte Ziffer zu erhalten. In diesem Code gehen 0 und 9, 1 und 8 usw. durch O-L-Vertauschung ineinander über: Er vereinfacht die Gewinnung des Negativums aus einer gegebenen Zahl.

Ternärcodierung hat sich – trotz mancher technischer Ansätze – nicht durchsetzen können. Quaternärcodierung liegt im „genetischen Code" (siehe Seite 22) vor, es werden Worte der Länge 3 benutzt. 61 der 64 Kombinationen sind den 20 in der Natur vorkommenden Aminosäuren zugeordnet, selbstverständlich in nicht-eindeutiger Weise, so wird z. B. Glutaminsäure (Glu) durch die 2 Codeworte CTT und CTC, Alanin (Ala) durch die 4 Codeworte CGA, CGG, CGT und CGC, Arginin (Arg) durch die 6 Codeworte GCA, GCG, GCT, GCC, TCT und TCC dargestellt. Die genaue Bedeutung der restlichen 3 Codeworte ist noch ungeklärt. Vermutlich dienen sie der Markierung von Anfang und Ende einer Aminosäurenkette.

Codes mit Worten verschiedener Länge finden sich im technischen Bereich nicht allzu häufig. Eine Ausnahme bildet der Morsecode. Oberflächlich betrachtet ist es ein Binärcode mit dem Zeichenvorrat {»Punkt«, »Strich«} und Worten bis zur Länge 5 für Buchstaben und Ziffern. Genauer genommen tritt die »Lücke« noch als drittes Zeichen hinzu, das die Fuge zwischen zwei (durch die Länge nicht abgrenzbaren) Worten markiert. Durch die Zuordnung

$$\cdot \leftrightarrow \mathsf{OL},$$
$$- \leftrightarrow \mathsf{OLLL},$$
$$\text{»Lücke«} \leftrightarrow \mathsf{OOO}$$

wird der Morsecode als Binärcode auffaßbar. Diese, der üblichen Regel „Punkt ist solang wie Pause, Strich ist dreimal solang wie Punkt, Lücke ist drei Pausen lang" der Funker entsprechenden Binärcodierung liegt der technischen Realisierung (Strom ein – Strom aus, Ton ein – Ton aus) meistens zugrunde. Beispielsweise wird

$$a \leftrightarrow \cdot - \leftrightarrow \mathsf{OLOLLL},$$
$$y \leftrightarrow - \cdot - - \leftrightarrow \mathsf{OLLLOLOLLLOLLL}.$$

In Binärcodes mit konstanter Wortlänge können Worte unmittelbar hintereinandergesetzt werden, wodurch sich eine einzige Folge von Binärzeichen ergibt. Durch Abzählen kann die Lage der Fugen und damit die ursprüngliche Wortgruppierung gefunden werden, aus Worten zusammengesetzte Nachrichten sind also eindeutig decodierbar. Allerdings darf kein Verzählen, kein „aus der Phase fallen" vorkommen, was technisch zu Komplikationen (Gleichlauf, Synchronisation) führt.

Bei Codes mit wechselnder Wortlänge ist demgegenüber die Lage der Fugen im allgemeinen nicht rekonstruierbar, aus mehreren Worten bestehende Nachrichten sind u. U. nicht oder nicht eindeutig decodierbar. Die Decodierbarkeit ist aber gewährleistet, wenn die folgende Bedingung eingehalten wird:

**Fano-Bedingung:** Kein Wort aus dem Code ist Anfang eines anderen Wortes aus dem Code.

Dann ist offensichtlich die Fuge durch das „Nicht mehr weiter lesen können" bestimmt.

Die Fano-Bedingung ist hinreichend, aber nicht notwendig für die eindeutige Decodierbarkeit, wie folgendes Gegenbeispiel zeigt:

$$A \leftrightarrow L$$
$$B \leftrightarrow LO.$$

Eine triviale Möglichkeit, die Fano-Bedingung zu gewährleisten, besteht darin, jedes Codewort mit einem spezifischen Zeichen oder einer Zeichengruppe, **Trennzeichen** genannt, beginnen zu lassen. Dies ist beim Morsecode offensichtlich der Fall, und zwar fungiert die Lücke als Trennzeichen der Punkt-Strich-Folge, die Zeichengruppe OOO als Trennzeichen der Binärcodierung des Morsecodes. Bei Fernschreibübertragung wird, technisch gesehen, ebenfalls ein Trennzeichen (der synchronisierende »Sperrschritt«) übertragen.

Das Problem der Decodierung von Codes mit wechselnder Wortlänge wurde erstmals von den Gebrüdern ARGENTIS, die im 16. Jahrhundert am päpstlichen Hof lebten, als solches erkannt.

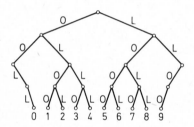

Abb. 32    Codebaum für den Exzess-3-Code

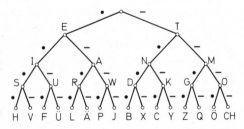

Abb. 33    Codebaum für den Morse-Code

Binärcodierungen lassen sich auch durch einen **Codebaum** darstellen. Abb. 32 zeigt den Codebaum für den Exzeß-3-Code, Abb. 33 für den Morsecode. Der Codebaum wird uns in den Übergangsdiagrammen der Automatentheorie wieder begegnen.

„Nachrichten sind Symbole für Informationen,
deren Bedeutung gelernt werden muß."

MEHLIS

### 1.4.3 Symbole

Zu unterscheiden ist zwischen einem Zeichen selbst und seiner Bedeutung. Das Flaggenzeichen in Abb. 27, zweite Zeile, zweites von links, bedeutet den Buchstaben *G*, in anderer Verwendung aber auch „Ich benötige einen Lotsen" bzw. „I require a pilot". Ein Zeichen zusammen mit seiner Bedeutung heißt **Symbol**. Das besprochene Flaggenzeichen ist also das Symbol für eine gewisse Aufforderung, es ist nicht nur international verständlich, sondern seine Bedeutung ist unabhängig von einer Zunge. Schon ATHANASIUS KIRCHER hat 1663 eine internationale, 1048 Symbole umfassende Begriffsschrift angegeben. Vgl. auch den mehrsprachigen Code in Abb. 28.

Je nach dem Verwendungszweck hat ein Zeichen oft verschiedene Bedeutung, ♀ ist sowohl in der Astronomie Symbol für den Planeten Venus wie auch in der Biologie Symbol für ein weibliches Lebewesen. Unglücklicherweise haben oft auch verschiedene Zeichen die gleiche Bedeutung, die Zeichen ·, × und neuerdings auch ∗ werden als Symbol »Multiplikation« verstanden.

Üblicherweise hat jede Nachricht eine Bedeutung, ist also selbst Symbol **(Wortsymbol)**. Wortsymbolen werden wir auch in Kapitel II begegnen. Offensichtlich ist es die zur Nachricht hinzutretende Information, die das Symbol ergibt.

## 1.5. Diskretisierung

Nachrichten, die nicht digital sind – z. B. nichtsprachliche Nachrichten wie Bilder, Karten, Kurven, Diagramme – werden oft näherungsweise **diskretisiert** und damit als digitale Nachrichten behandelbar. Dazu werden zwei Näherungsmethoden verwendet: die **Rasterung** und die **Quantelung**.

### 1.5.1 Rasterung

Zunächst soll als zu diskretisierende Nachricht abstrakt eine reellwertige Funktion über einem endlichen oder einseitig unendlichen Intervall angesehen werden. Die Funktion soll nicht „pathologisch" sein[26]. Eine solche Funktion mag veranschaulicht werden durch ihren Funktionsgraph, gemeinhin **Kurve** genannt (Abb. 34a). Die Rasterung besteht nun darin, das Definitionsintervall der Funktion in gleichlange Teilintervalle zu zerlegen und die Funktion durch eine andere zu ersetzen (Abb. 34b), die auf jedem Teilintervall konstant ist und als Wert dort einen irgendwie gearteten Durchschnittswert hat: Die Funktion wird durch eine „Treppenfunktion" approximiert. Wie in der Technik stellt man eine Treppenfunktion häufig durch

---

[26] Z.B. stetig oder von beschränkter Schwankung, allgemeiner: LEBESGUE-integrierbar. Vgl. dazu GRAUERT-LIEB, Differential- und Integralrechnung I, Springer-Verlag, 1967.

eine Folge äquidistanter Linien dar, deren Höhe jeweils den Durchschnittswert angibt[27]. Den entstehenden Graph nennt man einen **Puls** (Abb. 34c). Die Rasterung besteht also darin, die Funktion durch einen Puls zu ersetzen. Der „Durchschnittswert" kann durch einfache oder gewichtete Mittelung erhalten werden, oder man nimmt den Wert an einer bestimmten Stelle des Intervalls, z. B. in der Mitte (**Abtastung**).

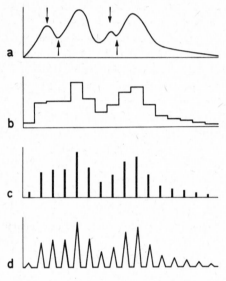

Abb. 34    Verschiedene Arten der Diskretisierung

Je gröber die Rasterung, um so mehr Eigentümlichkeiten der ursprünglichen Kurve gehen verloren: In Abb. 34 lassen sich in der Rasterung die je zwei mit Pfeilen bezeichneten Maxima und Minima nicht mehr rekonstruieren. Umgekehrt gibt das gerasterte Bild die Einzelheiten um so genauer wieder, je feiner die Rasterung ist. Diese intuitive Aussage wird für den Fall des Rasterns durch Abtastung präzisiert im Abtasttheorem (WHITTAKER (1915), KOTELNIKOV (1933), NYQUIST (1924), das von C. SHANNON 1949 in seiner Bedeutung für die Nachrichtenübertragung erkannt wurde:

**Abtasttheorem:**
Sei $f(t)$ eine Funktion der Form

$$f(t) = \int_0^{v_G} (a(v)\cos(2\pi v t) + b(v)\sin(2\pi v t))\,dv$$

---

[27] Es handelt sich dann um den Graph einer „uneigentlichen", aus „Stoßfunktionen" zusammengesetzten Funktion. Sie kann als idealisierter Grenzfall einer Funktion mit sehr scharf ausgeprägten Zacken verstanden werden (Abb. 34d).

(als Zeitfunktion also aus Schwingungen mit einer Grenzfrequenz (Bandbreite) $v_G$ zusammengesetzt).

Ist

$$t_s \leq \frac{1}{2v_G},$$

so ist $f(t)$ darstellbar in der Form

$$f(t) = \sum_n f(n\,t_s)\ \frac{\sin\left(\dfrac{\pi t}{t_s} - n\pi\right)}{\dfrac{\pi t}{t_s} - n\pi}.$$

(Aus den abgetasteten Werten läßt sich die Funktion wieder aufbauen, wenn die **Abtastfrequenz** $\dfrac{1}{t_s}$ mindestens das doppelte der Grenzfrequenz beträgt.)

Die im Abtasttheorem vorkommende **Interpolationsfunktion**

$$\frac{\sin \dfrac{\pi t}{t_s}}{\dfrac{\pi t}{t_s}}$$

hat den Grenzwert 1 für $t = 0$ und verschwindet an den übrigen Abtaststellen $n t_s$. Ihr Funktionsgraph ist in Abb. 35 wiedergegeben.

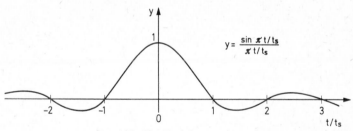

Abb. 35   Funktionsgraph

Die Voraussetzung des Abtasttheorems, daß die Funktion eine Grenzfrequenz hat, ist nicht gravierend: Physikalische Apparate lassen grundsätzlich keine beliebig hohen Frequenzen zu, sie „schneiden sie ab". Bei technischen Anwendungen darf stets vom Vorhandensein einer Grenzfrequenz für Nachrichten darstellende, nichtdigitale Signale ausgegangen werden.

Auch für Funktionen mehrerer Veränderlicher über einem mehrdimensionalen Definitionsbereich ist Rasterung mit Unterteilung in kongruente Teilbereiche möglich. In der Ebene wird neben Dreiecks- und Sechsecksrasterung hauptsächlich quadratische Rasterung verwendet (vgl. Abb. 36). Farbrasterung wurde als Stilmittel von der Malschule der Pointilisten verwendet. Das Abtasttheorem gilt dann in einer sinngemäßen Verallgemeinerung. Ein Spezialfall mehrdimensionaler Rasterung ist die **Zeilenrasterung** und **Schichtrasterung**. Sie ermöglicht es, mehrdimensionale Funk-

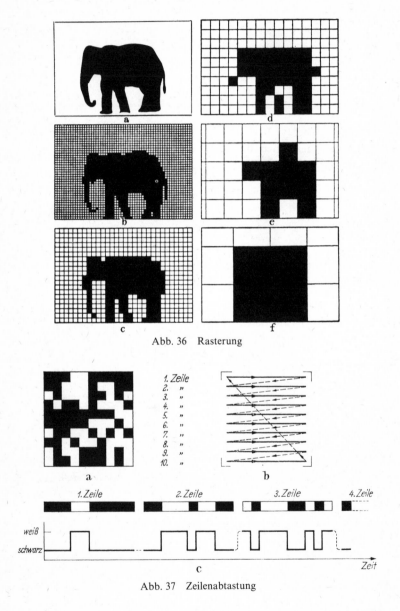

Abb. 36   Rasterung

Abb. 37   Zeilenabtastung

tionen in solche über Bereiche niedrigerer Dimensionen, insbesondere in Funktionen einer Veränderlichen **abzuspulen**. Schichtrasterung wird z. B. in der Röntgenaufnahmetechnik verwendet; Zeilenrasterung liegt beim Fernsehen vor (Abb. 37). Das Ergebnis ist eine Funktion, die die Helligkeit abhängig von einer Veränderlichen, der Zeit, wiedergibt. Abb. 37b zeigt das Abspulen einer quadratisch gerasterten Information.

Rasterung, wenn nötig gefolgt vom Abspulen in eine Folge, ist also der Schritt, der aus einer Funktion eine Folge von Funktionswerten macht. Die Funktionswerte entstammen normalerweise dem Kontinuum der reellen Zahlen, nämlich den (mehr als abzählbar vielen) Werten, welche die als Signalparameter dienende physikalische Größe annehmen kann. Demgegenüber ist eine digitale Nachricht eine e n d l i c h e Folge von Z e i c h e n, von denen es ihrerseits nur endlich viele[28] gibt. Der nächste Schritt, die Quantelung, stellt den Übergang zwischen reellwertigen Funktionen und Nachrichten her.

### 1.5.2 Quantelung

Die **Quantelung** ist eine Abbildung der reellen Zahlen in eine abzählbare Menge von Zahlen, nämlich alle Vielfachen einer gewissen Zahl $\Delta$, dem **Quantenschritt**. Die Abbildung erfolgt so, daß jeweils ein gleichlanges Intervall von Zahlen in dasjenige Vielfache von $\Delta$, das im Intervall liegt, abgebildet wird (Abb. 38).

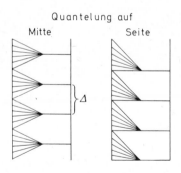

Abb. 38     Quantelung

Aus physikalischen Gründen darf wieder davon ausgegangen werden, daß die Funktionswerte, die ja Werte einer physikalischen Größe sind, nicht beliebig groß sein können, sondern nach oben und nach unten beschränkt sind. Die Quantelung überführt dann die Funktionswerte in eine endliche Menge von Zahlen. Diese kann als Zeichenvorrat aufgefaßt werden. Rasterung, gefolgt von Quantelung, ergibt also eine Folge von Zeichen: Aus einer beliebigen Nachricht entsteht eine digitale Nachricht,

---

[28] oder abzählbar viele, vgl. S. 21, Fußnote 13.

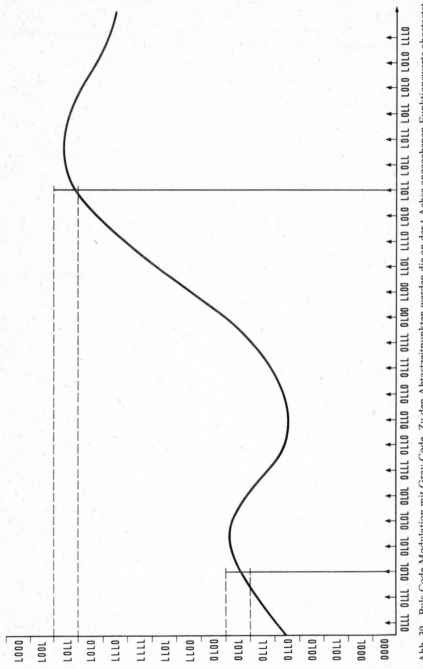

Abb. 39   Puls-Code-Modulation mit Gray-Code. Zu den Abtastzeitpunkten werden die an der t-Achse angegebenen Funktionswerte abgetastet

dargestellt durch ein Wort über einem Zeichenvorrat. Die einzelnen Zeichen dieses Zeichenvorrats – die Vielfachen des Quantenschrittes – können wiederum binär codiert werden. Technisch ist dieses Verfahren als Puls-Code-Modulation bekannt (Abb. 39). Dabei wird oft ein Gray-Code verwendet, der den Vorteil hat, daß eine minimale Abänderung um eine Quantenstufe nur eine Änderung eines einzigen Bits bewirkt.

## 1.6 Shannonsche Informationstheorie

### 1.6.1 Shannonsche Nachrichten

Die in einer Nachricht steckende Information kann wesentlich von dem Zeitpunkt abhängen, zu dem die Nachricht den Empfänger erreicht. Eine Verzögerung einer solchen Nachricht ändert gleichzeitig ihren Charakter. Beispiele sind etwa der Lottozettel, der Wetterbericht oder eine Sturmwarnung. Im Extremfall ist die gesamte Information durch den Zeitpunkt der Ankunft eines (vorher vereinbarten) Signals gegeben. Man spricht dann von einer **Meldung** oder einem **Alarm.** Beispiele sind der Feuermelder, das Glockenläuten, der Uhrschlag oder ein Hupensignal.

Im Gegensatz dazu gibt es Nachrichten, deren Information zeitunabhängig ist. Solche Nachrichten können häufig als Folgen von Einzelnachrichten aufgefaßt werden, die zeitlich nacheinander gesendet werden: Zum Zeitpunkt $t_0$ die erste Einzelnachricht, zum Zeitpunkt $t_1$ die zweite usw. Da die innere Struktur der Einzelnachrichten nicht weiter interessiert, können wir die Einzelnachrichten als Zeichen auffassen (vgl. S. 28). Diese Zeichen sind mit einer gewissen, zeitunabhängigen Wahrscheinlichkeit aus einem vorgegebenen endlichen oder unendlichen Zeichenvorrat ausgewählt. Speziell interessiert uns hier der etwa beim Würfelspiel vorkommende Fall, daß die Wahrscheinlichkeit des Auftretens eines bestimmten Zeichens $Z$ zum Zeitpunkt $t$ identisch ist mit der Häufigkeit des Zeichens $Z$ in der gesamten Zeichenfolge. Zeichenfolgen mit dieser Eigenschaft heißen Shannonsche Nachrichten, der sie erzeugende Sender wird als **Nachrichtenquelle** oder Shannonsche Quelle bezeichnet. Mathematisch gesehen ist die Nachrichtenquelle ein stationärer stochastischer Prozeß.

Da die Zeichen und die in ihnen enthaltene Information im voraus bekannt sind, besteht der wesentliche Schritt bei Eintreffen eines Zeichens in der Entscheidung, welches der vorgegebenen Zeichen vorliegt. Diese Entscheidungen untersucht die ,,Shannonsche Informationstheorie". C. SHANNON (1948) hat hierfür den mathematisch faßbaren Begriff der **Entscheidungsinformation** definiert. Sie mißt im wesentlichen den Aufwand, der zur Klassifizierung der gesendeten Zeichen erforderlich ist. Das Wort ,,Information" wird hierbei offensichtlich in einem speziellen Sinne benutzt, der mit unserem sonstigen Gebrauch des Wortes nicht übereinstimmt und aus der Technik stammt.

## 1.6.2 Die Entscheidungsinformation

Die Shannonsche Informationstheorie, genauer gesagt die Theorie der Entscheidungsinformation, geht aus von der elementaren Entscheidung zwischen zwei Zeichen, etwa zwei Bits wie O oder L. Eine solche Alternativentscheidung wird in [bit] gemessen[29].

Stellt die Entscheidung eine Auswahl eines Zeichens aus einer Menge von $n$ Zeichen dar, wobei $n \geq 2$, so kann sie durch mehrere aufeinanderfolgende Alternativentscheidungen in Form einer **Entscheidungskaskade** vorgenommen werden: Die gegebene Menge von $n$ Zeichen wird in zwei (nichtleere) Teilmengen zerlegt, jede Teilmenge wird genauso weiter zerlegt, bis man auf einelementige Teilmengen stößt.

Offenbar hängt es von der Art der Zerlegung ab, wieviel Alternativentscheidungen man zur Auswahl eines bestimmten Zeichens benötigt. Abb. 40 gibt ein Beispiel: Um $a$ oder $e$ auszusuchen, sind zwei Alternativentscheidungen nötig (die Entscheidungsinformation beträgt 2 [bit]); um $b$, $c$ oder $f$ auszusuchen, benötigt man drei Alternativentscheidungen, usw.

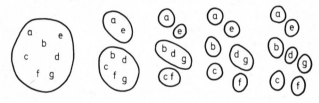

Abb. 40    Zerlegung in gleichwahrscheinliche Teilmengen

Tritt ein Zeichen häufig auf, so wird man anstreben, die Anzahl der dafür aufzuwendenden Entscheidungen möglichst klein zu halten. Für seltenere Zeichen muß man dann eine größere Anzahl von Alternativentscheidungen aufwenden. Häufig auftretende Zeichen enthalten wenig, seltene Zeichen enthalten viel Entscheidungsinformation (Entscheidungsgehalt). Es erscheint also plausibel, daß man nicht in gleich große, sondern gleich wahrscheinliche Teilmengen zerlegen möchte. Man verfährt bei jeder Zerlegung so, daß die Wahrscheinlichkeit der Zeichen der einen und der zweiten Teilmenge genau gleich (in Wirklichkeit: näherungsweise gleich) sind. Nehmen wir zur Vereinfachung zunächst an, die vorgegebenen Wahrscheinlichkeiten erlaubten eine exakte Gleichheit. Ist dann nach $k_i$ Alternativentscheidungen das $i$-te Zeichen isoliert, so ist seine Wahrscheinlichkeit $p_i = \left(\dfrac{1}{2}\right)^{k_i}$. Umgekehrt hat man zur Auswahl eines Zeichens, welches mit der Wahrscheinlichkeit $p_i$ auftritt, $k_i = {}_2\log\left(\dfrac{1}{p_i}\right)$ Alternativentscheidungen nötig. Wir definieren deshalb die durch das

---

[29] bit (mit kleinem b) ist die Einheit der Entscheidung zwischen zwei Bits (mit großem B).

Auftreten eines solchen Zeichens gegebene Entscheidungsinformation, den „Entscheidungsgehalt des Zeichens", zu

(*) $$_2\log\left(\frac{1}{p_i}\right) \text{ [bit]}.$$

Der mittlere Entscheidungsgehalt pro beliebig herausgegriffenem Zeichen ist dann

$$H = \sum_i p_i \, _2\log\left(\frac{1}{p_i}\right) \text{ [bit]}.$$

Dies ist die Grunddefinition der Shannonschen Informationstheorie. $H$ wird auch als **mittlerer Entscheidungsgehalt pro Zeichen,** als **Information pro Zeichen** oder als **Entropie der Nachrichtenquelle** bezeichnet.

Das Ergebnis einer einzelnen Alternativentscheidung kann durch O bzw. L wiedergegeben werden. Der Auswahl eines Zeichens entspricht dann eine Folge der Binärzeichen O und L, ein Binärwort. Wir bezeichnen dieses Binärwort als Codierung des Zeichens, die Menge der Codierungen aller Zeichen einer Nachrichtenquelle heißt **Codierung der Nachrichtenquelle.** Die Binärworte sind im allgemeinen nicht gleich lang: Einem Zeichen mit der Wahrscheinlichkeit $p_i$ entspricht ein Wort der Länge $N_i = {}_2\log\left(\frac{1}{p_i}\right)$. Jedoch ist die Fano-Bedingung automatisch erfüllt.

Demnach ist $H$ auch die **mittlere Wortlänge** (in Bit) des zur Binärcodierung der Nachrichtenquelle erforderlichen Codes. Abb. 41 zeigt die Durchführung der Codierung für das Beispiel aus Abb. 40.

| Buchstabe | $p_i$ | Codierung |
|-----------|-------|-----------|
| a | $\frac{1}{4}$ | OO |
| e | $\frac{1}{4}$ | OL |
| f | $\frac{1}{8}$ | LOO |
| c | $\frac{1}{8}$ | LOL |
| b | $\frac{1}{8}$ | LLO |
| d | $\frac{1}{16}$ | LLLO |
| g | $\frac{1}{16}$ | LLLL |

$$H = \sum p_i \, {}^2\log\left(\frac{1}{p_i}\right) = \frac{2}{4} + \frac{2}{4} + \frac{3}{8} + \frac{3}{8} + \frac{3}{8} + \frac{4}{16} + \frac{4}{16} = 2{,}625$$

Abb. 41   Optimale Codierung

Ist die Anzahl der Zeichen $n = 2^N$ eine Zweierpotenz, und sind alle Zeichen gleichwahrscheinlich, $p_i = \left(\frac{1}{2}\right)^N$, so haben alle Binärworte die Länge $N$, wir erhalten

$$H = N = {}_2\log n.$$

Nun weist man leicht nach, daß für eine Nachrichtenquelle mit $n$ Zeichen für beliebige Werte von $p_i$

$$\sum_i^n p_i \, {}_2\log\left(\frac{1}{p_i}\right) \leq {}_2\log n$$

gilt. Das Gleichheitszeichen gilt für den Fall gleichwahrscheinlicher Zeichen. Auch dann ist jedoch ${}_2\log n$ im allgemeinen keine ganze Zahl. ${}_2\log n$ kann also nicht die (für jedes Zeichen gleiche) Anzahl der benötigten Entscheidungen wiedergeben. Jedoch kann eine Auswahl aus $n$ Zeichen stets mit $N$ Alternativentscheidungen getroffen werden, wobei

$$N - 1 < {}_2\log n \leq N.$$

Dazu zerlegt man jeweils so, daß sich die Anzahl der Zeichen in beiden Teilmengen höchstens um 1 unterscheidet. Es gibt also für $n$ Zeichen stets eine Codierung mit Worten der Länge $N$ mit $N - 1 < {}_2\log n \leq N$.

Trotzdem ist es sinnvoll, die Grunddefinition (*) des Entscheidungsgehalts eines Zeichens auch dann zu verwenden, wenn die Einzelwahrscheinlichkeiten keine (negativen) ganzzahligen Zweierpotenzen sind, und wenn die Zerlegung in gleichwahrscheinliche Teilmengen nicht exakt durchführbar ist.

Besitzt in einer Codierung einer Nachrichtenquelle das $i$-te Zeichen die Wortlänge $N_i$, so ist

$$L = \sum_i p_i N_i$$

die mittlere Wortlänge. Unter der einschränkenden Voraussetzung, daß man den Zeichenvorrat in genau gleichwahrscheinliche Teilmengen zerlegen kann, fanden wir oben $L = H$. Im allgemeinen Fall wird der Zusammenhang zwischen mittlerer Wortlänge $L$ und Entropie $H$ einer Nachrichtenquelle geklärt durch das

**Shannonsche Codierungstheorem** (SHANNON 1948):

1. Es gilt stets

$$H \leq L.$$

2. Jede Nachrichtenquelle kann so codiert werden, daß die Differenz $L - H$ beliebig klein wird.

Um die in (2) genannten Codierungen zu erhalten, codiert man allerdings nicht jedes der $n$ Zeichen einzeln, sondern betrachtet stattdessen Binärcodierungen für die $n^k$ Gruppen von je $k$ Zeichen. Als rechnerische Wortlänge des $i$-ten Zeichens $Z_i$ erhält man dann

$$N_i = (\text{mittlere Wortlänge aller Gruppen, die } Z_i \text{ enthalten})/k.$$

Je größer man nun $k$ wählt, desto genauer läßt sich eine Zerlegung in gleichwahrscheinliche Teilmengen annähern. Meist erreicht man schon für $k = 2$ oder $k = 3$ eine praktisch ausreichende Näherung (Abb. 42).

Erst das Codierungstheorem liefert die Rechtfertigung für die Verwendung der Entropie $H = -\sum_i p_i \,_2\log p_i$ : $H$ ist die untere Grenze für die Anzahl der aufzuwendenden Entscheidungen bei bestmöglicher Codierung.

*Einzelcodierung*

| Zeichen | Wahrscheinlichkeit | Codierung | Länge | |
|---------|--------------------|-----------|-------|------|
| A | 0.7 | O | 1 | 0.7 |
| B | 0.2 | L O | 2 | 0.4 |
| C | 0.1 | L L | 2 | 0.2 |
| | | | mittlere Wortlänge | 1.3 |

*Paarcodierung*

| Zeichen | Wahrscheinlichkeit | Codierung | Länge | |
|---------|--------------------|-----------|-------|-------|
| AA | 0.49 | O | 1 | 0.49 |
| AB | 0.14 | L O O | 3 | 0.42 |
| BA | 0.14 | L O L | 3 | 0.42 |
| AC | 0.07 | L L O O | 4 | 0.28 |
| CA | 0.07 | L L O L | 4 | 0.28 |
| BB | 0.04 | L L L O | 4 | 0.16 |
| BC | 0.02 | L L L L O | 5 | 0.10 |
| CB | 0.02 | L L L L L O | 6 | 0.12 |
| CC | 0.01 | L L L L L L | 6 | 0.06 |
| | | | | 2.33 /2 |
| | | | mittlere Wortlänge | 1.165 |

*Mittlerer Entscheidungsgehalt:*

$$0.7 \cdot \,_2\log(1/0.7) = 0.7 \cdot 0.515 = 0.3605$$
$$0.2 \cdot \,_2\log(1/0.2) = 0.2 \cdot 2.322 = 0.4644$$
$$0.1 \cdot \,_2\log(1/0.1) = 0.1 \cdot 3.322 = 0.3322$$
$$1.1571$$

Abb. 42   Paarcodierung zur Approximation von $L$ an $H$

Die Differenz $L - H$ wird als **Code-Redundanz** bezeichnet, $1 - \dfrac{H}{L}$ heißt **relative Code-Redundanz**. Sie wird oft in Prozent angegeben.

Die Redundanz mißt die nutzlos vorhandenen Entscheidungen. Da in praktischen Fällen die einzelnen Zeichen fast nie gleich häufig auftreten, ist die Codierung mit fester Wortlänge meist redundant. Aus technischen Gründen, insbesondere wegen der Möglichkeit der Parallel- und Multiplexübertragung, wird sie trotzdem häufig verwendet.

Beispielsweise haben $N$-Bit-Codes für die Einzelbuchstaben der deutschen Sprache eine gewisse Redundanz. Der Morsecode verringert diese Redundanz. Codebücher für ganze Worte, wie der früher erwähnte ABC-Code, verringern diese Redundanz weiter.

Die Bestimmung der Entropie natürlicher Sprachen ist eine wichtige praktische Aufgabe. Unterstellt man, daß im Deutschen die Buchstaben und der Zwischenraum gleich wahrscheinlich sind, so erhält man bei 27 Zeichen $H \leq {}_2\log 27 = 4.75\dots$ [bit/Zeichen].

Tabelle 4.  *Wahrscheinlichkeiten für das Auftreten der Buchstaben in der deutschen Sprache*

| Buchstabe | $p_i$ | Buchstabe | $p_i$ |
|-----------|-------|-----------|-------|
| _ *       | 0.1515 | $o$ | 0.0177 |
| $e$       | 0.1470 | $b$ | 0.0160 |
| $n$       | 0.0884 | $z$ | 0.0142 |
| $r$       | 0.0686 | $w$ | 0.0142 |
| $i$       | 0.0638 | $f$ | 0.0136 |
| $s$       | 0.0539 | $k$ | 0.0096 |
| $t$       | 0.0473 | $v$ | 0.0074 |
| $d$       | 0.0439 | $ü$ | 0.0058 |
| $h$       | 0.0436 | $p$ | 0.0050 |
| $a$       | 0.0433 | $ä$ | 0.0049 |
| $u$       | 0.0319 | $ö$ | 0.0025 |
| $l$       | 0.0293 | $j$ | 0.0016 |
| $c$       | 0.0267 | $y$ | 0.0002 |
| $g$       | 0.0267 | $q$ | 0.0001 |
| $m$       | 0.0213 | $x$ | 0.0001 |

* Zwischenräume und Interpunktionen.

Berücksichtigt man die Buchstabenhäufigkeit (vgl. Tab. 4), so erhält man $H \leq 4.11$ [bit/Zeichen]. Das Auftreten einzelner Buchstaben ist aber nicht statistisch unabhängig; manche, wie $c$ und $h$, $q$ und $u$ sind stark gekoppelt. Berücksichtigt man auch die Häufigkeit der Buchstabenpaare (Tab. 5), der Buchstabentripel (Tab. 6) usw., so sinkt $H$ rasch weiter ab auf etwa 1.6 [bit/Zeichen]. Mit wachsender Länge der statistisch zu berücksichtigenden Buchstabengruppen ergibt sich eine immer bessere Annäherung an ein morphologisch korrektes, aber semantisch sinnloses Deutsch (vgl. Abb. 43). Die relative Redundanz der geschriebenen deutschen Sprache beträgt also bereits ohne Berücksichtigung der Semantik mindestens 66%.

Als mittleren Wert darf man 1.3 [bit/Zeichen] rechnen.

Das Auftreten des Logarithmus im Entscheidungsgehalt eines Zeichens erweist sich als Konsequenz der einfachen Forderungen,

daß die Information über das $i$-te Zeichen nur von der Wahrscheinlichkeit $p_i$ seines Auftretens abhängen soll, $I = f(p_i)$,

daß die Entscheidungsinformation über das unabhängige Auftreten zweier Zeichen mit den Wahrscheinlichkeiten $p_i$ und $p_k$ die Summe der Entscheidungsinformationen über das Auftreten der beiden Zeichen sein soll.

Tabelle 5. *Bigrammhäufigkeiten in Prozenten*
*(aus 10 000 Buchstaben deutschen Klartextes ermittelt)*

| | | | | | | | |
|----|------|----|------|----|------|----|------|
| en | 4,47 | nw | 0,55 | ab | 0,25 | nm | 0,16 |
| er | 3,40 | us | 0,54 | il | 0,25 | pe | 0,16 |
| ch | 2,80 | nn | 0,53 | mm | 0,25 | rl | 0,16 |
| nd | 2,58 | nt | 0,52 | nz | 0,25 | sm | 0,16 |
| ei | 2,26 | ta | 0,51 | sg | 0,25 | sp | 0,16 |
| de | 2,14 | eg | 0,50 | sw | 0,25 | th | 0,16 |
| in | 2,04 | eh | 0,50 | rn | 0,24 | wo | 0,16 |
| es | 1,81 | zu | 0,50 | ro | 0,24 | af | 0,15 |
| te | 1,78 | al | 0,49 | ea | 0,23 | lu | 0,15 |
| ie | 1,76 | ed | 0,48 | fr | 0,23 | mu | 0,15 |
| un | 1,73 | ru | 0,48 | sd | 0,23 | no | 0,15 |
| ge | 1,68 | rs | 0,47 | tt | 0,23 | nv | 0,15 |
| st | 1,24 | ig | 0,45 | tw | 0,23 | rf | 0,15 |
| ic | 1,19 | ts | 0,45 | gr | 0,22 | ut | 0,15 |
| he | 1,17 | ma | 0,43 | tz | 0,22 | br | 0,14 |
| ne | 1,17 | sa | 0,43 | fe | 0,21 | ez | 0,14 |
| se | 1,17 | wa | 0,43 | gt | 0,21 | ho | 0,14 |
| ng | 1,07 | ac | 0,42 | rh | 0,21 | ka | 0,14 |
| re | 1,07 | eu | 0,42 | ds | 0,20 | os | 0,14 |
| au | 1,04 | so | 0,41 | du | 0,20 | bl | 0,13 |
| di | 1,02 | ar | 0,40 | mi | 0,20 | dw | 0,13 |
| be | 0,96 | tu | 0,40 | nb | 0,20 | ep | 0,13 |
| ss | 0,94 | ck | 0,37 | nk | 0,20 | hm | 0,13 |
| ns | 0,93 | or | 0,37 | rk | 0,20 | hw | 0,13 |
| an | 0,92 | rt | 0,36 | rz | 0,20 | pr | 0,13 |
| si | 0,83 | ir | 0,35 | su | 0,20 | zi | 0,13 |
| ue | 0,82 | ll | 0,35 | ag | 0,19 | ba | 0,12 |
| da | 0,81 | oe | 0,35 | ef | 0,19 | ev | 0,12 |
| as | 0,78 | ti | 0,35 | ga | 0,19 | fd | 0,12 |
| ni | 0,70 | td | 0,34 | im | 0,19 | fu | 0,12 |
| ae | 0,69 | ur | 0,34 | rm | 0,19 | gd | 0,12 |
| na | 0,69 | vo | 0,34 | uc | 0,19 | nh | 0,12 |
| ra | 0,69 | ec | 0,33 | ee | 0,18 | oc | 0,12 |
| el | 0,68 | hr | 0,33 | gu | 0,18 | ah | 0,11 |
| wi | 0,68 | um | 0,33 | hl | 0,18 | ft | 0,11 |
| ht | 0,67 | hi | 0,31 | ld | 0,18 | hu | 0,11 |
| sc | 0,66 | uf | 0,30 | ls | 0,18 | ko | 0,11 |
| we | 0,65 | ve | 0,30 | nl | 0,18 | kt | 0,11 |
| ha | 0,64 | on | 0,29 | tr | 0,18 | nf | 0,11 |
| is | 0,64 | la | 0,28 | am | 0,17 | rr | 0,11 |
| li | 0,64 | lt | 0,28 | fa | 0,17 | tl | 0,11 |
| nu | 0,64 | ri | 0,28 | hd | 0,17 | wu | 0,11 |
| em | 0,63 | ew | 0,27 | ol | 0,17 | gi | 0,10 |
| et | 0,58 | ih | 0,27 | rb | 0,17 | ki | 0,10 |
| le | 0,58 | rg | 0,27 | rw | 0,17 | ms | 0,10 |
| eb | 0,57 | ze | 0,27 | tn | 0,17 | od | 0,10 |
| it | 0,56 | at | 0,26 | bi | 0,16 | sn | 0,10 |
| me | 0,56 | hn | 0,26 | gl | 0,16 | sz | 0,10 |
| rd | 0,56 | ke | 0,26 | | | | |

Tabelle 6. *Trigrammhäufigkeiten in Prozenten*
*(aus 10 000 Buchstaben deutschen Klartextes ermittelt)*

| | | | | | | | | | |
|---|---|---|---|---|---|---|---|---|---|
| ein | 1,22 | ese | 0,27 | hre | 0,18 | nne | 0,14 | auc | 0,11 |
| ich | 1,11 | auf | 0,26 | hei | 0,18 | nes | 0,14 | als | 0,11 |
| nde | 0,89 | ben | 0,26 | lei | 0,18 | ond | 0,14 | alt | 0,11 |
| die | 0,87 | ber | 0,26 | nei | 0,18 | oen | 0,14 | eic | 0,11 |
| und | 0,87 | eit | 0,26 | nau | 0,18 | sdi | 0,14 | esc | 0,11 |
| der | 0,86 | ent | 0,26 | sge | 0,18 | sun | 0,14 | enh | 0,11 |
| che | 0,75 | est | 0,26 | tte | 0,18 | von | 0,14 | eil | 0,11 |
| end | 0,75 | sei | 0,26 | wei | 0,18 | bei | 0,13 | fen | 0,11 |
| gen | 0,71 | and | 0,25 | abe | 0,17 | chl | 0,13 | gan | 0,11 |
| sch | 0,66 | ess | 0,25 | chd | 0,17 | chn | 0,13 | hte | 0,11 |
| cht | 0,61 | ann | 0,24 | des | 0,17 | chw | 0,13 | iea | 0,11 |
| den | 0,57 | esi | 0,24 | nte | 0,17 | ech | 0,13 | ieb | 0,11 |
| ine | 0,53 | ges | 0,24 | rge | 0,17 | edi | 0,13 | nli | 0,11 |
| nge | 0,52 | nsc | 0,24 | tes | 0,17 | enk | 0,13 | rda | 0,11 |
| nun | 0,48 | nwi | 0,24 | uns | 0,17 | eun | 0,13 | rsc | 0,11 |
| ung | 0,48 | tei | 0,24 | vor | 0,17 | enz | 0,13 | std | 0,11 |
| das | 0,47 | eni | 0,23 | dem | 0,16 | hau | 0,13 | sst | 0,11 |
| hen | 0,47 | ige | 0,23 | hin | 0,16 | ite | 0,13 | tre | 0,11 |
| ind | 0,46 | aen | 0,22 | her | 0,16 | ief | 0,13 | uss | 0,11 |
| enw | 0,45 | era | 0,22 | lle | 0,16 | imm | 0,13 | all | 0,10 |
| ens | 0,44 | ern | 0,22 | nan | 0,16 | ihr | 0,13 | aft | 0,10 |
| ies | 0,44 | rde | 0,22 | tda | 0,16 | iss | 0,13 | bes | 0,10 |
| ste | 0,44 | ren | 0,22 | tel | 0,16 | kei | 0,13 | dei | 0,10 |
| ten | 0,44 | tun | 0,22 | ueb | 0,16 | mei | 0,13 | erf | 0,10 |
| ere | 0,43 | ing | 0,21 | ang | 0,15 | nsi | 0,13 | ess | 0,10 |
| lic | 0,42 | sta | 0,21 | cha | 0,15 | nem | 0,13 | esw | 0,10 |
| ach | 0,41 | sie | 0,21 | enb | 0,15 | ndw | 0,13 | gew | 0,10 |
| ndi | 0,41 | uer | 0,21 | ete | 0,15 | rue | 0,13 | hab | 0,10 |
| sse | 0,39 | ege | 0,20 | erh | 0,15 | ret | 0,13 | hat | 0,10 |
| aus | 0,36 | eck | 0,20 | erk | 0,15 | ser | 0,13 | ieg | 0,10 |
| ers | 0,36 | eru | 0,20 | ehr | 0,15 | uch | 0,13 | ken | 0,10 |
| ebe | 0,35 | mme | 0,20 | eis | 0,15 | ell | 0,12 | och | 0,10 |
| erd | 0,33 | ner | 0,20 | man | 0,15 | env | 0,12 | rha | 0,10 |
| enu | 0,33 | nds | 0,20 | men | 0,15 | ina | 0,12 | rec | 0,10 |
| nen | 0,32 | nst | 0,20 | mit | 0,15 | ied | 0,12 | rin | 0,10 |
| rau | 0,32 | run | 0,20 | nac | 0,15 | lun | 0,12 | rso | 0,10 |
| ist | 0,31 | sic | 0,20 | rdi | 0,15 | nwa | 0,12 | res | 0,10 |
| nic | 0,31 | enn | 0,19 | sel | 0,15 | nwe | 0,12 | sag | 0,10 |
| sen | 0,31 | ins | 0,19 | sin | 0,15 | nis | 0,12 | son | 0,10 |
| ene | 0,30 | mer | 0,19 | chi | 0,14 | swe | 0,12 | tsc | 0,10 |
| nda | 0,30 | rei | 0,19 | ehe | 0,14 | ssi | 0,12 | tli | 0,10 |
| ter | 0,30 | eig | 0,18 | enl | 0,14 | spr | 0,12 | uec | 0,10 |
| ass | 0,29 | eng | 0,18 | erl | 0,14 | tde | 0,12 | uen | 0,10 |
| ena | 0,29 | erg | 0,18 | erm | 0,14 | ufd | 0,12 | was | 0,10 |
| ver | 0,29 | ert | 0,18 | erw | 0,14 | war | 0,12 | twi | 0,10 |
| wir | 0,29 | erz | 0,18 | ger | 0,14 | wer | 0,12 | tal | 0,10 |
| wie | 0,28 | fra | 0,18 | hae | 0,14 | zei | 0,12 | tet | 0,10 |
| ede | 0,27 | | | | | | | | |

Diese Forderungen lagen bereits der Argumentation auf S. 41 zugrunde. Dann ist die Wahrscheinlichkeit für das Auftreten des $i$-ten und des $k$-ten Zeichens gerade $p_i p_k$, und wir erhalten die Funktionalgleichung

$$f(p_i p_k) = f(p_i) + f(p_k),$$

die die Lösung $f(x) = {}_c\log x$ hat (und keine andere stetige Lösung). Die Wahl von $c = 2$, also der Logarithmenbasis 2, ist bequem im Hinblick auf die Binärcodierung und die Messung des Entscheidungsgehalts in Alternativentscheidungen, in [bit].

---

*Einergruppen (Buchstabenhäufigkeit)*

EME GKNEET ERS TITBL BTZENFNDGBGD EAI E LASZ BETEATR IASMIRCH EGEOM

*Zweiergruppen (Paarhäufigkeit)*

AUSZ KEINU WONDINGLIN DUFRN ISAR STEISBERER ITEHM ANORER

*Dreiergruppen*

PLANZEUNDGES PHIN INE UNDEN ÜBBEICHT GES AUF ES SO UNG GAN DICH WANDERSO

*Vierergruppen*

ICH FOLGEMÄSZIG BIS STEHEN DISPONIN SEELE NAMEN

---

Abb. 43   Synthetische Sprache aufgrund der Buchstabenhäufigkeit (nach KÜPFMÜLLER)

Daß nicht die Anzahl $n$ der Zeichen, sondern ihr Logarithmus für den Entscheidungsaufwand wesentlich ist, zeigt sich in der experimentellen Psychologie im Gesetz von MERKEL (1885):

Die Reaktionszeit $T$ einer Versuchsperson bei der Aufgabe, aus $n$ Gegenständen einen bestimmten auszuwählen, wächst logarithmisch mit $n$.

Messungen ergeben in etwa $T = 200 + 180 \cdot {}_2\log n$ [msec].

### 1.6.3  Kanalkapazität

Betrachten wir das Abtasttheorem im Licht der Shannonschen Informationstheorie, so hat man alle $t_s = \dfrac{1}{2 v_G}$ Sekunden eine Nachricht zu übertragen, nämlich den Amplitudenwert. Quantelung reduziert dies auf eine endliche Anzahl $n$ von Amplitudenstufen, die nun mit gewissen Wahrscheinlichkeiten $p_i$ auftreten.

$H = \sum_i p_i \, {}_2\log\left(\dfrac{1}{p_i}\right)$ ist die (Shannonsche) Information pro Zeitschritt. Der **Informationsfluß,** d.h. die pro Zeiteinheit übermittelte Information, beträgt

$$C = \frac{H}{t_s} = 2 v_G H \ [\text{bit/sec}].$$

Wird nun die Quantelung verfeinert, so wächst nach der Formel auch der Informationsfluß – für den Fall gleichwahrscheinlicher Amplituden ist er $2v_{G\,2}\log n$. Ist aber die zu übertragende Funktion gestört durch das die Amplitudenwerte verfälschende **Rauschen,** so nutzt eine beliebige Verfeinerung der Quantelung offenbar nicht nur der Übertragung der Information, sondern auch der getreuen Wiedergabe der Störungen. Das nach dem Abtast- und Codierungstheorem wichtigste Ergebnis SHANNONS ist, daß beim Vorhandensein von Rauschen der übertragende Informationsfluß beschränkt ist.

Für den Spezialfall des sog. „weißen Gaußschen Rauschens" – es treten alle Frequenzen mit gleicher Leistung auf, und die Amplitude genügt einer Gaußschen Normalverteilung – ergibt sich

$$H \le {}_2\log\sqrt{1 + \frac{N_S}{N_R}},$$

wo $N_S$ die mittlere Signalleistung, $N_R$ die mittlere Rauschleistung ist. Der maximale Informationsfluß auf dem Übertragungskanal, die **Kanalkapazität,** ist demnach

$$C_{\max} = 2v_G H_{\max} = v_{G\,2}\log\left(1 + \frac{N_S}{N_R}\right).$$

Sie kann, wie aus der Nachrichtentechnik bekannt ist, nur durch Vergrößerung der Bandbreite $v_G$ und Verbesserung des Signal-Rausch-Verhältnisses vergrößert werden.

Für einige technische Beispiele sind im folgenden die Grenzfrequenz, das Signal-Rausch-Verhältnis $\frac{N_S}{N_R}$ und der maximale Informationsfluß (Kanalkapazität) $C$ angegeben:

| | $v_G$ [Hz] | $\frac{N_S}{N_R}$ direkt | in [dB] | $C_{\max}$ [bit/sec] |
|---|---|---|---|---|
| a) Telexnetz der Bundespost | 120 | $\sim 2^6$ | 16 | $0.64 \cdot 10^3$ |
| b) Datexnetz der Bundespost | 240 | $\sim 2^6$ | 16 | $1.28 \cdot 10^3$ |
| c) Fernsprechnetz der Bundespost | $3.1 \cdot 10^3$ | $\sim 2^{17}$ | 44–55 | $51 \cdot 10^3$ |
| d) Fernsehkanal | $7 \cdot 10^6$ | $\sim 2^{17}$ | 40–63 | $130 \cdot 10^6$ |

In ähnlichen Größenordnungen wie unter c) und d) liegt der physiologisch bestimmte maximale Informationsfluß durch das menschliche Ohr ($\sim 5 \cdot 10^4$ [bit/sec]) und durch das menschliche Auge ($\sim 5 \cdot 10^6$ [bit/sec]). Diesen Werten steht ein wesentlich niedrigerer Wert für den im menschlichen Gehirn verarbeitbaren Informationsfluß gegenüber. Er wird durch verschiedenste psychologische Experimente bestimmt, z.B. durch die maximale Geschwindigkeit, mit der ein Text bewußt gelesen werden kann – 15–40 Buchstaben pro Sekunde entsprechend etwa 20–50 [bit/sec] – oder mit der sinnvolles Sprechen möglich ist – ein Wert von höchstens 50 [bit/sec].

Der Fernschreibkanal ist also der Leistungsfähigkeit des menschlichen Gehirns in der Informationsverarbeitung angepaßt. Der physiologische Kanal erlaubt zusätzlich hohe Redundanz in den dem Gehirn zuzuführenden Eindrücken.

### 1.6.4 Codesicherung

Wird durch einen Kanal der maximale Informationsfluß geschickt, so bleibt kein Spielraum für das Erkennen von weiteren Störungen. Redundanz dagegen kann zu einer Sicherung gegen Störungen ausgenutzt werden. Redundanz bedeutet, daß nicht sämtliche möglichen Bitkombinationen zur Darstellung von Zeichen benutzt werden müssen. Die zur Codierung benutzten Binärworte können dann so gelegt werden, daß die Wahrscheinlichkeit, durch Störung ein falsches Zeichen zu erhalten, möglichst gering wird. Von der Art der Störung hängt die Art der zweckmäßigen Codesicherung ab.

Für Binärcodes fester Wortlänge kann im einfachsten Fall angenommen werden, daß alle Bits gegen Störung gleich anfällig sind, und daß ein O mit einer Wahrscheinlichkeit $p$ zu einem L, ein L mit einer Wahrscheinlichkeit $q$ zu einem O wird. Wichtige Fälle sind $p=q$ (symmetrische Störung), oder $p=0$ bzw. $q=0$ (einseitige Störung).

Für den Fall einseitiger Störung sind Codes besonders geeignet, bei denen jedes Codewort aus gleich vielen L (und damit gleich vielen O) besteht (m-aus-n Code). Ein Beispiel liefert der 2-aus-5 Code (Abb. 30). Jede Störung führt zu einem Nicht-Codewort und ist erkennbar.

Für den Fall symmetrischer Störungen ist der Begriff des **Hamming-Abstandes** (R. W. HAMMING, 1950) von Bedeutung. Unter dem Hamming-Abstand zweier Codewörter versteht man die Anzahl von Stellen, in denen die Codewörter nicht bitweise übereinstimmen. Als Hamming-Abstand eines Codes bezeichnet man den kleinsten Abstand je zweier Codewörter. Wird das Diagramm von Abb. 31 zum Torus geschlossen, so ist der Hamming-Abstand gerade der kürzeste Kantenabstand auf dem Torus.

Hat ein Code einen Hamming-Abstand $h$, so können alle Störungen, die weniger als $h$ Bits betreffen, erkannt werden. Ist $h=2k$ oder $h=2k-1$, so können sogar alle Störungen, die weniger als $k$ Bits betreffen, korrigiert werden, indem man das nächstgelegene Zeichen nimmt, zu dem das Codewort ja höchstwahrscheinlich gehört.

Oft werden einem Code Bits hinzugefügt, um eine Störsicherung zu erlauben. Einen Code mit Hamming-Abstand 2 erhält man, indem man ein Schutzbit hinzufügt, das die Anzahl der im Codewort vorhandenen L auf eine gerade Zahl ergänzt. Dieses Schutzbit wird auch **Paritätsbit** genannt (vgl. Abb. 22).

Die vorstehenden Überlegungen gelten sinngemäß auch für Codes über einem nicht-binären Zeichenvorrat. Bei kommerziellen Buchstaben-Codes wird seit langem ein 2-Zeichen-Abstand eingehalten. Bei Codes über dem Ziffernalphabet wird oft eine Kontrollziffer – die Summe modulo 10 der übrigen Ziffern – hinzugefügt.

## 1.7 Nachrichtenverarbeitung und Informationsverarbeitung

### 1.7.1 Nachrichtenverarbeitung als Codierung

Unsere bisherigen Überlegungen zur Verarbeitung digitaler Nachrichten zeigen, daß sich jede Vorschrift zur Nachrichtenverarbeitung auffassen läßt als eine Abbildungsvorschrift

$$\mathfrak{N} \xrightarrow{\;v\;} \mathfrak{N}',$$

welche den Nachrichten $N_i$ aus einer Nachrichtenmenge $\mathfrak{N}$ neue Nachrichten $N_i'$ aus einer Nachrichtenmenge $\mathfrak{N}'$ zuordnet. Jede Nachricht $N_i$ bzw. $N_i'$ ist eine Zeichenfolge (vgl. 1.4.1).

Ist z.B. $N_i$ ein Satz in einer natürlichen Sprache, so kann man gemäß Abschnitt 1.4.1 $N_i$ in wenigstens dreierlei Weisen als Zeichenfolge auffassen:

Zunächst ist $N_i$ eine Folge von Buchstaben, Ziffern, Interpunktionszeichen usw.; weiterhin ist $N_i$ eine Folge von Worten, die sich in anderem Zusammenhang wieder als Zeichen auffassen lassen; schließlich kann man sogar den ganzen Satz als ein Zeichen auffassen.

Die erste Auffassung wird etwa benutzt, wenn $v$ eine Vorschrift zur Übertragung von $N_i$ auf Lochkarten ist; die zweite Auffassung liegt den Kürzeln der Stenographie zugrunde; die extreme dritte Auffassung kommt bei der Übersetzung in andere natürliche Sprachen vor, wenn man ein Sprichwort der einen Sprache durch ein dem Sinn nach gleiches Sprichwort der anderen Sprache wiedergibt.

Der aus diesem Beispiel ersichtliche breite Spielraum bei der Auffassung von Nachrichten als Zeichenfolgen erlaubt zusammen mit den Überlegungen von 1.4.2 die Feststellung: Jede Nachrichtenverarbeitung ist eine Codierung. Diese Überlegung ist zwar auch bei der Untersuchung von Verarbeitungsvorgängen bei Lebewesen von Bedeutung, vor allem aber liegt sie jeder maschinellen Verarbeitung digitaler Nachrichten zugrunde.

Codierungen sind stets mit einer Nachrichtenübertragung verbunden und erfolgen daher in der Zeit (vgl. 1.3.1). Eine Codierung, also die Verarbeitung einer Nachricht, erfolgt nie „augenblicklich", sondern benötigt stets eine gewisse Zeit, die häufig nicht vernachlässigt werden darf. Diese Tatsache kommt bei der Abbildung von Nachrichten wesentlich zum Abbildungsbegriff der reinen Mathematik hinzu. Sie wird gern übersehen, namentlich, da die Abbildungsvorschrift $v$ – nicht aber die aktuelle Durchführung der Abbildung – häufig als Abbildung im Sinne der Mathematik angebbar ist. Die Zeitabhängigkeit führt zum Begriff der **Effizienz einer Abbildungsvorschrift,** nämlich der Geschwindigkeit eines Verarbeitungsvorgangs gemäß der Vorschrift, verglichen mit anderen Vorgängen. Wir kommen darauf in späteren Kapiteln zurück.

### 1.7.2 Die Interpretation einer Nachrichtenverarbeitung

Eine Menge $\mathfrak{N}$ von Nachrichten $N_i$ ist von Interesse, wenn ihr (mindestens) eine Menge $\mathfrak{J}$ von Informationen $J_i$ und (mindestens) eine Menge von Abbildungen

$$N_i \xmapsto{\;\alpha\;} J_i$$

entspricht, welche wir in 1.1 Interpretationen nannten. Wir fassen diese zusammen zu einer Abbildungsvorschrift $\alpha$ für die Menge $\mathfrak{N}$ in die Menge $\mathfrak{J}$

$$\mathfrak{N} \xrightarrow{\;\alpha\;} \mathfrak{J}.$$

Da der Nachrichtenmenge $\mathfrak{N}'$ ebenfalls eine Informationsmenge $\mathfrak{J}'$ entspricht, erhalten wir durch eine Verarbeitungsvorschrift $\mathfrak{N} \xrightarrow{\;v\;} \mathfrak{N}'$ den im folgenden Diagramm dargestellten Übergang:

$$
\begin{array}{ccc}
\mathfrak{N} & \xrightarrow{\;\alpha\;} & \mathfrak{J} \\
{\scriptstyle v}\downarrow & & \vdots\,{\scriptstyle \sigma} \\
\mathfrak{N} & \xrightarrow{\;\alpha'\;} & \mathfrak{J}'
\end{array}
$$

Welche Beziehung herrscht nun zwischen $\mathfrak{J}$ und $\mathfrak{J}'$? Sicher entspricht jeder Nachricht $N \in \mathfrak{N}$ ein Paar $(J, J')$, $J = \alpha(N)$, $J' = \alpha'(v(N))$, also eine Zuordnung $\sigma$ zwischen $\mathfrak{J}$ und $\mathfrak{J}'$. Ist $\alpha$ nicht umkehrbar, gibt es also zwei Nachrichten $N_1$, $N_2$, welche die gleiche Information $J$ wiedergeben, so braucht die Zuordnung $\sigma$ keine Abbildung zu sein, da die verarbeiteten Nachrichten $v(N_1)$, $v(N_2)$ zwei verschiedene Informationen $J_1 = \alpha'(v(N_1))$, $J_2 = \alpha'(v(N_2))$ wiedergeben könnten. Eine Verarbeitungsvorschrift $v$ heißt **informationstreu,** wenn die Zuordnung $\sigma$ eine Abbildung ist. Es gilt dann

(*)
$$
\begin{array}{ccc}
\mathfrak{N} & \xrightarrow{\;\alpha\;} & \mathfrak{J} \\
{\scriptstyle v}\downarrow & & \downarrow{\scriptstyle \sigma} \\
\mathfrak{N}' & \xrightarrow{\;\alpha'\;} & \mathfrak{J}',
\end{array}
$$

wobei $\alpha$ gefolgt von $\sigma$ dasselbe ergibt, wie $v$ gefolgt von $\alpha'$:

$$\sigma\alpha = \alpha' v.$$

Das Diagramm (*) heißt in diesem Fall **kommutativ,** und die Abbildungsvorschrift $\sigma$ heißt eine Vorschrift zur **Informationsverarbeitung.**

Gewöhnlich werden Nachrichten überhaupt nur bearbeitet, um eine bestimmte Informationsverarbeitung zu erreichen. Man geht in Wirklichkeit von einer beabsichtigten Vorschrift $\sigma$ aus und versucht $v$, $\alpha$ und $\alpha'$ so zu bestimmen, daß die durch das Diagramm (*) wiedergegebene Situation entsteht. Wir können daher im folgenden voraussetzen, daß die Vorschrift $v$ informationstreu ist, so daß die Abbildungsvorschriften $v$, $\alpha$ und $\alpha'$ zusammen eine Vorschrift $\sigma$ zur Informationsverarbeitung definieren.

Je nachdem, ob $\sigma$ umkehrbar ist oder nicht, unterscheiden wir folgende Fälle:

Ist $\sigma$ umkehrbar, geht also keine Information bei der Verarbeitung verloren, so nennen wir die zugehörige Nachrichtenverarbeitung eine **Umschlüsselung.** Ist auch $v$ umkehrbar, so haben wir den einfachen Fall der Umcodierung vor uns: Aus der Nachricht $N' = v(N)$ läßt sich nicht nur die ursprüngliche Information, sondern auch die ursprüngliche Nachricht $N$ erschließen. Besonders häufig ist der Spezialfall, in dem $\mathfrak{J} = \mathfrak{J}'$ und $\sigma$ die Identität ist. Im Idealfall hat jede Nachrichtenübertragung diese Form.

Ist $\sigma$ umkehrbar, $v$ jedoch nicht, so werden mehrere Nachrichten $N \in \mathfrak{N}$ in dieselbe Nachricht $N' \in \mathfrak{N}'$ umgeschlüsselt. Da jedoch keine Information verloren geht, bedeutet das, daß die ursprüngliche Nachrichtenmenge $\mathfrak{N}$ redundant war: In $\mathfrak{N}$ befinden sich mehrere Nachrichten, welche alle die gleiche Information wiedergeben. In $\mathfrak{N}'$ ist die Anzahl der Nachrichten mit dieser Eigenschaft auf jeden Fall kleiner als in $\mathfrak{N}$. Eine Umschlüsselung $v$ dieser Art nennen wir **komprimierend.** Beseitigt $v$ jede Redundanz, so ist $\alpha'$ umkehrbar.

Ist $\sigma$ nicht umkehrbar, werden also mehrere Informationen $J \in \mathfrak{J}$ in dieselbe Information $J' \in \mathfrak{J}'$ abgebildet, so nennen wir die zugehörige Nachrichtenverarbeitung $v$ **selektiv.** Besonders häufig ist der Fall, daß $\mathfrak{J}'$ eine Teilmenge von $\mathfrak{J}$ und $\sigma$ für die Informationen aus $\mathfrak{J}'$ die Identität ist. In diesem Fall bewirkt $\sigma$ im wesentlichen eine Auswahl aus der gegebenen Informationsmenge. Die Auswahl kann bereits durch eine Abbildung mehrerer verschiedener Nachrichten $N \in \mathfrak{N}$ in dieselbe Nachricht $N' \in \mathfrak{N}'$ vorgezeichnet sein. Die Nachrichtenverarbeitung $v$ könnte jedoch auch umkehrbar sein. In diesem Fall wird die Auswahl durch die „einseitige" Interpretation $\alpha'$ besorgt.

Wir erläutern den Sachverhalt an einigen Beispielen:

a) Die übliche Art des Zeitungslesens ist selektiv. Das Durcharbeiten einer Anzahl Zeitungsartikel, die ein Zeitgeschehen beschreiben, ist komprimierend.

b) Der Übergang von einem redundanten Code zu einem weniger oder gar nicht redundanten Code ist nichtsdestoweniger in der Regel umkehrbar eindeutig. Es handelt sich also um eine Umschlüsselung, die nicht komprimiert: Nicht die Anzahl der Nachrichten, sondern ihre Länge wird verringert.

c) Durch die Nachricht $(a, b)$, bestehend aus einem Paar binär codierter ganzer Zahlen, werde die Information „die durch $a/b$ dargestellte rationale Zahl $r$" wiedergegeben. Die Abbildung

$$\alpha : (a, b) \mapsto r$$

ist nicht umkehrbar.

Die Menge $\mathfrak{N}$ der Zahlenpaare werde nun in die Teilmenge $\mathfrak{N}'$ der teilerfremden Zahlenpaare abgebildet, wobei $v : (np, nq) \mapsto (p, q)$. $v$ ist komprimierend, die verbleibende Abbildung $\alpha'$ ist umkehrbar.

### 1.7.3 Konstruktive Beschreibung des digitalen Verarbeitungsvorgangs

Damit eine Verarbeitungsvorschrift $\mathfrak{N} \overset{v}{\longrightarrow} \mathfrak{N}'$ die Grundlage einer Nachrichtenverarbeitung bilden kann, genügt es nicht, daß die Vorschrift $v$ axiomatisch die Bedingungen spezifiziert, denen die Nachrichten $N' = v(N) \in \mathfrak{N}'$ zu genügen haben. Vielmehr muß $v$ einen Weg angeben, wie man ausgehend von einer Nachricht $N \in \mathfrak{N}$ die Nachricht $v(N) \in \mathfrak{N}'$ konstruieren kann. Ist $\mathfrak{N}$ eine endliche Menge, so kann dies natürlich durch Auflisten der einzelnen Übergänge geschehen. Ist jedoch $\mathfrak{N}$ nicht-endlich, oder doch so umfangreich, daß Auflisten nicht praktikabel erscheint, so muß man stattdessen eine endliche Menge von Operationen (**elementaren Verarbeitungsschritten**) spezifizieren, derart daß jeder Übergang durch Ausführung von endlich vielen elementaren Verarbeitungsschritten erfolgen kann. Außerdem muß ein **Ablaufplan** angegeben werden, welcher die Abfolge der Verarbeitungsschritte, d. h. die Auswahl der jeweils nächsten Operation, steuert. Eine konstruktive Beschreibung dieser Art heißt eine **operative Verarbeitungsvorschrift** oder ein **Algorithmus**[30]. Da die Verarbeitung digitaler Nachrichten als Codierung aufgefaßt werden kann, müssen sich die anzugebenden Operationen auf die bloße Umformung von Zeichenfolgen beschränken („bloßes Spiel mit Zeichen").

Zweifelsohne kann das Ersetzen von Zeichen in einer Zeichenfolge, sowie das Anhängen von Zeichen an eine Zeichenfolge, als elementare Operation im Sinne des „Spiels mit Zeichen" gelten[31]. Gehen wir von Mengen $\mathfrak{N}$ und $\mathfrak{N}'$ von Worten über einem Zeichenvorrat $A = \{a_i\}$ aus, was wir ohne Beschränkung der Allgemeinheit tun können, so erweisen sich Operationen dieser Art bereits als ausreichend, um jede gewünschte Abbildungsvorschrift $\mathfrak{N} \overset{v}{\longrightarrow} \mathfrak{N}'$ zu spezifizieren. Der zugehörige Ablaufplan kann angegeben werden, indem man die einzelne Operation „ersetze das Zeichen $a_k$ durch $b$" unter Bedingung stellt, etwa in der Form:

(∗) „Wenn ein Teilwort $a_1 a_2 ... a_{k-1} a_k \, a_{k+1} ... a_n$ existiert, ist dieses zu ersetzen durch $a_1 a_2 ... a_{k-1} b a_{k+1} ... a_n$. Existieren mehrere solche Teilworte, so ersetze man das am weitesten links stehende Teilwort."

Für jeden solchen elementaren Verarbeitungsschritt ist außerdem zu spezifizieren, welcher Verarbeitungsschritt als nächster auszuführen ist. Schließlich ist anzugeben, wann der Ablauf endigt, nach welchem Verarbeitungsschritt also der Übergang $N \to N'$ vollzogen ist.

Man kann die Angaben über den Folgeschritt etwa dadurch machen, daß man die sämtlichen Verarbeitungsschritte der Form (∗) in bestimmter Reihenfolge aufschreibt und spezifiziert, daß bei nicht-erfüllter Bedingung zum nächsten Schritt, bei erfüllter Bedingung nach der Ersetzung zum ersten Schritt der Reihe überzugehen

---

[30] Nach AL KHWARIZMI, 9. Jahrhundert n. Chr. Bereits die von EUKLID angegebenen geometrischen Konstruktionen, sowie das nach ihm benannte Verfahren zum Auffinden des größten gemeinsamen Teilers sind Algorithmen.

[31] Denkt man sich die Zeichenfolge um hinreichend viele „Leerzeichen" (Zwischenräume) verlängert, so ist das Anhängen von Zeichen ebenfalls als Zeichenersetzung auffaßbar. Wir erwähnen daher das Anhängen nicht mehr eigens.

ist. Überdies sind einige Schritte als „Endeschritte" gekennzeichnet. Der Ablauf endigt mit der zugehörigen Ersetzung, wenn die Bedingung eines Endeschritts erfüllt ist. Der Ablauf endigt außerdem, wenn keiner der angegebenen elementaren Verarbeitungsschritte mehr anwendbar ist. Dieses Ende des Ablaufs ist irregulär und beinhaltet eine Fehlermeldung. Es kann z. B. auftreten, wenn die zu verarbeitende Nachricht Schreibfehler enthält.

Die Spezifikation des Folgeschritts könnte auch dadurch erfolgen, daß man die Verarbeitungsschritte durchnumeriert, und bei erfüllter Bedingung einen durch seine Nummer angegebenen, bei nicht erfüllter Bedingung den jeweils nächsten Schritt im Sinne der Aufschreibung anzuwenden sucht.

Von den vielfältigen Möglichkeiten die Abfolge festzulegen, werden einige in der Theorie weiterverfolgt. Wir werden diese Frage im 7. Kapitel wieder aufgreifen. Die oben angegebene Methode wurde 1951 zuerst von A. A. MARKOV verwendet. In dieser Weise spezifizierte Algorithmen heißen **Markov-Algorithmen**[32].

Abhängig von den mit den zu verarbeitenden Nachrichten verbundenen Informationen werden häufig auch komplexe Verarbeitungsschritte als elementar bezeichnet. Voraussetzung hierfür ist, daß sich diese Schritte zweifellos aus endlich vielen der oben genannten Zeichenersetzungen zusammensetzen lassen, und überdies die Art des internen Aufbaus dieser Schritte für die beabsichtigte Verarbeitung unerheblich ist. Dies gilt z. B. für die Addition, Subtraktion, Multiplikation und Division mit Rest, wenn die Nachrichten ganze Zahlen in Ziffernschreibweise darstellen. Im übrigen ist es unerheblich, ob die Abfolge der Anweisungen mehr diagrammartig oder mehr schematisch dargestellt ist, genau wie es unerheblich ist, ob die einzelnen Verarbeitungsschritte mehr verbal oder mehr formelhaft beschrieben sind.

---

[32] Nach A. A. MARKOV, sowjetischer Mathematiker. MARKOV bezeichnet sie als „normale Algorithmen".

2. Kapitel

# Begriffliche Grundlagen der Programmierung

Wir detaillieren den im vorigen Kapitel eingeführten Begriff des Algorithmus durch Einführung bestimmter Arten von Objekten, die durch typische, auf ihnen definierte elementare Operationen ausgezeichnet sind. Während in der sogenannten numerischen Informationsverarbeitung verhältnismäßig einfache, zahlartige Objekte verhältnismäßig komplizierten zusammengesetzten Operationen unterworfen werden, liegen andererseits in der sogenannten nicht-numerischen Informationsverarbeitung häufig verhältnismäßig kompliziert strukturierte Objekte vor, auf denen einfachere Operationen durchgeführt werden sollen. Wir werden dementsprechend mit der Problematik der Operationsstruktur wie mit der der Objektstruktur konfrontiert werden.

## 2.1 Aufbau einer algorithmischen Sprache

Bei der Verarbeitung digitaler Nachrichten ist es wenig zweckmäßig, die Verarbeitungsvorschrift in der in 1.7.3 skizzierten Weise explizit aus einfachen Zeichenersetzungsschritten zusammenzusetzen: Bereits für die schulmäßige Durchführung einer Spezies-Operation mit Zahlen wird dabei eine umfangreiche und unübersichtliche Beschreibung erforderlich. Eine solche ist auch in der Praxis nicht nötig: Das Werkzeug Rechenanlage erlaubt dem Benutzer manche von Haus aus komplexe Verarbeitungsschritte als elementar anzusehen, wobei jedoch die Rückführung dieser Verarbeitungsschritte auf Zeichenersetzungen bei verschiedenen Rechenanlagen in unterschiedlicher Weise erfolgen kann.

Das Mosaikhafte der Beschreibung durch einzelne Ersetzungsschritte erschwert die Abfassung eines Algorithmus wie die Feststellung der Übereinstimmung der Niederschrift mit dem beabsichtigten Algorithmus

Beim Aufbau einer algorithmischen Sprache wird man also von gewissen, als elementar anzusehenden Operationen auszugehen haben, die für gewisse Arten von Objekten kennzeichnend sind. Man hat überdies dafür zu sorgen, daß sowohl zusammengesetzte Operationen wie strukturierte Objekte eingeführt werden können. Dabei tut man gut daran, eine Form zu wählen, die dem Menschen, der die Verarbeitungsvorschrift abfaßt, wie dem Menschen, der sie lesen und verstehen soll, angepaßt ist; die seiner begrifflichen Vorstellungswelt angehört. Aus denkökonomischen und lerntechnischen Gründen sind möglichst wenige und möglichst universelle strukturelle und operative Grundbegriffe zu verwenden. Sie machen den Bedeutungsumfang, die **Semantik** der algorithmischen Sprache aus. Geht man aber von den einzelnen Zeichenersetzungsschritten ab, so muß die algorithmische Sprache bestimmten äußeren Formgesetzen genügen, damit eine Rechenanlage etwas mit dem Algorithmus anfangen kann. Sie machen in ihrer Gesamtheit die **Syntax** der algorithmischen Sprache aus.

Im weiteren Verlauf dieses Kapitels werden wir die Semantik als primär, die Syntax nur als sekundär ansehen. Die Semantik wird, da wir uns mit einer algorithmischen Sprache beschäftigen, stets **operativ** sein: Es stehen auch bei der Beschreibung der zu manipulierenden strukturierten Objekte die Bildung und Änderung solcher Strukturen im Vordergrund und nicht, wie in der Mathematik irgendwelche „statischen" Eigenschaften der Objekte. Die Zurückführung der in der Sprache als elementar anzusehenden Operationen auf einzelne Zeichenersetzungsschritte gehört nicht zur Semantik der Sprache, sie wird als **Pragmatik** bezeichnet. Wir werden darauf im 8. Kapitel zurückkommen.

Dem begrifflichen Aufbau und auch der verwendeten Notation liegt in diesem Buch die algorithmische Sprache ALGOL 68 zugrunde. Sie ist in einem englischsprachigen Bericht beschrieben [22], auf dessen Formulierungen für den an Details interessierten Leser gelegentlich durch Fußnoten hingewiesen wird.

Dieser einleitende Abschnitt muß mit einer Bemerkung abgeschlossen werden, deren volle Tragweite erst später ersichtlich werden wird. Jede Formulierung einer operativen Nachrichtenverarbeitung durch einen Algorithmus geschieht mittels endlich vieler Zeichen, ist also selbst eine Nachricht. (Die in dieser Nachricht steckende Information ist der Algorithmus, die Abbildung $\alpha$ wird geregelt durch den semantischen und pragmatischen Inhalt der syntaktischen Formulierungen.) Auch eine solche Nachricht kann selbst wieder Gegenstand einer Nachrichtenverarbeitung sein. Diese stufenweise Existenz von Nachrichten, die die Verarbeitung von Nachrichten bedeuten, ist das bemerkenswerteste Phänomen der Informatik. Es wurde 1951 von H. RUTISHAUSER im Zusammenhang mit der Übersetzung von Programmiersprachen auf Rechenanlagen kommerzieller Bauart entdeckt, ausgehend von grundlegenden Erkenntnissen JOHN VON NEUMANNS; in der Philosophie reichen die Wurzeln dieser Erkenntnis weit zurück.

## 2.2 Objekte

"The name of the song is called 'Haddocks' Eyes'."
"Oh, that's the name of the song, is it?" Alice said, trying to feel interested.

"No, you don't understand", the Knight said, looking a little vexed. "That's what the name is called. The name really is 'The Aged Aged Man'."

"Then I ought to have said 'That's what the song is called'?" Alice corrected herself.

"No, you oughtn't: that's quite another thing! The song is called 'Ways and Means': but that's only what it's called, you know!"

"Well, what is the song, then?" said Alice, who was by this time completely bewildered.

"I was coming to that", the Knight said. "The song really is 'A-sitting On A Gate': and the tune's my own invention."

> LEWIS CARROLL (CHARLES LUTWIDGE DODGSON, 1832–1898, engl. Mathematiker)
>
> aus: Through the Looking-Glass, Chap. VII.

Eine Nachricht $N$ zusammen mit der ihr zugeordneten Information $I$ soll hinfort **Objekt** genannt werden. Ein Beispiel bilden die in Stellenschreibweise mit den arabischen Ziffern geschriebenen Nachrichten und die mit ihnen verbundenen Informationen, die „natürliche Zahlen"[1] heißen.

### 2.2.1 Bezeichnung und Wert

Objekt ist also ein Paar $(N,J)$ mit $N \vdash\!\xrightarrow{\alpha} J$, dabei wird die Information $J$ **Wert**[2] des Objekts, die Nachricht $N$ **Bezeichnung**[3] des Objekts genannt. Man sagt, die Bezeichnung $N$ **besitzt** den Wert $J$ (Abb. 44).

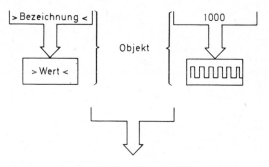

Abb. 44    Der „Besitzt-Pfeil"

Beispielsweise besitzt die Bezeichnung 34 den Wert »vierunddreißig«, die Bezeichnung 3.14 den Wert »drei Punkt eins vier«, die Bezeichnung LOOL den Wert »neun«.

---

[1] Die Null soll (entgegen der üblichen Definition) mit eingeschlossen sein.

[2] Im ALGOL 68-Bericht: „*internal object*".

[3] Im ALGOL 68-Bericht: „*external object*".

Verschiedene Bezeichnungen können den selben Wert besitzen – die Abbildung $\alpha$ braucht nicht umkehrbar zu sein. Dementsprechend sollte man ganz präzise sagen: „Eine Bezeichnung besitzt ein Exemplar eines Wertes".

Objekte treten in Algorithmen als Gegenstände auf, mit denen gewisse Operationen ausgeführt werden. In der Praxis sind Objekte oft dadurch ausgezeichnet, daß auf ihnen eine bestimmte Nachrichten- und Informationsverarbeitung in weithin üblicher Weise definiert ist. Mit den Objekten „natürliche Zahlen" als Operanden sind definiert die einstellige Operation „nächste natürliche Zahl" und die zweistelligen Operationen „Addition" und „Multiplikation", die als Ergebnis eine natürliche Zahl liefern. Außerdem hat man die zweistellige Operation „Division mit Rest", die als Ergebnis zwei natürliche Zahlen, Teiler und Rest, liefert.

Nicht jedes Objekt ist als Operand für jede Operation geeignet. Eine Menge von Objekten, für die üblicherweise eine Anzahl Operationen definiert ist, heißt von einer bestimmten **Art**[4]. Die Art von Objekten wird also charakterisiert durch die mit diesen Objekten ausführbaren Operationen. Zunächst fallen ins Auge die zahlartigen Objekte, d. h. die Menge der ganzzahligen, rationalen, numerisch-reellen, numerisch-komplexen Objekte. Es gibt auch mathematische Objekte größerer Komplexität – in der Geometrie Räume und Mannigfaltigkeiten, in der Algebra Ausdrücke, in der Topologie Zellenkomplexe – auf denen komplizierte Operationen definiert sind.

Ferner gibt es Wahrheitswerte als Objekte, nämlich «wahr» und «falsch». Nicht auf den mathematischen Bereich beschränkt gibt es als Objekte Symbole (vgl. 1.4.3), die durch Worte über einem Zeichenvorrat oder Alphabet bezeichnet werden.

Universell definiert sind die zweistelligen Operationen des Vergleichs auf „Gleichheit" mit dem Ergebnis «wahr» oder «falsch», und, bei Worten über einem Alphabet, des Vergleichs auf „vor" im Sinne der lexikographischen Ordnung, ebenfalls mit einem Ergebnis «wahr» oder «falsch».

Die Anzahl der Objekte einer bestimmten Art kann unendlich sein. Damit aber ein Objekt als Operand in einem Algorithmus auftreten kann, muß es durch endlich viele Zeichen aus irgendeinem Zeichenvorrat wiedergebbar sein. Man muß jedes Objekt in endlich vielen Schritten (vgl. 1.7.3) angeben können, die Objektmenge muß „aufzählbar" sein.

Für die im folgenden öfter verwendeten Arten verwenden wir folgende Wortsymbole[5] (vgl. 1.4.3) als Standard-Abkürzungen. Sie heißen (Art-)**Indikationen.**

**int**    für ganzzahlige Objekte,
**rat**    für rationale Objekte,
**real**   für numerisch-reelle Objekte[6],
**compl** für numerisch-komplexe Objekte[6],

---

[4] Engl. „mode".
[5] In Schreibmaschinenschrift unterstrichen.
[6] Approximation endlicher Stellenzahl an reelle bzw. komplexe Zahlen.

**bool** für die Wahrheitsobjekte «wahr», «falsch»,
**char** für Symbole, die durch einzelne Zeichen bezeichnet werden,
**string** für Symbole, die durch Worte über einem Zeichenvorrat bezeichnet werden,
**bit** für die durch Binärzeichen wiedergegebenen Symbole,
**bits** für die durch Binärworte (einer festen Wortlänge) wiedergegebenen Symbole.

Bei Einführung anderer Arten von Objekten (vgl. 2.6) benutzt man dafür ähnlich gebildete Wortsymbole.

Für die oben genannten Arten von Objekten gibt es sogenannte **Standard-Bezeichnungen**. Bezeichnungen wie

$$34 \quad 1001 \quad 2 \quad 0 \quad 00123 \quad 123$$

besitzen die ihnen üblicherweise zukommenden Werte von der Art **int**. Die letzten beiden Bezeichnungen besitzen denselben Wert[7].
Bezeichnungen wie[8]

$$0.000123 \quad 1.23_{10}-4 \quad 1_{10}-4 \quad 1.23 \quad 0.123 \quad .123$$

besitzen gleichfalls die ihnen üblicherweise zukommenden Werte von der Art **real**. Die beiden ersten Bezeichnungen besitzen denselben Wert.
Bezeichnungen wie

$$137/243 \quad 7/1 \quad 1/1024 \quad 3/2 \quad 6/4$$

besitzen Werte von der Art **rat**; die letzten beiden besitzen denselben Wert.
Bezeichnungen wie

$$2 \, \mathbf{i} \, 3 \quad 1.027 \, \mathbf{i} \, 0.005$$

besitzen die Werte $2+3i$ bzw. $1.027+0.005i$ von der Art **compl**.
Die Bezeichnungen

$$\mathbf{true} \quad \mathbf{false}$$

besitzen die Wahrheitswerte «wahr» bzw. «falsch» von der Art **bool**.
Bezeichnungen wie

$$\text{,,}a\text{``} \quad \text{,,}f\text{``} \quad \text{,,}\alpha\text{``} \quad \text{,,}\omega\text{``} \quad \text{,,}\male\text{``} \quad \text{,,}\female\text{``} \quad \text{,,}\_\text{``}$$

besitzen als Wert (von der Art **char**) das Symbol «Buchstabe klein A», . . . . ., «Buchstabe klein Omega», «Mars-Symbol», «Venus-Symbol», «Zwischenraum». Der Zwischenraum muß eigens bezeichnet werden, um Irrtümer zu vermeiden.
Bezeichnungen wie

$$\text{,,liechtenstein``} \quad \text{,,faz``} \quad \text{,,hans\_sachs``} \quad \text{,,dienstag``}$$

---

[7] Genauer: je ein Exemplar desselben Wertes.

[8] Der Dezimalpunkt (anstelle des Kommas) ist international gebräuchlich. $_{10}-4$ bedeutet in üblicher Schreibweise $10^{-4}$, und $1.23_{10}-4$ bedeutet $1.23 \times 10^{-4}$. Das Tiefsetzen der Basiszehn erlaubt das Fortschreiben des Exponenten auf der Zeile.

besitzen als Wert (von der Art **string**) die Folge der Symbole, die durch die einzelnen Zeichen wiedergegeben werden.

Die Bezeichnungen

O  L

besitzen als Werte (von der Art **bit**) Symbole, für die sie als abstrakte Repräsentanten eines binären Zeichenvorrats stehen.

Bezeichnungen wie

OO LO L     LO L LO     L LOO L

besitzen als Werte (von der Art **bits**) Symbole, für die die jeweiligen Binärworte als Codierung stehen.

Betont muß werden, daß z. B. die ganzen Zahlen nicht als Teilmenge der reellen Zahlen aufgefaßt werden sollen, sondern nur als isomorphe Bilder einer entsprechenden Teilmenge. Über die Abbildung vergleiche 2.3.2.

Objekte von der Art **compl**, **string**, **bits** bilden einfachste Beispiele von strukturierten Objekten. Einzelheiten darüber in 2.6.

> "Dog! That ain't no fittin' name for a dog"
> N. RICHARD NASH, The rainmaker.

### 2.2.2  Frei wählbare Bezeichnungen

Für manche Objekte mag es bequem sein, neben der Standard-Bezeichnung eine andere, z. B. kürzere oder sonstwie bequemere, z. B. besser zu merkende Bezeichnung zur Verfügung zu haben. Bei ganzen Zahlen mag das Bedürfnis dazu gering sein, bei häufig vorkommenden transzendenten Zahlen, wie der Kreiszahl $\pi$, ist das

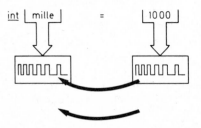

Abb. 45    Der „Identitäts-Pfeil"

bereits anders. Insbesondere für die noch zu besprechenden zusammengesetzten Objekte ist es unbedingt notwendig. Natürlich kommen nur Bezeichnungen in Frage, die nicht schon Standard-Bezeichnungen sind. Man beschränkt sich daher auf Buchstaben-Ziffern-Kombinationen, die mit einem Buchstaben beginnen. (Um hier Frei-

heit zu haben, hat man die Standard-Bezeichnungen für Objekte der Arten **char**
und **string** in Anführungszeichen eingeschlossen.) So aufgebaute frei wählbare Bezeichnungen heißen **Identifikatoren**[9].

Die Gleichsetzung der frei wählbaren Bezeichnung mit einer schon eingeführten
Bezeichnung geschieht in der **Identitätsdeklaration,** etwa

$$\textbf{int } mille = 1000,$$
$$\textbf{real } pi = 3.14159,$$
$$\textbf{bits } maske = \text{OOO L L L L L}.$$

Die neue Bezeichnung in einer Identitätsdeklaration besitzt als Wert dasselbe Exemplar des Werts wie die alte Bezeichnung, vgl. Abb. 45.

### 2.2.3 Namen

Die Feststellung, daß mehrere Objekte je ein Exemplar ein und desselben Wertes
besitzen, beinhaltet wirklich die Duplizierung des Wertes. Namentlich bei umfang-
reicheren Objekten ist es ökonomischer, wenn nur ein Objekt den Wert besitzt, während weitere Objekte als Wert einen **Bezug** auf das erste Objekt als Wert besitzen.

Zu diesem Zweck gibt es neben den bereits besprochenen Objekten noch solche,
deren Information lediglich in einer Bezugnahme auf einen Wert, genauer gesagt auf
ein Exemplar eines Wertes, das zu einem anderen Objekt gehört, besteht. Solche
Objekte heißen **Namen,** sie haben wiederum eine Bezeichnung, und diese Bezeichnung besitzt als Wert einen **Bezug.** (Vgl. Abb. 46, der Pfeil symbolisiert den Bezug.)

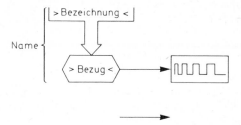

Abb. 46    Namen als spezielle Objekte, der „Bezugspfeil"

Die früher eingeführten Objekte, deren Wert keinerlei Bezug enthält (die Objekte
der Arten **int** bis **bits**), heißen demgegenüber **primitive Objekte** oder **Konstante.**

Die Art eines Namens wird abgekürzt durch Vorsetzen von **ref** vor die Art des
Objekts, auf das sich der Name beziehen soll. Das **Bezugsobjekt** kann ein primitives
Objekt sein. Wir haben dann Namen der Art **ref int** oder **ref real** oder **ref string**
usw. Da aber Namen selbst als Objekte dienen sollen, können sie auch Bezugsobjekte

---

[9] Engl. „*identifier*".

sein[10]. Wir haben dann Namen der Art **ref ref int**, mit einem Bezug auf ein Objekt der Art **ref int**, also mit einem **zweistufigen** Bezug. Entsprechend gibt es auch höherstufige Bezüge, jedoch erweisen sich zwei **Referenzstufen** als praktisch ausreichend.

Wir werden zunächst nur Objekte betrachten, die einer bestimmten Referenzstufe angehören: Primitive Objekte sind von der Stufe Null, Namen von der Stufe 1 und höher. Objekte der Stufe 2 oder höher heißen auch **Namensnamen**.

Abb. 47 gibt ein Beispiel für einen zweistufigen Bezug eines Objektes mit der Bezeichnung $xx$ von der Art **ref ref real**. Eine Menge von Objekten, die wie in Abb. 47 durch Bezüge untereinander verbunden ist, heißt ein **Geflecht** von Objekten.

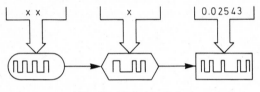

Abb. 47   Einfaches Geflecht

Aus mnemotechnischen Gründen verwenden wir in den Beispielen für Objekte der Stufe 1 stets frei wählbare Bezeichnungen wie $x$ oder $x1$ (ein Buchstabe), für Objekte der Stufe 2 stets Bezeichnungen wie $xx$ oder $xx1$ (Doppelbuchstabe), während Objekte der Stufe Null, wenn nicht durch Standard-Bezeichnungen, durch Bezeichnungen wie *mille*, *pi* kenntlich sind.

> „Name ist Schall und Rauch"
> GOETHE, Faust I.

### 2.2.4 Phantasienamen

Anders als für primitive Objekte und Verarbeitungsvorschriften gibt es für Namen keine Standard-Bezeichnungen. Als frei wählbare Bezeichnungen für Namen dienen wieder Identifikatoren. Die durch sie bezeichneten Objekte werden wieder durch eine Identitätsdeklaration eingeführt, wie etwa

$$\textbf{ref real } x = \textbf{loc real}.$$

Dabei bedeutet **loc real** einen neuen Namen, dessen Wert ein Bezug auf ein – zunächst noch unbekanntes – Objekt der Art **real** ist. Der Zusatz **loc** wählt also aus einem, als unerschöpflich vorgestellten Vorrat, einen noch nicht verwendeten Namen aus, der Bezüge auf Objekte der Art **real** erlaubt[11]. Die Vorschrift, nach der diese Auswahl erfolgt, bleibt der Phantasie überlassen. Wir nennen daher diese neuen

---

[10]  In manchen algorithmischen Sprachen ist das freilich unterbunden, z. B. in ALGOL 60.

[11]  Später wird sich zeigen, daß sich hinter dieser Auswahl bei den heute üblichen Rechenanlagen die Zuweisung eines Speicherplatzes verbirgt.

Namen, deren Bezeichnung wir weder kennen noch kennen lernen wollen, **Phantasie-namen,** im Unterschied zu den Namen, denen wir durch eine Identitätsdeklaration eine Bezeichnung zuordnen. Vgl. Abb. 48 a.

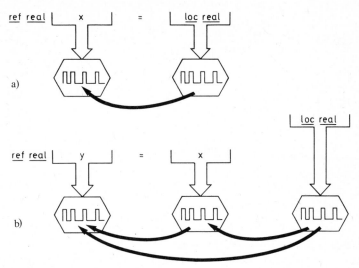

Abb. 48   a) Identitätsdeklaration mit Verwendung von Phantasienamen
          b) Identitätsdeklaration mit Verwendung bereits deklarierter Namen

$$\textbf{ref int } i = \textbf{loc int}$$

bedeutet also, daß ein (neuer) Phantasiename von der Art **ref int** abgerufen wird und die frei gewählte Bezeichnung $i$ bekommt[12].
   Ähnlich bedeutet

$$\textbf{ref bool } a = \textbf{loc bool,}$$
$$\textbf{ref ref real } xx = \textbf{loc ref real,}$$
$$\textbf{ref ref string } vv = \textbf{loc ref string,}$$

daß ein Phantasiename von der Art **ref bool** bzw. **ref ref real** bzw. **ref ref string** abgerufen wird und die frei gewählte Bezeichnung $a$ bzw. $xx$ bzw. $vv$ bekommt.

Die Tatsache, daß im ersten Beispiel $x$ ein Name für Objekte der Art **real** ist, kommt in ALGOL 68[13] in der abkürzenden Schreibweise

$$\textbf{real } x$$

---

   [12] Es sei ausdrücklich darauf hingewiesen, daß jede Verwendung von **loc real** einen n e u e n Phantasienamen auswählt. **loc real** ist daher keineswegs als Standard-Bezeichnung für einen Namen, der sich auf Objekte der Art **real** bezieht, aufzufassen.
   [13] In manchen algorithmischen Sprachen, wie ALGOL 60, ist nur diese Abkürzung vorgesehen.

für die Identitätsdeklaration

$$\textbf{ref real } x = \textbf{loc real}$$

zum Ausdruck. Ähnlich kürzt man die anderen genannten Deklarationen ab zu

$$\textbf{int } i \qquad \textbf{bool } a,$$
$$\textbf{ref string } vv \qquad \textbf{ref real } xx.$$

Selbstverständlich können auch bereits deklarierte Namen in Identitätsdeklarationen verwendet werden, also etwa

$$\textbf{ref real } y = x,$$
$$\textbf{ref int } j = i,$$
$$\textbf{ref ref string } ww = vv.$$

Dabei werden die Bezüge identifiziert, $x$ und $y$ bzw. $i$ und $j$ bzw. $ww$ und $vv$ bezeichnen jeweils dasselbe Exemplar eines Phantasienamens (Abb. 48 b).

## 2.2.5 Variable

Eine grundlegende und universelle Rolle spielt die Operation, einen Bezug zwischen einem Namen und einem Bezugsobjekt herzustellen. Diese Operation und der sich daraus ergebende Bezug (in Abb. 46 durch einen Pfeil angedeutet) wird durch das Zeichen := ausgedrückt,

$$x := 0.02543,$$
$$xx := x.$$

Die Operation heißt **Zuweisung**[14] – Zuweisung des bezogenen Objekts an den Namen. Durch die obenstehenden Zuweisungen kommen gerade die in Abb. 47 wiedergegebenen Bezüge zustande. Andere Zuweisungen mit den schon eingeführten Objekten können sein

$$i := mille,$$
$$xx := \textbf{loc real}.$$

Im letzteren Fall bekommt $xx$ einen Bezug auf einen Phantasienamen mit unbekannter Bezeichnung.

Dagegen ist die Zuweisung

$$\textbf{loc int} := 123$$

ohne praktische Bedeutung: Da die Bezeichnung des Phantasienamens nicht bekannt ist, ist der Bezug auf den Wert 123 nicht weiter verwendbar. Das ist anders in der **initialisierten Identitätsdeklaration**

$$\textbf{ref int } j = \textbf{loc int} := 123.$$

---

[14] Im ALGOL 68-Bericht: „*assignation*".

Hier wird (Abb. 49 a) gleichzeitig ein Bezug des Phantasienamens **loc int** auf das Objekt 123 hergestellt und der Bezug des Phantasienamens mit dem Bezug des durch *j* bezeichneten Namens identifiziert. Das Ergebnis ist der in Abb. 49 b wiedergegebene Bezug von *j* auf 123.

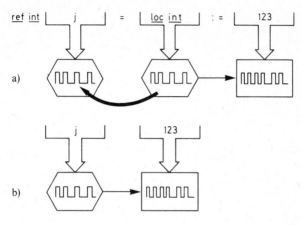

Abb. 49   Eine initialisierte Identitätsdeklaration

Entsprechend der in 2.2.4 erwähnten abkürzenden Schreibweise für Identitätsdeklarationen kürzt man eine initialisierte Identitätsdeklaration wie die obige ab durch

$$\textbf{int } j := 123.$$

Die Wirkung der Sequenz

$$\textbf{int } j,$$
$$j := 123$$

ist die gleiche. Folgt dem noch (Abb. 50 a)

$$\textbf{ref int } k = j,$$

so haben *j* und *k* denselben Bezug auf dasselbe Exemplar von 123 (Abb. 50 b). *j* und *k* sind verschiedene Bezeichnungen für denselben Bezug.

Ein Paar (Name, Bezugsobjekt) von Objekten, zwischen denen ein Bezug besteht, heißt eine **Variable**. Zwischen den Bezeichnungen herrscht eine Relation, die ebenfalls durch das Zeichen := bezeichnet werden kann:

» Bezeichnung des Namens « := » Bezeichnung des Bezugsobjekts « und die nur durch eine entsprechende Zuweisung hergestellt werden kann. Vgl. Abb. 51 für den Fall eines Bezugs auf ein primitives Objekt. Das Bezugsobjekt heißt auch der **Inhalt** der Variablen.

Der Name einer Variablen muß stets eine Referenzstufe höher sein als der Inhalt. Nur Objekte, die dieser Bedingung genügen, können auf der linken und rechten Seite einer Zuweisung gemeint sein, sie werden durch die Zuweisung zu einer Variablen verbunden. Diese Verbindung (Relation) ist nicht unabänderlich. Wie sich noch er-

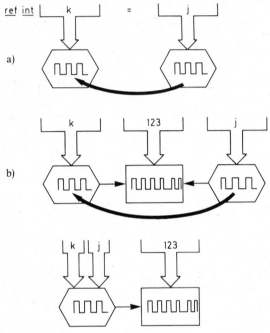

Abb. 50   Identifizierung von Bezeichnungen für Namen

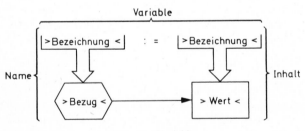

Abb. 51   Variable

geben wird, kann der durch eine Zuweisung hergestellte Bezug durch eine neue Zuweisung „überschrieben" werden; daher der Ausdruck Variable.

Die Bezeichnung des Namens einer Variablen heißt auch **Variablenbezeichnung**; Bezeichnungen für primitive Objekte heißen demgegenüber **Konstantenbezeichnungen**.

## 2.3 Formeln

Im Abschnitt 2.2.1 gingen wir davon aus, daß sich die Art von Objekten aus den für diese Objekte gewöhnlich definierten Operationen herleitet. Auf solchen Operationen aufbauend, gelangen wir zu Verarbeitungsvorschriften, die Formeln heißen.

### 2.3.1 Formeln mit primitiven Objekten als Operanden

Die Operationen, die wir zunächst kennenlernen, sind recht einfache und – aus pragmatischen Gründen – in der algorithmischen Sprache nicht weiter zerlegbare Verarbeitungsvorschriften, die durch **Operationssymbole** bezeichnet werden. Je nach der Anzahl der Operanden heißen solche Operationen einstellig (**monadisch**) oder zweistellig (**dyadisch**)[15]. Bei dyadischen Operationen steht das Operationssymbol zwischen den Operanden (Infixschreibweise), bei monadischen links davon (Präfixschreibweise). Von den dyadischen Operationen sind manche **kommutativ,** also unabhängig von der Reihenfolge der Operanden, andere nicht. Von den monadischen Operationen sind manche **involutorisch** – nochmals dieselbe Operation angewandt, hebt die vorangehende auf – andere **idempotent** – nochmals dieselbe Operation angewandt, ist wirkungslos – andere keines von beiden. Die Tabelle 7 bringt eine Zusammenstellung der von uns fernerhin gebrauchten Operationen. Die Bedeutung ist, soweit nicht eigens angegeben, die allgemein bekannte. Die durch ¬, ∧ und ∨ bezeichneten Operationen mit Wahrheitswerten entsprechen dem umgangssprachlichen Gebrauch der Negation *nicht* und der Bindewörter *und, oder* für Aussagen.

Es wird eine Zuordnung von Binärworten zu ganzen Zahlen unterstellt, derart, daß die natürliche Ordnung der **int** umkehrbar eindeutig der lexikographischen Ordnung der Binärworte zugewiesen wird:

$$\textbf{bits} \leftrightarrow \textbf{int} . \tag{1}$$

Das gilt auch für Zeichen, die ein Alphabet bilden:

$$\textbf{char} \leftrightarrow \textbf{int} . \tag{2}$$

Für Binärzeichen und Wahrheitswerte gibt es eine Zuordnung:

$$\textbf{false} \leftrightarrow 0,$$
$$\textbf{true} \leftrightarrow 1, \tag{3}$$

Ferner wird identifiziert

$$\text{O} \leftrightarrow \textbf{false},$$
$$\text{L} \leftrightarrow \textbf{true} . \tag{4}$$

---

[15] Mehr als zweistellige Operationen sind in der Algebra selten. Dreistellige gibt es in der Verbandstheorie. Bei algorithmischen Sprachen beschränkt man sich heute auf höchstens zweistellige Operationen.

Tabelle 7. *Operationen*

Gruppe 10                              *Einstellige Operationen*

| Operations-symbol | Operand $a$ | Ergebnis $c$ | Bemerkungen |
|---|---|---|---|
| $+$ $-$ | int real compl | int real compl | $c$ von derselben Art wie $a$ |
| re | compl | real | Realteil |
| im | compl | real | Imaginärteil |
| conj | compl | compl | $c$ konjugiert komplex zu $a$ |
| sign | int real | int int | liefert Vorzeichen, dargestellt als $-1$ für negativ $+1$ für positiv $\phantom{+}0$ für 0 |
| entier | real | int | liefert nächstniedrige ganze Zahl (**entier**$(-4.5) = -5$) |
| round | real | int | Rundung auf nächste ganze Zahl (**round** 1.5 undefiniert!) |
| abs | int real compl bool bits char | int real real int int int | Betrag $sqrt$ (**re** $a\uparrow 2 +$ **im** $a\uparrow 2$) **bool**→**int** siehe (3) **bits**→**int** siehe (1) **char**→**int** siehe (2) |
| bin | int | bits | Umkehrung von **abs** auf **bits** |
| repr | int | char | Umkehrung von **abs** auf **char** |
| odd | int | bool | $c = \begin{cases} \textbf{true, } \text{falls } a \text{ ungerade,} \\ \textbf{false, } \text{falls } a \text{ gerade} \end{cases}$ |
| $\neg$ not | bool | bool | $\neg$ **true** = **false** $\neg$ **false** = **true** |

Tabelle 7. Fortsetzung

*Zweistellige Operationen*

| Gruppe | Opera-tions-symbol | linker Operand $a$ | rechter Operand $b$ | Ergebnis $c$ | Bemerkungen |
|---|---|---|---|---|---|
| 9 | i | real | real | compl | $c = a + bi$ |
| 8 | ↑ power | int real compl | int int int | int real compl | $c = a^b$ für $b \geq 0$ Verschiebung von $a$ um $b$ Stellen nach links für $b > 0$, $-b$ Stellen nach rechts für $b < 0$, mit Auffüllen durch **O**. |
|  |  | bits | int | bits |  |
| 7 | × / | int real compl | int real compl | int* real compl | $c$ von derselben Art wie $a$ und $b$.* Division durch 0 ist ausgeschlossen |
| 6 | − | int real compl | int real compl | int real compl | $c$ von derselben Art wie $a$ und $b$ |
|  | + | int real compl | int real compl | int real compl | $c$ von derselben Art wie $a$ und $b$ |
|  |  | char string string char | char string char string | string string string string | Konkatenation |
| 5 | < > | int real | int real | bool bool | übliche Bedeutung |
|  |  | char string string char | char string char string | bool bool bool bool | Lexikographisch über dem Alphabet der Objekte von der Art **char** |
|  | ≤ ≥ | int real | int real | bool bool | übliche Bedeutung |
|  |  | bits | bits | bool | ≤ : $c =$ **true**, falls $(a \vee b) = b$ |
|  |  | char string string char | char string char string | bool bool bool bool | Lexikographisch über dem Alphabet der Objekte von der Art **char** |

* Ausnahme: Ergebnis von der Art **real** bei Division.

Tabelle 7. Fortsetzung

| Gruppe | Opera-tions-symbol | linker Operand $a$ | rechter Operand $b$ | Ergebnis $c$ | Bemerkungen |
|---|---|---|---|---|---|
| 4 | =<br><br>$\neq$ | int<br>real<br>compl<br>bool<br>bits<br>char<br>string<br>string<br>char | int<br>real<br>compl<br>bool<br>bits<br>char<br>string<br>char<br>string | bool<br>bool<br>bool<br>bool<br>bool<br>bool<br>bool<br>bool<br>bool | übliche Bedeutung |
| 3 | ∧ and | bool<br><br>bits | bool<br><br>bits | bool<br><br>bits | siehe unten<br><br>elementweise Aussageverknüp-fung gemäß (4) |
| 2 | ∨ or | bool<br><br>bits | bool<br><br>bits | bool<br><br>bits | siehe unten<br><br>elementweise Aussagenverknüp-fung gemäß (4) |

|  ∧ : | true | false |
|---|---|---|
| **true** | true | false |
| **false** | false | false |

|  ∨ : | true | false |
|---|---|---|
| **true** | true | true |
| **false** | true | false |

Beispiele:

$$4 \uparrow 2,$$
$$8 \times 4,$$
$$\textbf{true} \wedge \textbf{false},$$
$$\text{„stan"} + \text{„desamt"},$$
$$999 < 1001,$$
$$\neg \ \textbf{true},$$
$$-273.$$

Die Ergebnisse solcher Operationen können wiederum Operanden sein. Zu diesem Zweck schließt man sie in Klammern ein:

$$3 \times (4 \uparrow 2),$$
$$(8 \times 4) \times 5,$$

$$((7 \times 3) < (4 \times 5)) \wedge (2 \times 2 = 5),$$

$$\textbf{true} \wedge (\neg \, \textbf{true}),$$

$$3 \times (-1).$$

Überflüssige Klammerung ist zulässig:

$$(3 \times ((-1))).$$

Ein derartiges Gebilde aus primitiven Werten, Operationssymbolen, und (runden) Klammern heißt eine **Formel**. Sie bezeichnet eine Verarbeitungsvorschrift; wir sagen auch, sie besitzt als Wert eine Verarbeitungsvorschrift. Die Verarbeitungsvorschrift als Wert der Formel ist zu unterscheiden vom **erarbeiteten Ergebnis** der Formel. Darunter versteht man den Wert, der sich bei der Ausführung der Verarbeitungsvorschrift ergibt. Das Gesamtergebnis einer Formel ist von der gleichen Art wie das Ergebnis der letzten ausgeführten Operation.

Um Klammern zu sparen, wird in vielen Programmiersprachen ein Vorrang unter den Operationen festgelegt. Wir werden uns auf folgende Vorrangregeln stützen:

Für den Vorrang einzelner Operationen gilt die Reihenfolge der Gruppen in Tabelle 7: 10 für die monadischen Operationen, 9 bis 2 für die dyadischen Operationen. Innerhalb jeder Gruppe besteht kein Vorrang. Klammerung bedeutet stets höchsten Vorrang.

Soweit kein Vorrang besteht, werden die Operationen in der Reihenfolge von links nach rechts ausgeführt. Die vorstehenden Regeln für den Aufbau von Formeln einschließlich der für die Verarbeitung bedeutungsvollen Vorrangregeln bilden die **Syntax der Formeln.**

Im folgenden einige Beispiele von Formeln mit unterdrückten Klammern:

$$8 \times 5 + 3,$$

$$5 \times 2 \times 10,$$

$$\neg \, \neg \, \textbf{true},$$

$$-8 + -5,$$

$$-3 \uparrow 2 + -4 \uparrow 2.$$

Zusätzliche Klammerung gibt den letzten drei Beispielen die konventionellere Form:

$$\neg \, (\neg \, \textbf{true}),$$
$$(-8) + (-5),$$
$$(-3) \uparrow 2 + (-4) \uparrow 2.$$

In einer Zuweisung mit einer Formel auf der rechten Seite wird das erarbeitete Ergebnis der Formel, ein primitiver Wert, einer Variablen (der Referenzstufe 1) zugewiesen

$$x := 7.1428 + 2.36,$$
$$i := 25 \times 4.$$

In einer Identitätsdeklaration mit einer Formel auf der rechten Seite wird die frei gewählte Bezeichnung für das erarbeitete Ergebnis der Formel eingeführt:

$$\textbf{int } \textit{mille} = 10 \times 10 \times 10 \ .$$

Auch Initialisierungen mit Formeln sind möglich:

$$\textbf{ref real } x = \textbf{loc real} := \textit{pi} \times 37.248 \ .$$

Abschließend sei eine Warnung angebracht:

Assoziativität darf für die Operationen $\times$ / $+$ $-$ für Größen der Art **real** und **compl** nicht erwartet werden. Gründe dafür werden sich im 3. Kap. ergeben. Auch das Kommutativgesetz ist bei manchen Rechenanlagen nicht gewährleistet. Die Konkatenation ist selbstverständlich nicht kommutativ, wohl aber assoziativ.

### 2.3.2 Art-Ausweitungen

Eine Zuweisung wie

$$x := 15,$$

bei der $x$ von der Art **ref real** ist, verstößt, im Unterschied zu

$$x := 15.0,$$

gegen das Prinzip der Zuweisung insofern, als ein Name von der Art **ref real** nur einen Bezug auf ein Objekt der Art **real** (und nicht auf die Art **int**) beinhalten kann. Dasselbe gilt für die Zuweisung wie

$$i := 1.4, \text{ bei der } i \text{ von der Art } \textbf{ref int ist}.$$

Letztere ist schlechthin sinnlos. Wenn dabei die entier- oder round-Operation unterstellt ist, so soll das der Klarheit wegen angegeben werden.

Anders ist es beim erstgenannten Beispiel. Wir unterscheiden zwar streng die verschiedenen Arten von zahlartigen Objekten, auch in ihren Standard-Bezeichnungen, aber wir können nicht verleugnen, daß die ganzen Zahlen gleichwertig sind zu einer Teilmenge der reellen und die reellen Zahlen gleichwertig sind zu einer Teilmenge der komplexen Zahlen.

In der Reihenfolge **int real compl** kann also der Wert eines ganzzahligen Objekts zu einem solchen höherer Art **ausgeweitet** werden. Dies kann auch mittels der Standard-Bezeichnungen ausgedrückt werden:

37 kann ausgeweitet werden zu 37.0,
37.0 kann ausgeweitet werden zu 37.0 **i** 0.0,
37 **i** 0 kann ausgeweitet werden zu 37.0 **i** 0.0   .

Die Ausweitung unter Ausnutzung der Artverträglichkeit in Aufwärtsrichtung wird in algorithmischen Sprachen generell unterstellt.

$$x := 123$$

ist also zulässig und beinhaltet eine Ausweitung von 123 zu der Art **real**. Ähnliches gilt für

$$\textbf{real } \textit{faktor} = 23 \quad .$$

### 2.3.3 Die Operation cont

Für Namen, d. h. nichtprimitive Objekte, sind fast alle Operationen des Abschnitts 2.3.1 nicht definiert. Namen können z. B. nicht addiert werden. Nur der Vergleich von Namen auf Identität oder Nichtidentität ist sinnvoll. Wir werden weiter unten darauf zurückkommen.

Für Namen ist dagegen eine spezielle Operation definiert, die den Wert, auf den sich der Name bezieht, liefert, also dasjenige Objekt, das mit dem Namen zusammen eine Variable bildet. Diese Operation wird durch das Wortsymbol **cont** bezeichnet. Der „Inhaltsoperator" **cont** hat Vorrang vor allen anderen monadischen (und dyadischen) Operationen[16].

Die Bedeutung des Inhaltsoperators ergibt sich daraus, daß nun auch Variable in Formeln vorkommen können:

> **cont** $i + 3$,
> **cont** $a \wedge (\textbf{cont } i \leq 0)$,
> $-\textbf{cont } i$,
> **cont cont** $xx \times pi$.

Die erste Formel gibt z. B. die Verarbeitungsvorschrift „Addiere 3 zum Inhalt der Variablen $i$" wieder. Man beachte, daß pi Bezeichnung der Stufe 0, also kein Name ist, weshalb auch kein Inhaltsoperator darauf angewandt werden muß (und kann). Der Inhaltsoperator reduziert die Referenzstufe eines Objekts um 1, er **dereferenziert**. Selbstverständlich muß ein Objekt nicht vollständig, d. h. bis zur Stufe 0, dereferenziert werden: Ist $xxxxx$ ein Objekt der Stufe 5, so ist **cont cont cont** $xxxxx$ ein Objekt der Stufe 2.

Formeln, die in dem geschilderten Sinn Variable enthalten, können in Zuweisungen und Identitätsdeklarationen vorkommen. Sie liefern wie früher ein erarbeitetes Ergebnis, das einer Variablen zugewiesen bzw. dem eine Bezeichnung gleichgesetzt wird:

> $x := (\textbf{cont } a + \textbf{cont } b)/(\textbf{cont } a - \textbf{cont } b)$,
> **int** $\textit{triple} = \textbf{cont } k \times 3$,
> **ref int** $i = \textbf{loc int} := 2\uparrow\textbf{cont } n$.

---

[16] Dieser Operator wurde um das Jahr 1955 in den ersten Ansätzen zu einer Programmiertheorie eingeführt, **cont** $a$ wurde damals mit $\langle a \rangle$ bezeichnet.

In einer Zuweisung oder Identitätsdeklaration können auf der rechten Seite auch nicht vollständig dereferenzierte Objekte vorkommen:

$$xx := \textbf{cont } yy,$$
$$xx := \textbf{cont cont } zzz,$$
$$\textbf{ref real } x = \textbf{cont } yy,$$

vorausgesetzt, die Referenzstufen entsprechen den früheren Regeln. Dasselbe gilt für Objekte auf der linken Seite von Zuweisungen:

$$\textbf{cont } xx := 27.43 \quad .$$

In den meisten Programmiersprachen vermeidet man das explizite Anschreiben des Inhaltsoperators, soweit irgendmöglich. Man schreibt lediglich

$$i+3,$$
$$a \wedge (i \leq 0) \quad \text{usw.,}$$

die unterstellte und nicht ausdrücklich geschriebene **cont**-Operation ist überall eindeutig ergänzbar. Das liegt daran, daß keines der Operationssymbole auch für Namen benutzt wird. In echten, d. h. nicht aus einem Objekt allein bestehenden Formeln muß also die **cont**-Operation nicht explizit angegeben werden. Für Objekte auf der rechten Seite von Zuweisungen oder Identitätsdeklarationen wird überdies durch die linke Seite festgelegt, welche Referenzstufe die rechte Seite tragen muß, und ob mehrere **cont**-Operationen zu ergänzen sind. Daher stehen

$$x := y,$$
$$x := xx$$

als Abkürzungen für

$$x := \textbf{cont } y,$$
$$x := \textbf{cont cont } xx,$$

und

$$\textbf{ref int } i = kk$$

als Abkürzung für

$$\textbf{ref int } i = \textbf{cont } kk.$$

Man sagt in allen diesen Fällen, die Dereferenzierung der Objekte sei **erzwungen,** oder der Name sei (seiner Umgebung) **angepaßt** worden.

Auf der linken Seite einer Zuweisung darf der Inhaltsoperator nicht weggelassen werden, da sonst die Eindeutigkeit verloren ginge.

$$\textbf{cont } xx := \textbf{cont } x$$

kann also zwar abgekürzt werden zu

$$\textbf{cont } xx := x,$$

aber nicht zu

$$xx := x.$$

Die letztere Zuweisung beinhaltet einen ganz anderen Bezug.

Als Konsequenz dieser Forderung, daß auf der linken Seite einer Zuweisung keine **cont**-Operation unterstellt werden darf, ergibt sich natürlich, daß auch

$$\textbf{cont } xx := 27.43$$

nicht zu

$$xx := 27.43$$

abgekürzt werden kann, obwohl in diesem speziellen Fall offensichtlich ist, daß der Inhaltsoperator zu ergänzen ist.

Dagegen ist es sinnvoll, zuerst die Zuweisung

$$xx := \textbf{loc real}$$

und dann

$$\textbf{cont } xx := 27.43$$

vorzunehmen. Hier wird ein Phantasiename frei verwendet, eine Möglichkeit, die sich später noch als bedeutungsvoll erweisen wird[17]. Dasselbe drückt die **fortlaufende Zuweisung**

$$xx := \textbf{loc real} := 27.43$$

aus, in der der Phantasiename das Bindeglied herstellt.

Ausweitungen und erzwungene Dereferenzierungen sind die wichtigsten Fälle von **Artanpassungen,** die in allen algorithmischen Sprachen vorkommen.

### 2.3.4 Namensvergleich

Für zwei Namen ist der Vergleich auf Identität oder Nichtidentität die einzig sinnvolle dyadische Operation. Damit auch für Vergleiche von primitiven Werten die **cont**-Operation eindeutig ergänzbar bleibt, werden für den Vergleich von Namen die Operatoren = und ╪ nicht verwendet, sondern eigene Symbole :=: bzw. :╪:. Das erarbeitete Ergebnis ist **true**, wenn Identität, bzw. Nichtidentität der Bezüge vorliegt, **false** sonst.

### 2.3.5 Bedingte Formeln

Mit den bisherigen Konstruktionen läßt sich die in 1.7.3 als grundlegend erkannte Möglichkeit, etwas nur bedingt zu tun, noch nicht ausdrücken. Wir sehen dafür als neues Sprachelement die **bedingte Formel** vor. Die bedingte Formel enthält zwei Teilformeln, die **Ja-Formel** und die **Nein-Formel,** von denen jeweils genau eine abgearbeitet wird. Die Auswahl erfolgt aufgrund des erarbeiteten Werts einer weiteren Formel, der **Bedingung.** Der erarbeitete Wert einer Bedingung ist von der Art **bool,**

---

[17] Die freie Verwendung von „erzeugten Namen" wurde als programmiertheoretischer Begriff erstmals 1959 von JULIAN GREEN benutzt.

also **true** („wähle Ja-Formel") oder **false** („wähle Nein-Formel"). Bedingte Formeln haben demgemäß folgendes Aussehen:

**if** ›Bedingung‹ **then** ›Ja-Formel‹ **else** ›Nein-Formel‹ **fi**

oder auch kürzer

(›Bedingung‹ | ›Ja-Formel‹ | ›Nein-Formel‹).

Die hier auftretenden Symbole **if then else** und **fi** sind weitere Beispiele für die Verwendung von Wortsymbolen.

Als Ja- oder Nein-Formeln können (einfache) Formeln oder wieder bedingte Formeln stehen: Bedingte Formeln sind selbst Formeln.

Beispiele:

**if** $x > 0$ **then** $x$ **else** $-x$ **fi**,
**if** $x \geq 0 \wedge x \leq 1$ **then** $x \times (1 - x)$ **else** 0 **fi**,
**if** $a$ **then** 1 **else** 0 **fi**,
**if** $m > n$ **then** $m$ **else** $n$ **fi**,
**if** $m > 0$ **then** 1 **else** (**if** $m = 0$ **then** 0 **else** $-1$ **fi**) **fi**.

Unter Weglassung der (unnötigen) Klammern lautet das letzte Beispiel:

**if** $m > 0$ **then** 1 **else if** $m = 0$ **then** 0 **else** $-1$ **fi fi**,

oder, weiter abgekürzt

**if** $m > 0$ **then** 1 **elsf** $m = 0$ **then** 0 **else** $-1$ **fi**.

Man beachte, daß bei der letzten Schreibweise das **fi** der inneren bedingten Formel weggelassen wird. Die Verarbeitung dieser Formeln liefert ein Ergebnis der Art **real** oder **int**. Hingegen liefern die folgenden Beispiele Ergebnisse der Art **bool**:

**if** $a$ **then true else** $b$ **fi**,
**if** $a$ **then** $\neg b$ **else true fi**,
**if** $i < k$ **then** $a$ **else** $\neg a$ **fi**.

Das Beispiel

$3 +$ **if** $x > 0$ **then** $x$ **else** $j + 1$ **fi**

zeigt, daß bedingte Formeln auch als Bestandteile von (einfachen) Formeln auftreten können.

In der Teilformel

**if** $x > 0$ **then** $x$ **else** $j + 1$ **fi**

ist im voraus nicht klar, ob die Ja- oder die Nein-Formel das Ergebnis der bedingten Formel liefern wird. Damit wenigstens die Art der Ergebnisse von vornherein feststeht, fordert man allgemein die Einhaltung folgender Regeln:

(1) Stimmen die erarbeiteten Ergebnisse der Ja- und der Nein-Formel in der Referenzstufe nicht überein, so wird die Gleichheit der Referenzstufen durch implizite Anwendung der **cont**-Operation auf das Ergebnis höherer Referenzstufe erzwungen.

(2) Stimmen die beiden Ergebnisse in der Art nicht überein, sind aber beide zahlartig, so wird die Gleichheit der Arten durch Ausweiten auf die weitere der beiden Arten erzwungen.

Zu den nach (1) und (2) erzwungenen Artanpassungen treten bei bedingten Formeln wie bei jeder Teilformel und jeder rechten Seite einer Zuweisung die Artanpassungen, die durch die auf das Ergebnis der Teilformel anzuwendende Operation verlangt werden. So muß im obigen Beispiel $j+1$ als **cont** $j+1$ gelesen werden, somit $x$ als **cont** $x$, die Regel (2) erzwingt eine Ausweitung von $j+1$ auf die Art **real** von $x$. Weiterhin wird 3 zur Art **real** ausgeweitet.

In

$$\textbf{if } x>0 \textbf{ then } i \textbf{ else } j \textbf{ fi}$$

erfolgt dagegen kein Dereferenzieren. Dementsprechend ist

$$z := \textbf{if } x>0 \textbf{ then } x \textbf{ else } y \textbf{ fi}$$

eine Abkürzung für

$$z := \textbf{cont (if cont } x>0 \textbf{ then } x \textbf{ else } y \textbf{ fi),}$$

während

$$zz := \textbf{if } x>0 \textbf{ then } x \textbf{ else } y \textbf{ fi}$$

eine Abkürzung für

$$zz := \textbf{if cont } x>0 \textbf{ then } x \textbf{ else } y \textbf{ fi}$$

ist, d. h. für den Fall **cont** $x>0$ die Zuweisung des Namens $x$, für den Fall **cont** $x \le 0$ die Zuweisung des Namens $y$.

Auf der linken Seite einer Zuweisung können nun nicht nur Namen, sondern auch bedingte Formeln, die als Ergebnis Namen liefern, stehen.

Dereferenzierung, soweit sie nicht durch Anpassung der Referenzstufen des Ja-Namens und des Nein-Namens erfolgt, muß, wie bereits in 2.3.3 erwähnt, auf der linken Seite durch Angabe der **cont**-Operation erfolgen. Beispiele:

$$(\textbf{if } p>0 \textbf{ then } x \textbf{ else } y \textbf{ fi}) := 27.348,$$
$$(\textbf{if } p>0 \textbf{ then } xx \textbf{ else } y \textbf{ fi}) := 27.348,$$
$$(\textbf{if } p>0 \textbf{ then } xx \textbf{ else } yy \textbf{ fi}) := z,$$
$$(\textbf{if } p>0 \textbf{ then cont } xx \textbf{ else cont } yy \textbf{ fi}) := 27.348 \quad .$$

### 2.3.6 Die Fall-Unterscheidung

Die bedingte Formel erlaubt durch Schachtelung eine Entscheidung auch zwischen mehreren Fällen. Für den Spezialfall, daß es sich bei der Entscheidung nur um die Auswahl des $i$-ten Falles aus insgesamt $n$ Möglichkeiten handelt, führt man jedoch noch eine übersichtlichere Schreibweise ein: Als Abkürzung für

$$\textbf{int } i = \rangle\text{Auswahl-Formel}\langle,$$
$$\textbf{if } i = 1 \textbf{ then } \rangle\text{Formel 1}\langle,$$

**elsf** $i = 2$ **then** ›Formel 2‹,

$$\vdots$$

**elsf** $i = $ n **then** ›Formel $n$‹,

**else** ›Ausweich-Formel‹ **fi**

schreibt man auch

**case** ›Auswahl-Formel‹ **in** ›Formel 1‹,

›Formel 2‹,

$$\vdots$$

›Formel $n$‹,

**out** ›Ausweich-Formel‹ **esac**,

oder kürzer

(›Auswahl-Formel‹ | ›Formel 1‹,

›Formel 2‹,

$$\vdots$$

›Formel $n$‹ | ›Ausweich-Formel‹).

Man beachte, daß die Auswahl-Formel nur einmal abgearbeitet wird und ein ganzzahliges Ergebnis liefern muß.

Beispiel:

$$y := (i-1 \mid x,\, x+1,\, x+2 \mid x)$$

liefert das gleiche Ergebnis wie

$$y := \textbf{if}\, i \geq 2 \wedge i \leq 4\ \textbf{then}\ x+i-2\ \textbf{else}\ x\ \textbf{fi}.$$

## 2.4 Rechenvorschriften

Schon in 2.3.1 haben wir unterschieden zwischen der Verarbeitungsvorschrift als Bedeutungsinhalt, als Wert einer Formel und dem erarbeiteten Ergebnis einer Formel. Von der ersteren sprechen wir hinfort als von der bloßen **Rechenvorschrift,** die durch die Formel bezeichnet wird; zum Unterschied davon stehen in

$$x := 7.1428 + 3.26,$$
$$x := (a+b)/(a-b)$$

auf der rechten Seite Formeln als **Programmstücke,** die abgearbeitet werden sollen.

Das erarbeitete Ergebnis eines Programmstücks ist ein Objekt von primitiver Art. Ein ganz andersartiges Objekt stellt die durch die Formel bezeichnete Rechenvorschrift dar.

Von Rechenvorschriften als den Werten von Formeln handelt dieser Abschnitt. Wir werden insbesondere aufwendigen, durch komplizierte Formeln bezeichneten Rechenvorschriften frei gewählte Bezeichnungen geben wollen, und auch Namen einführen, denen Rechenvorschriften zugewiesen werden. Eine wichtige Operation mit Rechenvorschriften wird der **Aufruf** sein, nämlich die Aufforderung zur Ausführung der Abarbeitung, zur Herstellung des erarbeiteten Wertes.

### 2.4.1 Parameterlose Rechenvorschriften

Zur Unterscheidung von Programmstücken wird der Formel, die eine Rechenvorschrift wiedergibt, die Art des Ergebnisses, getrennt durch einen Doppelpunkt, vorangestellt:

$$\textbf{real}: \textbf{if } p \textbf{ then } x \textbf{ else } y \textbf{ fi},$$
$$\textbf{ref real}: \textbf{if } p \textbf{ then } x \textbf{ else } y \textbf{ fi}.$$

Die beiden Rechenvorschriften sind völlig verschieden: Die vorangestellte Abkürzung für die Art des Ergebnisses erzwingt im ersten Beispiel die Dereferenzierung in den Formeln $x$ und $y$, während im zweiten Beispiel der Aufruf der Rechenvorschrift die Namen $x$ bzw. $y$ selbst als Ergebnis liefert.

Beispiele:

$$\textbf{int}: i + k - 1,$$
$$\textbf{compl}: (u{\uparrow}2 - v{\uparrow}2) \ \textbf{i} \ (2 \times u \times v),$$
$$\textbf{bool}: (a \wedge b \wedge c) \vee (\neg a \wedge \neg b \wedge \neg c),$$
$$\textbf{string}: s + \text{,,lich``},$$
$$\textbf{real}: (((x + a1) \times x + a2) \times x + a3) \times x + a4.$$

Rechenvorschriften können und sollen als Objekte aufgefaßt werden. Die Art dieser Objekte wird durch Vorsetzen von **proc** vor die Art des Ergebnisses der Rechenvorschrift abgekürzt. Die obigen Beispiele sind also Rechenvorschriften von der Art

$$\textbf{proc int},$$
$$\textbf{proc compl},$$
$$\textbf{proc bool},$$
$$\textbf{proc string},$$
$$\textbf{proc real}.$$

In dieser Identitätsdeklaration kann einer Rechenvorschrift ganz analog zu primitiven Objekten und Namen eine frei gewählte Bezeichnung gegeben werden

$$\textbf{proc real } absx = \textbf{real}: \textbf{if } x > 0 \textbf{ then } x \textbf{ else } -x \textbf{ fi}.$$

$absx$ ist dann die Bezeichnung für die Rechenvorschrift, den Betrag des Inhalts von $x$ zu bilden.

Soll die Rechenvorschrift ausgeführt werden, so kann das durch die Angabe ihrer Bezeichnung und eines Operationszeichens ,,elaboriere`` geschehen. Ein solches Operationszeichen wird in den meisten algorithmischen Sprachen unterdrückt. Wird also

$$2 + absx$$

geschrieben, so ergibt das das Programmstück

$$2 + \text{if } x > 0 \text{ then } x \text{ else } -x \text{ fi}.$$

Man sagt, die Rechenvorschrift wird bereits durch Angabe ihrer Bezeichnung **auf-gerufen**.

Rechenvorschriften können selbst das Ergebnis von Rechenvorschriften sein.

$$\textbf{real} : x + y,$$
$$\textbf{real} : x - y$$

sind Rechenvorschriften der Art **proc real**, und somit ist

$$\textbf{proc real} : \textbf{if } x < 0 \textbf{ then } (\textbf{real} : x + y) \textbf{ else}$$
$$(\textbf{real} : x - y) \textbf{ fi}$$

eine Rechenvorschrift, die eine Rechenvorschrift der Art **proc real** liefert. Sie ist selbst von der Art **proc proc real** und kann durch eine Identitätsdeklaration

$$\textbf{proc proc real } \textit{altalt} =$$
$$(\textbf{proc real} : \textbf{if } x < 0 \textbf{ then } (\textbf{real} : x + y)$$
$$\textbf{else } (\textbf{real} : x - y) \textbf{ fi})$$

mit *altalt* bezeichnet werden.

Ferner gibt es auch Namen für Rechenvorschriften, mit einer Art, die durch Vorsetzen von **ref** vor die Art der Rechenvorschrift ausgedrückt wird. Solchen Namen können verschiedene Rechenvorschriften zugewiesen werden, sie heißen auch **Rechen-vorschriftsvariable**. Sie werden eingeführt durch eine Identitätsdeklaration

$$\textbf{ref proc real } a = \textbf{loc proc real},$$

abgekürzt

$$\textbf{proc real } a,$$

die entweder sogleich initialisiert wird

$$\textbf{ref proc real } a = \textbf{loc proc real} :$$
$$\textbf{real} : \textbf{if } x > 0 \textbf{ then } x \textbf{ else } -x \textbf{ fi},$$

oder erst später eine Rechenvorschrift zugewiesen bekommt

$$a := (\textbf{real} : \textbf{if } x > 0 \textbf{ then } x \textbf{ else } -x \textbf{ fi}).$$

Die Variable $a$ ist von der Art

$$\textbf{ref proc real } .$$

Prinzipiell sind beliebige Häufungen von **ref** und **proc** möglich.

$$\textbf{ref ref proc proc real}$$

und

$$\textbf{ref proc ref proc real}$$

sind etwas ganz verschiedenes:

Das erste ist ein Name für eine Rechenvorschrift, die eine Rechenvorschrift liefert, die reelle Werte liefert; das zweite eine Prozedurvariable für eine Prozedurvariable, die reelle Werte liefert.

### 2.4.2 Rechenvorschriften mit Parametern

Mathematische Formeln wie die Heronische Formel

$$s \times (s-a) \times (s-b) \times (s-c), \text{ wo } s = (a+b+c)/2,$$

sollen nicht nur für beliebige Werte von $s$, $a$, $b$, $c$ durch Einsetzen das Ergebnis liefern. Oft wird eine solche Formel auch mit wechselnden Bezeichnungen für die einzusetzenden Objekte gebraucht. Die in einer Verarbeitungsvorschrift oder Rechenvorschrift möglicherweise auszuwechselnden Bezeichnungen heißen **Parameter.**

Parameter können Bezeichnungen für Objekte der Referenzstufe 0 oder Namen, also Bezeichnungen für Objekte der Referenzstufe 1 oder höher sein. Die Auswechslung von Parametern in Formeln kann durch der Formel vorangestellte Identitätsdeklarationen geschehen. Beispielsweise wird durch

> **real** $a = 4.0,$
> **real** $b = 5.0,$
> **real** $c = 3.0,$
> **real** $s = (4.0 + 5.0 + 3.0)/2,$
> $s \times (s-a) \times (s-b) \times (s-c)$

zunächst $a$, $b$, $c$ und $s$ mit den Zahlenwerten 4.0, 5.0, 3.0 und 6.0 identifiziert, worauf die Formel effektiv

$$6.0 \times (6.0 - 4.0) \times (6.0 - 5.0) \times (6.0 - 3.0)$$

lautet und den Wert 36.0 liefert. Oder es wird durch

> **ref real** $a = u,$
> **ref real** $b = v,$
> **ref real** $c = w,$
> **proc real** $s = \textbf{real} : (u+v+w)/2,$
> $s \times (s-a) \times (s-b) \times (s-c)$

zunächst $a$, $b$, $c$ durch die (anderswo deklarierten) Variablen $u$, $v$, $w$, sowie $s$ durch die Rechenvorschrift

$$\textbf{real} : (u+v+w)/2$$

ersetzt, worauf die Formel effektiv

$$((u+v+w)/2) \times ((u+v+w)/2 - u) \times ((u+v+w)/2 - v)$$
$$\times ((u+v+w)/2 - w)$$

lautet.

Das Auswechseln der Bezeichnungen kann nur bei sofort auszuführenden Programmstücken in der angegebenen Weise durch Identitätsdeklarationen erfolgen. Bei Rechenvorschriften sollen die Parameter im allgemeinen bei jedem Aufruf anders ausgewechselt werden. Man müßte also die Identitätsdeklarationen nicht der Rechenvorschrift, sondern den einzelnen Aufrufen voranstellen. Dieses aufwendige Verfahren verkürzt man, indem man es in zwei Schritte zerlegt: Die linken Seiten der Identitätsdeklarationen für die Parameter, also die Art und die auszuwechselnde Bezeichnung, werden zu einer Liste zusammengefaßt und der Rechenvorschrift vorangestellt. Beim Aufruf muß man nun nur noch eine Liste der rechten Seiten der Identitätsdeklarationen für die Parameter angeben, um die vollständigen Identitätsdeklarationen rekonstruieren zu können.

Die vorigen Beispiele lauten als Rechenvorschrift mit Parametern

$$\textbf{(real } a\textbf{, real } b\textbf{, real } c\textbf{, real } s\textbf{) real}:$$
$$s \times (s-a) \times (s-b) \times (s-c)$$

bzw.

$$\textbf{(ref real } a\textbf{, ref real } b\textbf{, ref real } c\textbf{, proc real } s\textbf{)}:$$
$$s \times (s-a) \times (s-b) \times (s-c).$$

Die Schreibweise weist auf die Tatsache hin, daß **real** $a$, **real** $b$ usw. nur Platzhalter für die beim Aufruf zu ergänzenden vollständigen Identitätsdeklarationen sind. Wir nennen daher $a$, $b$, $c$ und $s$ **formale Parameter,** während die später anzugebenden rechten Seiten der Identitätsdeklarationen **aktuelle Parameter** heißen.

Die Angabe aktueller Parameter geeigneter Art ist beim Aufruf zwingend vorgeschrieben. Die Art der obigen Rechenvorschriften kann daher nicht wie bei parameterlosen Rechenvorschriften **proc real** sein. Sie muß vielmehr die Anzahl und die Arten der Parameter spezifizieren. Die Art wird detailliert angegeben als

$$\textbf{proc (real, real, real, real) real}$$

bzw.

$$\textbf{proc (ref real, ref real, ref real, proc real) real}$$

Damit kann man nun wie üblich Identitätsdeklarationen zur Einführung frei gewählter Bezeichnungen für Rechenvorschriften mit Parametern angeben:

$$\textbf{proc (real, real, real, real) real } \textit{heron} =$$
$$\textbf{(real } a\textbf{, real } b\textbf{, real } c\textbf{, real } s\textbf{) real} :$$
$$s \times (s-a) \times (s-b) \times (s-c)$$

bzw.

$$\textbf{proc (ref real, ref real, ref real, proc real) real } \textit{heron } 1 =$$
$$\textbf{(ref real } a\textbf{, ref real } b\textbf{, ref real } c\textbf{, proc real } s\textbf{) real}:$$
$$s \times (s-a) \times (s-b) \times (s-c) \quad .$$

Bei diesen Identitätsdeklarationen ist die Anzahl und Art der Parameter sowie die Art des Ergebnisses sowohl aus der linken als auch aus der rechten Seite ersichtlich. Diese Redundanz entfällt in der verkürzten Schreibweise von ALGOL 68

$$\textbf{proc } heron = (\textbf{real } a, \textbf{real } b, \textbf{real } c, \textbf{real } s) \textbf{ real :}$$
$$s \times (s-a) \times (s-b) \times (s-c)$$

bzw.

$$\textbf{proc } heron\ 1 = (\textbf{ref real } a, \textbf{ref real } b, \textbf{ref real } c, \textbf{ref real } s) \textbf{ real :}$$
$$s \times (s-a) \times (s-b) \times (s-c).$$

Man beachte jedoch, daß die folgende Identitätsdeklaration

$$\textbf{proc } (\textbf{real}, \textbf{real}, \textbf{real}, \textbf{real}) \textbf{ real } \textit{dreiecksfläche} = heron,$$

welche die durch *heron* bezeichnete Rechenvorschrift auch unter der Bezeichnung *dreiecksfläche* zugänglich macht, nicht verkürzt werden darf!

Beim Aufruf wird die Liste der aktuellen Parameter der Bezeichnung der Rechenvorschrift in Klammern angefügt, so daß sich die von Funktionen vertraute Schreibweise ergibt.

Es wäre also, um im Beispiel zu bleiben, zu schreiben

$$heron\ (4.0, 5.0, 3.0, (4.0+5.0+3.0)/2)$$

bzw.

$$heron\ 1\ (u, v, w, \textbf{real} : (u+v+w)/2),$$

um *heron* bzw. *heron 1* aufzurufen.

Der Aufruf benutzt die Identitätsdeklaration, die aus der Gegenüberstellung der Liste der formalen Parameter und der Liste der aktuellen Parameter resultieren:

$$\textbf{real } a, \quad \textbf{real } b, \quad \textbf{real } c, \quad \textbf{real } s$$
$$\| \qquad \| \qquad \| \qquad \|$$
$$4.0, \quad 5.0, \quad 3.0, \quad (4.0+5.0+3.0)/2$$

bzw.

$$\textbf{ref real } a, \quad \textbf{ref real } b, \quad \textbf{ref real } c, \quad \textbf{proc real } s$$
$$\| \qquad \| \qquad \| \qquad \|$$
$$u, \quad v, \quad w, \quad \textbf{real} : (u+v+w)/2.$$

Die Erstellung dieser Identitätsdeklarationen nennen wir auch die jeweilige **Parameterübergabe.**

Fassen wir zusammen:

Die Bezeichnungen für die formalen Parameter einer Rechenvorschrift mit Parametern werden unter Angabe ihrer Art in einer Liste an die Spitze gestellt. Der Formel selbst ist es nicht immer anzusehen, welcher Art die Parameter sind. Die Art einer Rechenvorschrift mit Parametern gibt man an, indem man zwischen das Symbol **proc** und die Art des Ergebnisses eine in Klammern eingeschlossene Liste der Arten der Parameter einfügt.

Beim Aufruf einer Rechenvorschrift mit Parametern werden die aktuellen Parameter in Klammern der Bezeichnung der Rechenvorschrift selbst beigefügt. Dies bewirkt Identitätsdeklarationen zwischen formalen und aktuellen Parametern in der Reihenfolge der Aufschreibung. Dabei werden, wie bei allen Identitätsdeklarationen, eventuell notwendige Dereferenzierungen und Artausweitungen vorgenommen. Die aktuellen Parameter unterliegen selbstverständlich der Forderung, daß sich zulässige Identitätsdeklarationen ergeben.

Beispielsweise erlaubt ein formaler Parameter der Art **int**, wie er in der Rechenvorschrift

$$\textbf{proc (int) real } kux = (\textbf{int } k) \textbf{ real}: x \uparrow k$$

vorkommt, die aktuellen Parameter

$$3, 17+3, a, 2 \times a, a \times b, aa, aa-1,$$

falls $a$ von der Art **ref int**, $aa$ von der Art **ref ref int** ist; jedoch nicht

$$x, 3 \times x, xx,$$

falls $x$ von der Art **ref real**, $xx$ von der Art **ref ref real** ist. $kux$ kann also aufgerufen werden durch

$$kux\ (3),\ kux\ (2 \times a),\ kux\ (aa)\ \text{usw.}$$

Dagegen erlaubt ein formaler Parameter der Art **ref int**, wie er in der Rechenvorschrift $jux$

$$\textbf{proc (ref int) real } jux = (\textbf{ref int } j) \textbf{ real}: x \uparrow j$$

vorkommt, nur noch aktuelle Parameter mit den Bezeichnungen

$$a, aa,$$

nicht jedoch

$$2 \times a,\ a \times b,\ aa-1.$$

Zulässige aktuelle Parameter sind jedoch auch

$$\textbf{loc int}:= 3,\ \textbf{loc int}:= 17+3,\ \textbf{loc int}:= 2 \times a,$$
$$\textbf{loc int}:= a \times b,\ \textbf{loc int}:= aa-1,$$

sowie

$$a:=3,\ a:=17+3,\ a:=2 \times a,\ \text{usw.}$$

In diesen letzten beiden Fällen werden beim Aufruf Initialisierungen vorgenommen.

### 2.4.3 Rechenvorschriften als Parameter

Ein formaler Parameter der Art **proc int** erwartet eine parameterlose Rechenvorschrift. Er erlaubt die aktuellen Parameter

$$\textbf{int}:3, \ \textbf{int}:(17+3), \ \textbf{int}:a, \ \textbf{int}:2 \times a,$$

$$\textbf{int}:a \times b, \ \textbf{int}:aa, \ \textbf{int}:aa-1.$$

Ein Vergleich mit den formalen Parametern der Art **int** ist lehrreich:

Nur im trivialen Fall **int**:3 besteht kein Unterschied in der Wirkung. In allen anderen Fällen wird nicht der einmal, anläßlich der Identitätsdeklaration erarbeitete primitive Wert in die Rechenvorschrift eingebracht, sondern die Rechenvorschrift zur Abarbeitung dieses Wertes selbst, die dementsprechend (siehe das Beispiel der Heronischen Formel) gegebenenfalls auch öfter abzuarbeiten ist. Im genannten Beispiel ist dafür kein Grund zu sehen. Fälle, in denen wirklich eine parameterlose Rechenvorschrift als Parameter einer anderen Rechenvorschrift nützlich ist, werden wir später finden.

Hingegen erweisen sich Parameter von der Art einer Rechenvorschrift mit Parametern sofort als zweckmäßig. Der formale Parameter $f$ der durch

$$\textbf{proc (proc (int) real) real } simpson = (\textbf{proc (int) real } f) \textbf{ real}:$$

$$(f(0)+4 \times f(1)+f(2))/6$$

deklarierten Rechenvorschrift *simpson* erlaubt die aktuellen Parameter

$$(\textbf{int } j) \textbf{ real}:x \uparrow j, \quad (\textbf{int } i) \textbf{ real}:(i \uparrow 2)/3.$$

Der Aufruf

$$simpson \ ((\textbf{int } j) \textbf{ real}:x \uparrow j)$$

führt zunächst zu der Identitätsdeklaration

$$\textbf{proc (int) real } f = (\textbf{int } j) \textbf{ real}:x \uparrow j.$$

Die Aufrufe $f(0), f(1), f(2)$ während der Abarbeitung der Rechenvorschrift bewirken dann nacheinander die Identitätsdeklarationen

$$\textbf{int } j=0, \ \textbf{int } j=1, \ \textbf{int } j=2.$$

Insgesamt bewirkt der angegebene Aufruf von *simpson* die Abarbeitung der Formel

$$(x \uparrow 0+4 \times x \uparrow 1+x \uparrow 2)/6,$$

eine Annäherung an das Integral

$$\int_0^2 x^j dj .$$

Dieses Beispiel zeigt, daß die formalen Parameter einer Rechenvorschrift **gebundene Bezeichnungen** sind, ähnlich wie $j$ gebundene Bezeichnung im angegebenen Integral ist[18].

Das Nebeneinandervorkommen verschiedener Identitätsdeklarationen im obigen Beispiel bedarf noch einer Erklärung. Die Bezeichnungen für die formalen Parameter einer Rechenvorschrift haben nur für eben diese Rechenvorschrift Bedeutung. Sie könnten – ihre Wirkung als gebundene Bezeichnungen zeigt das – innerhalb der Rechenvorschrift durch beliebige andere ersetzt werden. Das Bindeglied „nach außen", zum Aufruf bildet die Parameterübergabe. Wir sagen, die formalen Parameter einer Rechenvorschrift sind lediglich *lokal* in bezug auf sie. „Außerhalb" kann diese Bezeichnung nochmals vorkommen, ohne daß sie deshalb irgendeine Beziehung zur „lokalen" Bezeichnung hat.

Die verschiedenen Aufrufe $f(0)$, $f(1)$ bzw. $f(2)$ bewirken jeweils eine Parameterübergabe an verschiedene „Inkarnationen" der Rechenvorschrift $f$, die mit der Parameterübergabe verbundenen Identitätsdeklarationen „gehören" jeweils zu der betreffenden Inkarnation.

Rechenvorschriften mit Parametern können – wie solche ohne Parameter – auch Prozedurvariablen zugewiesen werden:

> **ref proc (proc (int) real) real** $q=$
> **loc proc (proc (int) real) real**;
>
> $q := simpson$

oder initialisiert

> **ref proc (proc (int) real) real** $q=$
> **loc proc (proc (int) real) real** $:=$
> **(proc (int) real** $f$**) real** $: (f(0)+4\times f(1)+f(2))/6$.

Dies kann man abkürzen zu

> **proc** $q := ($**proc (int) real** $f$**) real** :
> $(f(0)+4\times f(1)+f(2))/6$.

Ein möglicher Aufruf wäre

> $pi \times q(($**int** $j$**) real** $: x{\uparrow}j)$.

Hier wird implizit einmal dereferenziert, erst dann erfolgt die Parameterübergabe an die als Inhalt an $q$ zugewiesene Rechenvorschrift.

Für den Integranden kann auch eine frei gewählte Bezeichnung verwendet werden, also etwa

> $q\,(integrand),$

---

[18] Die Verwendung von gebundenen Bezeichnungen in formalen Systemen hat A. Church in seinen Arbeiten über den $\lambda$-Kalkül (ab 1936) genauer untersucht.

wo

$$\textbf{proc (int) real } integrand = (\textbf{int } j) \textbf{ real}: x \uparrow j.$$

Die Schreibweise

$$q((\textbf{int } l) \textbf{ real}: integrand \ (l))$$

ist zwar ebenfalls zulässig, aber unnötig kompliziert.

### 2.4.4 Rechenvorschriften als Ergebnis

Eine Rechenvorschrift kann als erarbeitetes Ergebnis eine Rechenvorschrift – mit oder ohne Parameter – haben.

Beispiel:

$$\textbf{proc(bool) proc(int)real } grigri =$$
$$(\textbf{bool } u)\textbf{proc(int)real}:$$
$$\textbf{if } u \textbf{ then } ((\textbf{int } i)\textbf{real}: 2\uparrow i)$$
$$\textbf{else } ((\textbf{int } j)\textbf{real}: (-2)\uparrow j) \textbf{ fi}.$$

Ein Aufruf

$$grigri \ (\textbf{false})$$

liefert die Rechenvorschrift

$$(\textbf{int } j)\textbf{real}: (-2)\uparrow j.$$

Ein Aufruf dieser Rechenvorschrift mit $\textbf{int } j = 10$ erfolgt einfach wieder durch Anfügen des Arguments an die Rechenvorschrift,

$$grigri \ (\textbf{false})(10)$$

hat das erarbeitete Ergebnis 1024.0 .

Während die Wirkung der vorangehenden Rechenvorschrift *grigri* auch mit anderen, übersichtlicheren Schreibweisen erreicht werden kann, zeigt sich die Mächtigkeit von Rechenvorschriften als Prozedurergebnisse im Beispiel[19]

$$\textbf{proc(int) proc(real) real } summe =$$
$$(\textbf{int } v)\textbf{proc(real)real}:$$
$$((\textbf{real } u)\textbf{real}: u+v).$$

Die Aufrufe

$$summe \ (1), \ summe \ (2), \ summe \ (3)$$

liefern nacheinander die Rechenvorschriften

$$(\textbf{real } u) \textbf{ real}: u+1,$$
$$(\textbf{real } u) \textbf{ real}: u+2,$$
$$(\textbf{real } u) \textbf{ real}: u+3.$$

Bei Prozeduren mit Parametern ist dieser **iterierte Aufruf** aus der Anzahl der angegebenen Parameterlisten ersichtlich. Bei Prozeduren ohne Parameter erfolgt der Aufruf zwangsweise so oft („Deprozedurierung"), bis in einer Formel die vorschreibene Operandenart, sonst in einer Zuweisung oder Identitätsdeklaration die von der linken Seite vorgeschriebene Art von Größen erreicht ist. Auf der linken Seite oder beim Namensvergleich wird deprozeduriert, bis ein Name erreicht wird.

---

[19] Derartige Konstruktionen sind in ALGOL 68 nicht vorgesehen; in SIMULA 67 sind sie zulässig.

## 2.4.5 Standard-Deklarationen für elementare Funktionen

Die sogenannten elementaren Funktionen der Mathematik werden so häufig gebraucht, daß explizite Identitätsdeklarationen für diese Rechenvorschriften unzweckmäßig wären. Stattdessen reserviert man eine Reihe von frei gewählten Bezeichnungen und geht davon aus, daß stillschweigend eine Deklaration für die entsprechende Rechenvorschrift ergänzt wird, wenn die zugehörige Bezeichnung vorkommt. Man kann also annehmen, daß diese Bezeichnungen standardmäßig deklariert sind. Die bezeichneten Funktionen heißen daher **Standard-Funktionen.** Wir geben nachfolgend diese zu ergänzenden Deklarationen an, die über die Art der Parameter und das Ergebnis Aufschluß geben, während die Formel durch eine Beschreibung des Ergebnisses ersetzt ist.

**proc (real) real** *sqrt* = (**real** *x*) **real** : **if** $x \geq 0$ **then** «Wert der Quadratwurzel (square root) aus *x*» **else** «kein Wert» **fi**,

**proc (real) real** *exp* = (**real** *x*) **real** : «Wert der Exponentialfunktion $e^x$»,

**proc (real) real** *ln* = (**real** *x*) **real** : **if** $x > 0$ **then** «Wert des natürlichen Logarithmus ln *x*» **else** «kein Wert» **fi**,

**proc (real) real** *sin* = (**real** *x*) **real** : «Wert des Sinus von *x*»,

**proc (real) real** *cos* = (**real** *x*) **real** : «Wert des Cosinus von *x*»,

**proc (real) real** *tan* = (**real** *x*) **real** : «Wert des Tangens von *x*»,

**proc (real) real** *arcsin* = (**real** *x*) **real** : **if abs** $x \leq 1$ **then** «Hauptwert der Umkehrfunktion des Sinus» **else** «kein Wert» **fi**,

**proc (real) real** *arccos* = (**real** *x*) **real** : **if abs** $x \leq 1$ **then** «Hauptwert der Umkehrfunktion des Cosinus» **else** «kein Wert» **fi**,

**proc (real) real** *arctan* = (**real** *x*) **real** : «Hauptwert der Umkehrfunktion des Tangens».

Daneben gibt es noch einige andere durch Standard-Deklarationen vorgegebene Bezeichnungen für primitive Objekte und Rechenvorschriften mit oder ohne Parameter. Hier seien nur aufgeführt

**real** *pi* = «der Wert der Ludolphschen Kreiszahl»,
**proc real** *random* = **real** : «ein zufälliger Wert aus dem abgeschlossenen Intervall [0, 1]».

Beispiele für den Aufruf elementarer Funktionen:

$$a/sqrt(a \uparrow 2 + b \uparrow 2),$$
$$sin(x) \times sin(y) - cos(x) \times cos(y) = -cos(x + y),$$
$$arccos(5 \times cos(x)),$$
$$exp(ln(x) \times 3/2).$$

## 2.5  Abschnitte und Blöcke

Die bisher betrachteten Rechenvorschriften kranken daran, daß sie in eine einzige, wenn auch möglicherweise bedingte Formel gefaßt werden müssen. Wir benötigen Hilfsmittel, um Formeln, Zuweisungen und möglicherweise Deklarationen zu einer umfassenderen Einheit zusammenzuschließen. Dazu dienen Abschnitte und Blöcke.

### 2.5.1  Abschnitte

Sehen wir uns die Heronische Formel

$$(a+b+c)/2 \times (-a+b+c)/2 \times (a-b+c)/2 \times (a+b-c)/2$$

an. Man spart Rechenoperationen, wenn man zuerst

$$s = (a+b+c)/2$$

berechnet und dann lediglich noch

$$s \times (s-a) \times (s-b) \times (s-c)$$

zu berechnen hat. Die einmalige Berechnung gemeinsamer Teilausdrücke erfordert aber, daß eine Rechenvorschrift mehr als e i n e Formel enthält. Wir lassen zunächst zu, daß sie zusätzlich Identitätsdeklarationen für Hilfsbezeichnungen enthält. Diese **Hilfsbezeichnungen** sind, ebenso wie die formalen Parameter, lokal, also ohne Belang nach „außen", für die aufgerufene Rechenvorschrift. Die einzelnen Identitätsdeklarationen für Hilfsbezeichnungen werden nacheinander abgearbeitet, in der Reihenfolge des Aufschreibens, sie werden durch Strichpunkte getrennt. Die durch Identitätsdeklarationen für Hilfsbezeichnungen ergänzte Formel wird **Abschnitt** genannt. Wird sie in Klammern eingeschlossen, entweder in runde oder – der besseren Unterscheidung halber – in winklige

$$\ulcorner\, \textbf{real}\ s = (a+b+c)/2;\ s \times (s-a) \times (s-b) \times (s-c)\, \lrcorner\ ,$$

dann ergibt sich ein **Block**. Anstelle der Winkelklammern verwendet man auch die Wortsymbole **begin** bzw. **end**.

Damit läßt sich nun die Heronische Formel als Rechenvorschrift mit *drei* Parametern schreiben:

$$(\textbf{real}\ a,\ \textbf{real}\ b,\ \textbf{real}\ c)\ \textbf{real}:$$
$$\ulcorner\, \textbf{real}\ s = (a+b+c)/2;\ s \times (s-a) \times (s-b) \times (s-c)\, \lrcorner\ .$$

Ein anderes Beispiel ist die Rechenvorschrift

$$(\textbf{real}\ a,\ \textbf{real}\ b,\ \textbf{proc}\ (\textbf{real})\ \textbf{real}\ f)\ \textbf{real}:$$
$$\ulcorner\, \textbf{real}\ h = (b-a)/4;\ (h/3) \times (f(a) + 2 \times f(a+2 \times h) + 4 \times (f(a+h) + f(b-h)) + f(b))\, \lrcorner$$

zur näherungsweisen Berechnung des bestimmten Integrals

$$\int_b^a f(x)\,dx.$$

Hilfsbezeichnungen können nicht nur primitive Objekte, sondern auch Namen bezeichnen. Wir haben dann **Hilfsvariable**. Nunmehr erlauben wir, daß in Abschnitten auch Zuweisungen der Formel vorangehen. Zuweisungen und Identitätsdeklarationen werden in der Reihenfolge des Aufschreibens abgearbeitet. Sie werden durch Strichpunkte getrennt. Die Abarbeitung der letzten Formel des Abschnitts liefert das Ergebnis der Verarbeitungsvorschrift. Zuweisungen, Formeln und ähnliche Konstruktionen, die wir später kennenlernen werden, nennen wir **Anweisungen**[20].

Als Beispiel dient die Berechnung der Newtonschen Korrektur zur iterativen Bestimmung einer Nullstelle eines Polynoms. Das Polynom laute in üblicher Schreibweise:

$$f(x) = x^4 + a_1 x^3 + a_2 x^2 + a_3 x + a_4.$$

Für die Koeffizienten schreiben wir

$$a1 \quad a2 \quad a3 \quad a4.$$

Die Vorschrift zur Berechnung des verbesserten Wertes $x'$ lautet:

$$x' = x - f(x)/f'(x).$$

Unter Verwendung des Hornerschen Schemas zur Berechnung des Wertes eines Polynoms ergibt sich etwa folgende Rechenvorschrift:

> (**real** $x$, **real** $a1$, **real** $a2$, **real** $a3$, **real** $a4$) **real** :
> $\ulcorner$ **real** $s1 = x + a1$;
>   **real** $s2 = s1 \times x + a2$;
>   **real** $s3 = s2 \times x + a3$;
>   **real** $f\ = s3 \times x + a4$;
>   $x - f/(((x + s1) \times x + s2) \times x + s3)\ \lrcorner$ .

Statt mit vier Hilfsbezeichnungen für primitive Objekte, kann man jedoch auch mit zwei Hilfsvariablen $s$ und $t$ auskommen. $s$ nimmt der Reihe nach die Werte von $s1, s2, s3, f$ an; $t$ wird zur Bildung von Teilergebnissen in der Ableitung herangezogen.

---

[20] In manchen Programmiersprachen wird „Anweisung" (engl. „*statement*") in einem etwas veränderten Sinn gebraucht; in ALGOL 60 gehören Formeln nicht zu den „Anweisungen".

Damit ergibt sich die Rechenvorschrift[21]

**proc** *newt* = (**real** $x$, **real** $a1$, **real** $a2$, **real** $a3$, **real** $a4$) **real** :
⌜ **ref real** $s$ = **loc real** := $x + a1$;
**ref real** $t$ = **loc real** := $x + s$;
$$s := s \times x + a2;$$
$$t := t \times x + s;$$
$$s := s \times x + a3;$$
$$t := t \times x + s;$$
$$s := s \times x + a4;$$
$$x - s/t \; ⌟ \;.$$

Ferner erlauben wir in Abschnitten auch Zuweisungen an andere als Hilfsvariable, also an Variable, die „außen" deklariert sind. Identitätsdeklarationen können also in Abschnitten auch gänzlich fehlen.

Beispiel:

**bool**: ⌜$n := n - 1$;
**if** $n = 0$ **then true else false fi** ⌟ .

Eine Rechenvorschrift mit Zuweisungen an nicht-lokale Variable bewirkt außer der Ablieferung des erarbeiteten Wertes auch eine Veränderung des Inhalts von Variablen, sie hat einen **Seiteneffekt.**

Seiteneffekte werden leicht übersehen. Sie sollen daher nicht leichtfertig verwendet werden. Ein Seiteneffekt, der lediglich der Einsparung einer Hilfsvariablen dient, ist ein Zeichen schlechten (weil risikobehafteten) Programmierstils.

Wie schon erwähnt, heißt ein in Klammern eingeschlossener Abschnitt ein Block. Das heißt, auch geklammerte Formeln wie

$$⌜a + b⌟ \quad \text{oder} \quad (a + b)$$

sind Blöcke. Bedingte Formeln

**if** ›Bedingung‹ **then** ›Ja-Formel‹ **else** ›Nein-Formel‹ **fi**

oder

(›Bedingung‹ | ›Ja-Formel‹ | ›Nein-Formel‹)

sind ebenfalls Blöcke, das Paar **if fi** ersetzt die Klammern.

Wir lassen nun als Ja- und Nein-Konstituenten von bedingten Formeln nicht nur Formeln, sondern auch Abschnitte zu; sie werden dann ebenfalls als Blöcke aufgefaßt:

---

[21] Dies ist übrigens das erste Beispiel, in dem Namen und Zuweisungen sinnvoll verwendet werden. Das ist nicht weiter verwunderlich, da beide nur Bedeutung erlangen im Zusammenhang mehrerer Formeln oder Zuweisungen, also z. B. in Abschnitten.

$$s := s + \textbf{if abs } m < \textbf{abs } r \wedge n < 16,$$
$$\textbf{then } n := n + 1;$$
$$r := m;$$
$$m/2;$$
$$\textbf{else } m \textbf{ fi}.$$

Es ist nicht verboten, auch Blöcke nochmals zu klammern: Ein Block ist ebenfalls eine Anweisung, also auch ein Abschnitt. Wir können daher auch schreiben

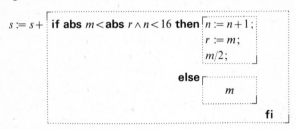

Die allgemeinste bedingte Formel lautet also:

$$\textbf{if } \rangle\text{Bedingung}\langle \textbf{ then } \rangle\text{Ja-Konstituente}\langle \textbf{ else } \rangle\text{Nein-Konstituente}\langle \textbf{ fi}$$

mit Abschnitten als Konstituenten.

### 2.5.2  Echte Abschnitte und Blöcke

Ein Abschnitt ist bisher eine Formel, eventuell mit Identitätsdeklarationen und Zuweisungen als Vorreitern, der ein erarbeitetes Ergebnis abliefert; zusätzlich können Variable durch Seiteneffekt einen neuen Inhalt zugewiesen bekommen. Die Bedeutung des Abschnitts könnte schließlich auch darin bestehen, nur solche Zuweisungen vorzunehmen. Die Formel verkümmert zu einer Trivialität, oder sie fällt ganz weg. In diesem letzteren Fall haben wir keinen Grund mehr, bei Zuweisungen an nicht-lokale Variable von Seiteneffekten zu sprechen. Wir gelangen zum **echten Abschnitt** bzw. zum **echten Block.** Beispiele sind etwa

$$(n := n + 1)$$

oder

$$\ulcorner \textbf{real } recdet = 1/(a \times d - b \times c);$$
$$\textbf{ref real } h = \textbf{loc real} := a;$$
$$a := recdet \times d;$$
$$d := recdet \times h;$$
$$b := - recdet \times b;$$
$$c := - recdet \times c \lrcorner,$$

die zur Matrix

$$A = \begin{pmatrix} a & b \\ c & d \end{pmatrix}$$

die Inverse in der Form

$$A^{-1} = \begin{pmatrix} a & b \\ c & d \end{pmatrix}$$

ergibt. $a$, $b$, $c$, $d$ sind nicht-lokale Variable.

Schließlich könnte bei der Abarbeitung eines echten Blocks die Bereitstellung von Eingangswerten und die Mitteilung von Ergebnissen auch ohne Zuhilfenahme nicht-lokaler Variabler mittels der in 2.5.4 einzuführenden Prozeduren *read* und *print* erfolgen. Die Abarbeitung eines solchen Blocks ist dann ein in sich abgeschlossener Vorgang, der nicht mehr der Kenntnis nicht-lokaler Variabler usw. bedarf. Ein solcher echter Block bildet also eine vollständige Abarbeitungsvorschrift im Sinne von 1.7.3 und wird **Programm** genannt. Für die Abarbeitung mit Rechenanlagen sind Abarbeitungsvorschriften stets als (vollständige) Programme vorzugeben. Alle anderen Formen von Abarbeitungsvorschriften können nur dadurch der tatsächlichen Abarbeitung zugeführt werden, daß sie als Bestandteile eines Programms auftreten.

### 2.5.3 Echte Prozeduren

Ebenso wie Blöcke mit Ergebnis die Formel in einer Rechenvorschrift ersetzen können, lassen sich auch echte Blöcke in Rechenvorschriften verwenden. Entsprechend der Tatsache, daß echte Blöcke und mit ihrer Hilfe gebildete Rechenvorschriften kein Ergebnis erarbeiten, läßt sich die Rechenvorschrift nicht mehr durch Voransetzen der Art des erarbeiteten Ergebnisses kennzeichnen. Wir setzen daher nur noch einen Doppelpunkt vor den Block und schließen das ganze noch einmal in Klammern ein[22]:

$$(:(n := n+1)).$$

Solche Rechenvorschriften heißen **echte Prozeduren.** Ihre Art wird durch **proc** ohne Zusatz einer Ergebnisart wiedergegeben.

Sie können wie bisher mit frei gewählten Bezeichnungen belegt werden

$$\textbf{proc } \textit{zählen} = (:(n := n+1)),$$

oder für den Fall, daß Parameter vorhanden sind,

**proc** (**ref real**, **ref real**, **ref real**, **ref real**) *inversion* =
(**ref real** $a$, **ref real** $b$, **ref real** $c$, **ref real** $d$) :
$\ulcorner$ **real** *recdet* $= 1/(a \times d - b \times c)$;

---

[22] Die äußeren Klammern dienen lediglich der Vermeidung von syntaktischen Mehrdeutigkeiten in Beispielen der Form

$$\textbf{ref proc } z = \textbf{loc proc} := (:(n := n+1)).$$

Sind Parameter vorhanden, so werden die Klammern weggelassen.

$$\textbf{ref real } h = \textbf{loc real} := a;$$
$$a := recdet \times d;$$
$$d := recdet \times h;$$
$$b := -recdet \times b;$$
$$c := -recdet \times c \; \rfloor \, .$$

Die Variable $n$ der Prozedur *zählen* heißt eine **Resultatvariable,** da ihr durch einen Aufruf der Prozedur ein neuer Inhalt als Resultat des Aufrufs zugewiesen wird. Zugleich wird jedoch der ursprüngliche Inhalt der Variablen in der Prozedur verwendet. $n$ ist folglich auch eine **Eingangsvariable** der Prozedur. Variable, die diese beiden Eigenschaften aufweisen, heißen auch **transient.**

Diese Begriffsbildungen werden nun auch auf Parameter übertragen: Die Parameter $a$, $b$, $c$, $d$ der Prozeduren *inversion* sind sowohl **Resultatparameter,** als auch **Eingangsparameter,** insgesamt also transiente Parameter.

Wie die Beispiele in 2.4.2 zeigen, ist es für den Fall von Eingangsparametern gleichgültig, ob man Namen von Variablen, etwa der Art **ref real**, oder unmittelbar die Inhalte, etwa der Art **real**, als Parameter übergibt. In vielen Fällen ist es sogar günstiger, die Art der Parameter als **real** anzugeben, da man dann auch Zahlwerte unter ihrer Standard-Bezeichnung als aktuelle Parameter übergeben kann. Im Gegensatz hierzu müssen Resultatparameter und transiente Parameter stets von der Referenzstufe 1 oder höher sein.

Andernfalls könnte man diesen Parametern keine neuen Inhalte zuweisen.

Trennen wir in obigem Beispiel die Eigenschaften ›Resultatparameter‹ und ›Ergebnisparameter‹ voneinander, so gelangen wir zur folgenden Prozedur zur Berechnung der Inversen

$$\begin{pmatrix} b11 & b12 \\ b21 & b22 \end{pmatrix} \text{ einer Matrix } \begin{pmatrix} a11 & a12 \\ a21 & a22 \end{pmatrix}:$$

**proc** (**real**, **real**, **real**, **real**, **ref real**, **ref real**,
      **ref real**, **ref real**) *inverse* =
      (**real** $a11$, **real** $a12$, **real** $a21$, **real** $a22$, **ref real** $b11$,
      **ref real** $b12$, **ref real** $b21$, **ref real** $b22$):
      $\ulcorner$ **real** $recdet = 1/(a11 \times a22 - a12 \times a21);$
             $b11 := a22 \times recdet;$
             $b12 := -a12 \times recdet;$
             $b21 := -a21 \times recdet;$
             $b22 := a11 \times recdet \; \rfloor \, .$

Aufrufe echter Prozeduren können nicht mehr in Formeln vorkommen, da sie kein Ergebnis liefern. Sie werden ebenso wie Zuweisungen durch Strichpunkte von anderen Zuweisungen, Prozeduraufrufen usw. getrennt und bilden in sich abgeschlossene Anweisungen.

Ein Aufruf der Prozedur *inversion* kann lauten

$$\vdots$$
$$inversion\ (r := 1 - a\uparrow 2,\ s := a \times b,\ t := a \times b, u := 1 - b\uparrow 2).$$

Ein Aufruf der Prozedur *inverse*, der dasselbe bewirkt, ist

$$\vdots$$
$$inverse\ (1 - a\uparrow 2,\ a \times b,\ a \times b,\ 1 - b\uparrow 2,\ r,\ s,\ t,\ u).$$

Aufrufe der Prozedur *zählen* schließlich können so aussehen:

$$\vdots$$
$$zählen;$$
$$\vdots$$
$$zählen;$$
$$\vdots$$

### 2.5.4 Standard-Deklarationen für Ein-/Ausgabe

Die Zuweisung des erarbeiteten Ergebnisses einer Formel an einen Namen bietet die Möglichkeit, dieses Ergebnis zur späteren Weiterverwendung aufzubewahren. Bei einer Abarbeitung mit Rechenanlagen bedeutet aber „Weiterverwendung" stets nur Weiterverwendung innerhalb des Rechners. Um die Weitergabe eines Ergebnisses an die Außenwelt zu veranlassen, verwendet man auf der Ebene algorithmischer Sprachen die ebenfalls durch Standard-Deklaration vorgegebene Prozedur *print*. *print* wird mit einem Parameter aufgerufen und gibt eine Standard-Bezeichnung für den Wert des Parameters auf einem **Ausgabemedium** (gewöhnlich ein Drucker) aus. Als Parameter kommen daher nur Bezeichnungen in Betracht, die nach eventuellem Dereferenzieren ein primitives Objekt von der Art **int**, **real**, **compl**, **bool**, **char**, **string** oder **bits** liefern. Andere Objekte, insbesondere Namen und Rechenvorschriften, besitzen keine ausgebbaren Standard-Bezeichnungen.

Sollen mehrere Werte hintereinander ausgegeben werden, so sind diese durch Einschließen in Klammern zu einer Liste zusammenzufassen. Diese Liste wird dann als Parameter von *print* angegeben:

$$print\ ((x, y, i, k))$$

ist gleichwertig zu

$$print\ (x),$$
$$print\ (y),$$
$$print\ (i),$$
$$print\ (k)\ .$$

Gibt man anstelle eines Wertes von *print* die Bezeichnung *new line* an, so beginnt die Ausgabe des nächsten Wertes auf einer neuen Zeile.

Ähnlich wie man bei Rechenvorschriften mit Parametern die aktuellen Parameter erst beim Aufruf angibt, möchte man bei Vorgabe einer vollständigen Abarbeitungsvorschrift für eine Rechenanlage gewisse Parameter erst zu Beginn oder sogar erst während der tatsächlichen Abarbeitung angeben. Im Unterschied zur Parameterübergabe bei Rechenvorschriften handelt es sich jedoch hier um die Eingabe eines Parameters von außen in die Rechenanlage. Diese Aufgabe löst man, indem man die einzugebenden Parameter auf einem **Eingabemedium** (gewöhnlich ein Lochkartenleser oder Lochstreifenleser) bereitstellt, und dann die durch Standard-Deklaration vorgegebene Prozedur *read* mit einem Parameter aufruft:

$$read\,(x)$$

hat die gleiche Bedeutung wie

$$x := \text{« nächster bereitgestellter Eingabeparameter »}.$$

Ähnlich wie bei *print* können nur Werte mit Standard-Bezeichnung eingegeben werden. Der Parameter von *read* muß daher ein Bezug auf ein primitives Objekt der Art **int**, **real**, **compl**, **bool**, **char**, **string** oder **bits** sein. Der nächste bereitgestellte Eingabeparameter muß hinsichtlich seiner Art als rechte Seite einer Zuweisung an den Parameter von *read* zulässig sein.

Die Eingabe mehrerer Werte hintereinander kann analog wie bei *print* erreicht werden, indem man mehrere Bezüge zu einer Liste zusammenfaßt und diese als Parameter von *read* angibt:

$$read\,((x, y, i, k))$$

ist gleichwertig zu

$$read\,(x),$$
$$read\,(y),$$
$$read\,(i),$$
$$read\,(k).$$

Unsere sprachlichen Hilfsmittel genügen vorläufig nicht, um ähnlich wie in 2.4.3 fiktive Deklarationen für *read* und *print* anzugeben. Wir werden dies im 6. Kap. nachholen, wenn wir ausführlicher auf Ein- und Ausgabe eingehen.

### 2.5.5 Kollaterale Abarbeitungsschritte

Es tritt im täglichen Leben häufig auf, daß voneinander völlig unabhängige Abarbeitungsschritte nebeneinander, **kollateral,** ausgeführt werden. Solche Abarbeitungsschritte ohne gegenseitige Beeinflussung können ebensogut in beliebiger Reihenfolge nacheinander, wie in irgendeiner zeitlichen Verzahnung[23] ausgeführt werden.

---

[23] Engl. „*merged in time*".

Besteht ein Abschnitt aus Anweisungen, die kollateral abgearbeitet werden können, so klammern wir ihn in Blöcke durch Winkelklammern. Die einzelnen Anweisungen werden jedoch durch Kommata anstelle von Strichpunkten getrennt:

$$\ulcorner a := 0,$$
$$b := 1 \lrcorner.$$

Identitätsdeklarationen können hierbei nicht vorkommen, da diese bereits abgearbeitet sein müssen, bevor die deklarierten Bezeichnungen in Anweisungen verwendet
werden. Jedoch könnten mehrere Identitätsdeklarationen kollateral abgearbeitet werden. Auch das wird durch die Trennung mit Komma angezeigt

**ref real** $a =$ **loc real**,
**ref real** $b =$ **loc real**.

Eine Klammerung kommt hier nicht in Betracht, da ein Abschnitt nicht nur aus
Identitätsdeklarationen bestehen kann.

Besteht ein Abschnitt aus mehreren Teilabschnitten, die kollateral abgearbeitet
werden können, während die Identitätsdeklarationen und Anweisungen jedes einzelnen Teilabschnitts **sequentiell** nacheinander abgearbeitet werden müssen, so müssen
die Teilabschnitte zuerst zu Blöcken zusammengefaßt werden:

$$\ulcorner\ulcorner \textbf{ref real } a = \textbf{loc real};$$
$$a := 0 \lrcorner,$$
$$\ulcorner \textbf{ref real } b = \textbf{loc real};$$
$$b := 1 \lrcorner\lrcorner;$$
$$a+b \ .$$

Ist eine Anzahl durch Kommata getrennter Abschnitte jedoch nicht voneinander
unabhängig, sind die erarbeiteten Ergebnisse oder die Seiteneffekte von der zeitlichen
Reihenfolge und Verzahnung abhängig, so ist die kollaterale Ausführung undefiniert, das Programmstück sinnlos.

Gelegentlich erkennt man einen solchen unzulässigen Fall sofort, etwa:

$$\ulcorner a := a+b,$$
$$b := a-b \lrcorner.$$

Dagegen können äußerlich harmlose Konstruktionen aufgrund „unsichtbarer"
Seiteneffekte undefiniert werden. In

$$\ulcorner a := x,$$
$$b := y \lrcorner$$

mag das der Fall sein, wenn $x$ oder $y$ nicht Variable, sondern Rechenvorschriften
ohne Parameter sind, etwa

**proc real** $x =$ **real** $: \ulcorner y := y-1; y \lrcorner.$

Dann wird durch den Seiteneffekt $y$ verändert, wobei an $b$ abhängig von der Reihenfolge zwei unterschiedliche Werte zugewiesen würden.

Kollaterale Schreibweise so weit es geht zu verwenden, ist ein Zeichen klaren Programmierstils. Sie erleichtert die Einsicht in die Zusammenhänge des Programms. Daß dabei gewisse gefährliche Seiteneffektverwendungen vermieden werden müssen, wäre eher als Vorteil denn als Nachteil anzusehen. Heutige Rechenanlagen sind jedoch noch kaum in der Lage, kollaterale Schreibweise zur Steigerung der Verarbeitungsgeschwindigkeit auszunutzen. Aus Effizienzgründen werden daher kollateral geschriebene Anweisungen meist sequentiell verarbeitet. Gewisse fehlerhafte Seiteneffekte werden daher überhaupt nie aufgedeckt.

Nachzutragen wäre hier, daß kollaterale Abarbeitung in drei schon bisher behandelten Fällen vorliegt:

a) Linke und rechte Seite einer Zuweisung sind kollateral zu behandeln, bevor die Zuweisung vorgenommen wird.

b) Die Operanden zweistelliger Operationen sind kollateral zu behandeln.

c) Die Parameterübergabe bei Rechenvorschriften, d. h. die Identitätsdeklarationen für die formalen Parameter mit den aktuellen Parametern als rechte Seite sind kollateral und sind daher in 2.4.2 durch Kommata getrennt geschrieben. Das bedeutet, daß die sämtlichen aktuellen Parameter bei einem Aufruf einer Rechenvorschrift kollateral abgearbeitet werden.

Folgt nach einer Identitätsdeklaration ein Komma, so muß noch eine Identitätsdeklaration folgen. Daher kann man kollateral geschriebene Identitätsdeklarationen weiter abkürzen: Statt

**real** $a$, **real** $b$, **real** $c$

ist

**real** $a, b, c$

zulässig. Ebenso darf man bei der Angabe formaler Parameter einer Rechenvorschrift statt

(**ref real** $a$, **ref real** $b$, **ref real** $c$, **ref real** $d$)

schreiben

(**ref real** $a, b, c, d$).

Statt

(**real** $a11$, **real** $a12$, **real** $a21$, **real** $a22$, **ref real** $b11$,<br>
**ref real** $b12$, **ref real** $b21$, **ref real** $b22$)

ist

(**real** $a11, a12, a21, a22$, **ref real** $b11, b12, b21, b22$)

zulässig.

Die diesen Abkürzungen zugrunde liegende allgemeine Regel lautet:

Ist in kollateral geschriebenen Identitätsdeklarationen oder in der Auflistung formaler Parameter für eine Bezeichnung die Angabe der Art weggelassen, so ist die Artangabe der vorangehenden Bezeichnung zu ergänzen.

## 2.6 Zusammengesetzte Objekte

Es kann vorkommen, daß mehrere Objekte derselben oder von verschiedener Art stets zusammen auftreten, also neue Einheiten bilden, für die als Ganzes Bezeichnungen nötig sind. Diese Objekte bilden dann zusammen ein neues, zusammengesetztes Objekt. Die Art dieser Objekte heißt ebenfalls zusammengesetzt. Zur Bezeichnung der Teilobjekte, der **Komponenten** eines zusammengesetzten Objekts, wird der Bezeichnung des gesamten Objekts ein **Zeiger** zugefügt, und zwar

a) eine frei gewählte Bezeichnung (umgangssprachlich „der Deckel der Schachtel"),

b) eine Standardbezeichnung für eine natürliche Zahl (umgangssprachlich „die dritte von links").

Aus pragmatischen Gründen verlangt man im Fall b) auch, daß alle Komponenten von der gleichen Art sind. Man spricht dann von **Feldern.** Wir stellen diesen Fall zunächst zurück.

Im ersteren Fall nennt man die zusammengesetzten Objekte **Verbunde**[24]. Sie ergeben die Möglichkeit, komplizierte Objektstrukturen als Geflechte (vgl. 2.2.3) aufzubauen und zu behandeln.

### 2.6.1 Verbunde

Für die neu eingeführte Art gibt es eine **explizite Indikation,** etwa für einen Verbund mit drei Komponenten der Arten **string, int** und **real**:

> **struct (string** *familienname*, **int** *alter*, **real** *gehalt*).

Daraus gehen auch die als Zeiger verwendeten Bezeichnungen hervor. Die Zeiger sind Bestandteil der Verbundart, ähnlich der Namensgebung in der Botanik (*„Loxanthocereus gracilis"* für die Art *gracilis* der Familie *Loxanthocereus*). In einer **Art-Deklaration** kann dafür auch eine **frei gewählte Indikation** eingeführt werden, etwa die Indikation **Karteiblatt** mittels

> **mode karteiblatt =**
> **struct (string** *familienname*, **int** *alter*, **real** *gehalt*).

Die Indikation **var** für ein aus einer reellen Zahl und einem Bezug auf eine reelle Zahl zusammengesetzes Objekt wird eingeführt durch die Art-Deklaration

> **mode var = struct (real** *inhalt*, **ref real** *name*),

der Zeiger *inhalt* deutet auf die Zahl, der Zeiger *name* auf den Namen.

Standardbezeichnungen für Verbunde bestehen aus Standardbezeichnungen für die Komponenten getrennt durch Kommata und eingeschlossen in Klammern[25].

---

[24] Engl.: *„record"* (T. HOARE 1965).

[25] Dies gilt nicht für Verbunde, die nur aus einer Komponente bestehen.

Wir können also schreiben

$$(\text{„meyer"}, 27, 2124.37)$$

für Verbunde der Art **karteiblatt**, und

$$(413.2, a)$$

für Verbunde der Art **var**. Wir sprechen dann auch von einer **expliziten Angabe** eines Verbunds.

Selbstverständlich können in Art-Deklarationen auch schon früher eingeführte zusammengesetzte Arten verwendet werden:

$$\textbf{mode tripel} = \textbf{struct (var } \textit{erster}, \textbf{var } \textit{zweiter},$$
$$\textbf{var } \textit{dritter}).$$

Frei gewählte Indikationen können überall verwendet werden wo bisher die Standard-indikationen verwendet wurden, also insbesondere in Identitätsdeklarationen, zur Angabe der Art des erarbeiteten Ergebnisses einer Rechenvorschrift und in Parameter-listen. Ebenso wie bisher ergibt Vorsetzen von **ref** die nächste Referenzstufe, Vor-setzen von **proc** eine Indikation für eine die betreffende Art liefernde Rechenvorschrift.

Wir können also schreiben

$$\textbf{karteiblatt } q = (\text{„meyer"}, 27, 2124.37)$$
$$\textbf{var } s = (413.2, a),$$

aber auch

**ref karteiblatt** $x =$
   **loc karteiblatt** := (,,huber", 43, 1922.97).
**ref ref karteiblatt** $yy =$ **loc ref karteiblatt** := $x$,
**ref var** $z =$ **loc var** := (217.9, 0),

wobei **loc** die in 2.2.4 eingeführte Bedeutung hat.

In der expliziten Angabe des Verbundes können auch Formeln[26] stehen, deren erarbeitete Ergebnisse die Verbundkomponenten ergeben:

$$\textbf{karteiblatt } p = (\text{„schneider"}, n+5, 2147.3 + k \times 33.12),$$
$$\textbf{var } t = (sin(u), bb),$$

die linke Seite legt den Verbund fest, auf der rechten Seite erfolgt Anpassung (z. B. Dereferenzierung, Artausweitung usw.) an die für die Komponenten verlangten Arten.

Auf eine Komponente eines Verbundes **zeigt** man, indem man den Zeiger der Bezeichnung des Verbundes voransetzt;

$$\textit{alter } \textbf{of } q, \textit{ familienname } \textbf{of } q,$$
$$\textit{gehalt } \textbf{of } yy,$$
$$\textit{name } \textbf{of } z.$$

---

[26] Sogar Blöcke sind erlaubt, da diese ebenfalls Formeln darstellen (vgl. 2.5.1). Jedoch führt die Verwendung von Blöcken, die Deklarationen oder Anweisungen enthalten, in diesem Zusammenhang häufig zu unübersichtlichen und damit fehlerhaften Programmen.

Insbesondere sind die durch einen Zeiger aufgezeigten Komponenten einer Verbund-Variablen selbst wieder Namen für die betreffende Komponente.

Dementsprechend sind Zuweisungen an Komponentennamen möglich:

$$alter \; \textbf{of} \; x := 27,$$
$$familienname \; \textbf{of} \; x := \text{„meyer“},$$
$$gehalt \; \textbf{of} \; x := 2124.97$$

hat dieselbe Wirkung wie

$$x := q$$

oder

$$x := (\text{„meyer“}, 27, 2124.97).$$

Für einen Verbund aus einer einzigen Komponente, etwa

**mode überschrift** = **struct (ref string** *text*)

und eine Variable *u* der Art **ref überschrift**, ist

$$u := (\text{„anfang“})$$

unzulässig, jedoch

$$text \; \textbf{of} \; u := \text{„anfang“}$$

zulässig.

Wo nötig wird wie bisher angepaßt

**if** *alter* **of** $x > alter$ **of** $yy$ **then**
$gehalt$ **of** $yy$ **else** $gehalt$ **of** $x$ **fi** := 2037.54.

Nach dem „Operationszeichen" **of** folgt stets ein Verbund der Referenzstufe 0 oder ein Bezug auf einen solchen (Referenzstufe 1). Sollte nach **of** ein Bezug höherer Referenzstufe folgen, so wird eine Anpassung nötig: Es wird dereferenziert bis Referenzstufe 1 erreicht ist: Ist *pp* ein Namensname der Art **ref ref var** und *w* ein Name der Art **ref real**, so bedeutet

$$name \; \textbf{of} \; pp := w$$

das gleiche wie

$$name \; \textbf{of} \; \textbf{cont} \; pp := w.$$

Wenn, wie in diesem Beispiel, nach **of** ein Bezug der Referenzstufe 1 auftritt, so wird diese Referenzstufe zur Referenzstufe des Zeigers addiert. *name* **of cont** *pp* hat daher die Art **ref ref real** und *w* wird nicht dereferenziert. Die folgenden Beispiele zeigen die verschiedenen Möglichkeiten:

Mit den Deklarationen

**ref real** $w$ = **loc real** := 1.5; **ref real** $v$ = **loc real** := 2.5;
**ref var** $p$ = **loc var** := (1.4, $w$),
**var** $p0$ = (0.4, $w$)

ist

$$inhalt \; \textbf{of} \; p0 := 0.5$$

unzulässig, da die linke Seite die Referenzstufe 0 hat. Hingegen ist

$$\textit{inhalt } \textbf{of } p \; := 0.5 \qquad \text{gleichwertig mit } p := (0.5, \, w),$$
$$\textit{name } \textbf{of } p0 := v \qquad \text{gleichwertig mit } w := \textbf{cont } v,$$
$$\textit{name } \textbf{of } p \; := v \qquad \text{gleichwertig mit } p := (0.4, \, v).$$

Im ersten und dritten Fall ändert eine Komponente der Variablen $p$ ihren Inhalt. Im mittleren Beispiel ist $p0$ keine Variable und ändert sich nicht; vielmehr wird aus der zweiten Komponente von $p0$ der Name einer anderen Variablen $w$ entnommen, an welche die Zuweisung erfolgt.

Das mittlere Beispiel berechtigt uns, Verbunde stets als primitive Objekte aufzufassen, auch wenn sie Namen als Komponenten enthalten, ja sogar, wenn alle Komponenten Namen sind.

### 2.6.2 Geflechte von Verbunden

In einem Verbund können auch Komponenten vorkommen, die selbst Verbunde sind. Bei der Art-Deklaration eines Verbundes darf allerdings auf diese Art selbst weder unmittelbar noch auf Umwegen zurückgegriffen werden. Es ist also

**mode c1** = **struct** (**int** *alter*, **string** *familienname*, **c1** *mutter*)

ebensowenig sinnvoll wie

**mode a** = **struct** (**int** *alpha*, **b** *beta*),
**mode b** = **struct** (**real** *alpha*, **a** *beta*),

weil diese zusammengesetzten Objekte sich unendlich aufblähen würden.

Etwas anderes ist es jedoch mit einem Bezug auf einen eben eingeführten Verbund.

**mode stammblatt** = **struct** (**int** *alter*, **string** *familienname*,
**ref stammblatt** *mutter*)

ist eine vernünftige Art-Deklararion, die auch einer praktisch vorkommenden Situation entspricht: In einem Betrieb mit weiblichen Angestellten sind oft mehrere Generationen beschäftigt. Dann soll das Stammblatt einer Angestellten auch einen Bezug auf das Stammblatt ihrer Mutter, falls diese dem Betrieb angehört, enthalten.

Nun gibt es sicher wenigstens eine Angestellte, deren Mutter nicht dem Betrieb angehört. Der fehlende, weil nicht mögliche, Bezug wird generell mit **nil** bezeichnet.

Verbunde, deren Art-Deklaration unmittelbar oder auf Umwegen einen Bezug auf sich selbst enthält, heißen von **rekursiver Art.**

Verbunde, die Bezüge enthalten, können, wie schon von Namen gewohnt, ein Geflecht bilden. Verbunde rekursiver Art lassen sogar beliebig lange Ketten oder Zyklen zu.

Werden Namen $y1$, $y2$, $y3$, $y4$ von der Art **ref stammblatt** eingeführt, so können diesen nun folgende Verbunde zugewiesen werden:

$$y1 := (61, \text{„kuntner", } \mathbf{nil});$$
$$y2 := (39, \text{„kuntner", } y1);$$
$$y3 := (37, \text{„herzog", } y1);$$
$$y4 := (19, \text{„herzog", } y3);$$

deren Zusammenhang die Genealogie wiedergibt. Es ergibt sich das in Abb. 53 wiedergegebene Geflecht. Abb. 52 zeigt das Zustandekommen des Geflechts; Abb. 54 zeigt eine verkürzte Darstellungsform, die im folgenden öfter verwendet wird. Die

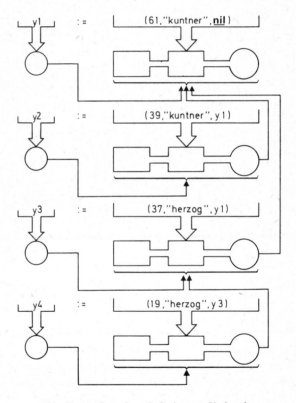

Abb. 52    Aufbau eines Geflechts von Verbunden

Festlegung, daß Verbunde primitive Objekte sind, bedeutet jedoch, daß wir ein Geflecht aus primitiven Objekten bekommen. Das ist völlig neu gegenüber den bisherigen, unstrukturierten, primitiven Objekten, die wir zur Unterscheidung auch **einfach** nennen. Sie bilden nie ein Geflecht, sie haben keine gegenseitigen Bezugszusammenhänge. Ein Unterschied besteht auch gegenüber den Geflechten von Namen, Namensnamen usw. Diese folgen der Referenzstufung.

Im vorliegenden Beispiel können die möglichen Geflechte höchstens eine baumartige Struktur aufweisen, da von der Bedeutung her – aus biologischen Gründen –

$$alter \text{ of } y < alter \text{ of } mutter \text{ of } y$$

gilt. Im Fall der Art

**mode person = struct (string** *name*, **ref person** *bekannter*)

könnten sich auch zyklische Geflechte ergeben, nämlich, wenn *meyer* der Person *schmidt*, *schmidt* der Person *huber* und *huber* wiederum der Person *meyer* bekannt ist.

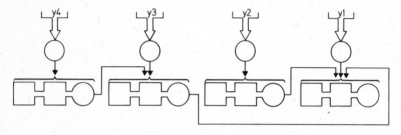

Abb. 53    Geflecht von Verbunden

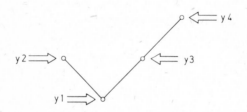

Abb. 54    Verkürzte Darstellung des Geflechts aus Abb. 53

Typische Anwendungen für Verbunde, die Geflechte bilden, sind Aufgaben der nichtnumerischen Informationsverarbeitung, die oft sehr komplizierte Objekstrukturen erfordern. Erstmals hat die Notwendigkeit von Geflechten[27] in einem Programmiersystem der Amerikaner MCCARTHY, um 1958 erkannt. Seine Idee läßt sich heute einfach durch einen Verbund rekursiver Art aus zwei Komponenten, von denen die eine ein Bezug, die andere primitiv ist, darstellen, etwa

**mode list = struct (real** *element*, **ref list** *nächster*).

---

[27] Was wir ein Geflecht nennen, nannte MCCARTHY *list structure*.

In der verkürzten Darstellung eines Geflechts aus Verbunden ergeben die Bezugs-
pfeile Bilder wie Abb. 55ff. Geflechte dieser Form sind **gerichtete Graphen,** speziell:
Übergangsgraphen, weil von jedem Punkt höchstens ein (Bezugs-)Pfeil ausgeht.
Abb. 55 zeigt eine **Kette.** Abb. 57 zeigt Graphen, die einen **Zyklus** enthalten, darunter
auch die einfachste Form eines Zyklus, gebildet durch einen Verbund, der auf sich

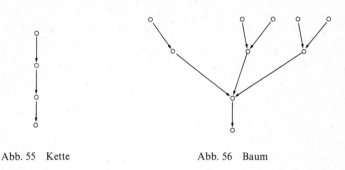

Abb. 55   Kette                    Abb. 56   Baum

selbst verweist. Ist ein Graph frei von Zyklen, so liegt wie im Beispiel Abb. 56 ein
**Baum** vor.

Die Wurzel des Baumes trägt dann keinen Bezug. In einem solchen Geflecht benötigt man nur für die **Astspitzen** des Graphen Bezeichnungen: Durch iterierte Zeiger-
angabe läßt sich dann jedes Objekt des Geflechts erreichen: nächster **of** nächster **of** ...

Zwei wichtige Grundaufgaben mit Objektstrukturen sind

a) ein Geflecht zu **verlängern** (Abb. 58),

b) einen Baum **aufzustocken** (Abb. 59).

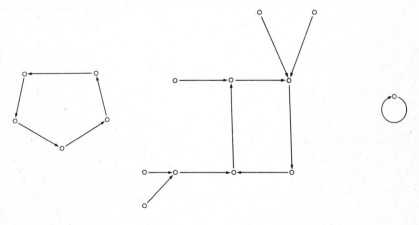

Abb. 57  Gerichtete Graphen, die einen Zyklus enthalten

In beiden Fällen ist zunächst eine neue Verbundvariable $z$ zu bilden:

$$\textbf{ref list } z = \textbf{loc list} := (5410.717, \textbf{nil}).$$

Im ersten Fall dient $z$ als neue Astspitze und erhält durch

$$\textit{nächster } \textbf{of } z := y$$

den Bezug auf die bisherige Astspitze $y$, d. i. der Verbund, an dem die Verlängerung ansetzt, zugewiesen. Im zweiten Fall dient $z$ als neue Wurzel, und die bisherige Wurzel $x$ erhält durch

$$\textit{nächster } \textbf{of } x := z$$

den Bezug auf die neue Wurzel zugewiesen.

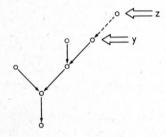

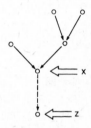

Abb. 58   Verlängern eines Geflechts                Abb. 59   Aufstocken eines Baumes

Soll die Astspitze oder die Wurzel stets die gleiche Bezeichnung aufweisen, so ist ein Namensname $yy$ bzw. $xx$ der Art **ref ref list** zu verwenden. Im ersten Fall hat man zu schreiben

$$yy := \textbf{loc list} := (5410.717, \textbf{cont } yy).$$

Im zweiten Fall lauten die Anweisungen

$$\textit{nächster } \textbf{of cont } xx := \textbf{loc list} := (5410.717, \textbf{nil}),$$
$$xx := \textit{nächster } \textbf{of cont } xx.$$

In beiden Fällen bewirkt das zwischengeschaltete „**loc list**" die Beschaffung eines geeigneten Phantasienamens zur Herstellung des neuen Bezugs.

Hat ein Verbund gerade $k$ Bezüge unter seinen Komponenten, so ist ein Geflecht aus solchen Bezügen wieder ein Graph, in dem von jedem Punkt höchstens $k$ (Bezugs-) Pfeile ausgehen. Der Fall $k = 2$ erlaubt bereits die Bildung der allgemeinen Geflecht-struktur, etwa mit Verbunden der folgenden Art

**mode list2 = struct (ref list2** *linker*, **string** *element*, **ref list2** *rechter*).

Diese Verbundart erlaubt die Bildung von Geflechten der in Abb. 60 dargestellten Form. Es handelt sich hier nicht mehr um Übergangsgraphen.

Das Aufsuchen der Wurzel eines Baumes verlangt die Prüfung, ob ein Bezug **nil** ist. Hierzu dient der in 2.3.4 eingeführte Vergleichsoperator :=: für Namen:

*nächster* **of** *nächster* **of** *nächster* **of** *y* :=: **nil**.

Abb. 60 Geflecht aus Verbunden der Art **list2** (die nicht angegebenen Verweise sind durch **nil** besetzt)

Verbunde können selbstverständlich als Parameter oder als erarbeitetes Ergebnis von Rechenvorschriften auftreten.

### 2.6.3 Felder

Felder sind zusammengesetzte Objekte mit gleichartigen Komponenten, deren Zeiger Standardbezeichnungen für ganze Zahlen sind. So wichtig Verbunde für die nichtnumerische Informationsverarbeitung sind, so wichtig sind Felder für die numerische Informationsverarbeitung. Der Vorteil von Feldern liegt insbesondere darin, daß man mit den Zeigern, hier auch **Indizes** genannt, r e c h n e n kann. Die Indizes eines Feldes müssen eine lückenlose Folge ganzer Zahlen bilden. Deshalb wird auch eine verkürzte explizite Indikation eines Feldes eingeführt: Statt der (unzulässigen) expliziten Indikation

struct (**int** 1, **int** 2, **int** 3, **int** 4, **int** 5)

wird

[1 : 5] **int**

geschrieben; statt der (ebenfalls unzulässigen) expliziten Indikation:

struct (**compl** −3, **compl** −2, **compl** −1)

lediglich

[−3 : −1] **compl**.

Explizit werden Felder wieder durch Angabe der Komponenten, getrennt durch Kommata und in Klammern eingeschlossen, wiedergegeben. Ob ein solcher Klammerausdruck ein Feld oder einen Verbund wiedergibt, wird aus dem Zusammenhang geschlossen. Identitätsdeklarationen für Konstantenbezeichnungen lauten also

$$[1 : 5] \text{ int } alpha = (3,4,5,2,7),$$
$$[-3: -1] \text{ compl } beta = (0,0,0.5 \text{ i } sqrt\,(0.75)),$$
$$[0 : 3] \text{ ref real } brett = (a,b,c,d).$$

Auch auf Felder sind Bezüge möglich, Feldnamen (Feldvariable) werden vereinbart durch

$$\text{ref } [1 : 5] \text{ int } i = \text{loc } [1 : 5] \text{ int} := (3,4,5,2,7),$$
$$\text{ref } [1 : 5] \text{ ref real } bb = \text{loc } [1 : 5] \text{ ref real} := (a,b,c,d,e).$$

Für den Gebrauch der Zeiger zum Aufzeigen einer Komponente wird ebenfalls eine andere Schreibweise verwendet[28]:

$$alpha[3] \text{ statt der (unzulässigen) Schreibweise } 3 \text{ of } alpha,$$
$$brett[2] \text{ statt der (unzulässigen) Schreibweise } 2 \text{ of } brett.$$

Beachte, daß brett[2] ein Name ist, und zwar von der Art **ref real**, also

$$brett[2] := 24.33$$

zulässig ist.

Ferner hat

$$i[3]$$

die Bedeutung eines Namens für die durch 3 ausgewählte Komponente der Feldvariablen $i$.

In Indikationen und auf Indexpositionen können auch Formeln, die ein Ergebnis der Art **int** liefern, stehen:

$$\text{ref } [n : 2 \times n + 1] \text{ int } i = \text{loc } [n : 2 \times n + 1] \text{ int},$$
$$i\,[\text{round}(k \times (k-1)/2)].$$

Auch Felder mit einer Komponente sind zulässig, jetzt auch (anders als bei Verbunden) in der expliziten Schreibweise

$$[1 : 1] \text{ real } gamme = (17)$$

oder sogar

$$[1 : 1] \text{ real } gamma = 17.$$

Die Komponenten eines Feldes können von beliebiger Art sein; die Art aller Komponenten muß nur immer dieselbe sein. Beispielsweise können also auch Verbunde Komponenten eines Feldes sein:

$$[1 : 3] \text{ list}.$$

---

[28] Diese Schreibweise lehnt sich an die Schreibweise von Indizes in der Mathematik an: $a[3]$ entspricht dort $a_3$.

Die Komponenten können auch Bezüge sein:

$$[0 : 3] \text{ ref real}.$$

Insbesondere sind die Komponenten eines Feldes oft selbst Felder. Statt

$$[1 : 2] [1 : 5] \text{ int}$$

schreibt man jedoch, indem man ] [ durch ein Komma ersetzt

$$[1 : 2, 1 : 5] \text{ int}$$

für ein **zweistufiges** Feld.

Ist also

$$[1 : 2, 1 : 5] \text{ int } kappa = ((1,2,4,8,9), (2,3,5,9,17)),$$

so bedeutet

$$kappa[2]$$

die zweite Komponente des mit $kappa$ bezeichneten Feldes, also

$$(2,3,5,9,17),$$

und

$$kappa[2, 5]$$

(anstelle von $kappa[2][5]$) bedeutet die fünfte Komponente eben dieses Feldes, also 17.

Ähnlich führt man auch höherstufige Felder ein. Ein $k$-stufiges Feld kann geometrisch als ein rechteckiges regelmäßiges Gitter in einem $k$-dimensionalen Vektorraum angesehen werden. Für $k=2$ und $k=1$ ergeben sich Objekte, die Matrizen und Vektoren beschreiben.

Felder treten auch als Parameter und als erarbeitete Ergebnisse von Rechenvorschriften auf.

Für Bezüge höherer Referenzstufe auf ein Feld gilt, daß durch die nachgestellte Angabe des Indexes oder der Indizes bis zur Referenzstufe 1 dereferenziert wird, und dann die Komponente aufgezeigt wird.

## 2.7 Wiederholungsanweisungen, Sprünge

### 2.7.1 Die Wiederholungsanweisung mit Zählung

Das Quadrat der Länge eines Vektors, der durch das Feld

$$[1 : 3] \text{ real } a = (2.5, 3.7, -2.1)$$

dargestellt wird, ist

$$\text{ref real } s = \text{loc real} := a[1]{\uparrow}2 + a[2]{\uparrow}2 + a[3]{\uparrow}2.$$

Daß hier wiederholt quadriert und dann addiert wird, zeigt sich in der etwas komplizierteren Schreibweise

$$\textbf{ref real } s = \textbf{loc real} := 0;$$
$$s := s + a[1]{\uparrow}2;$$
$$s := s + a[2]{\uparrow}2;$$
$$s := s + a[3]{\uparrow}2.$$

Die drei Zuweisungen unterscheiden sich nur in den Indizes von $a$. Durch Einführung einer weiteren Variablen läßt sich dieser Unterschied zum Verschwinden bringen:

$$\textbf{ref real } s = \textbf{loc real} := 0,$$
$$\textbf{ref int} := \textbf{loc int} := 0;$$
$$i := i + 1; \; s := s + a[i]{\uparrow}2;$$
$$i := i + 1; \; s := s + a[i]{\uparrow}2;$$
$$i := i + 1; \; s := s + a[i]{\uparrow}2.$$

In dieser Form läßt sich nun die Bildung des Längenquadrats auf Vektoren der Länge $n$ verallgemeinern, für die das Anschreiben der Summe entweder gar nicht möglich ist, falls $n$ variabel ist, oder zumindest sehr mühsam wäre, falls $n$ sehr groß ist. Für diese Verallgemeinerung faßt man die Deklaration und die laufende Erhöhung von $i$ zusammen zu einer Zählung

$$\textbf{for } i \textbf{ from } 1 \quad \textbf{by } 1 \quad \textbf{to } \quad 3 \,.$$
$$\uparrow \qquad\qquad \uparrow \qquad\quad \uparrow \qquad\quad \uparrow$$
$$\text{›Zähler‹ ›Startwert‹ ›Schritt‹ ›Endwert‹}$$

Die Zählung gibt an, daß die auf die Zählung folgende Anweisung mehrfach wiederholt werden soll. Dabei ändert sich laufend der Wert des Zählers. Zunächst handelt es sich um den Startwert; zu diesem wird dann der Schritt addiert. Die Wiederholung wird abgebrochen, wenn der Endwert überschritten ist[29]. Unser Beispiel lautet mit einer Zählung

$$\textbf{ref real } s = \textbf{loc real} := 0;$$
$$\textbf{for } i \textbf{ from } 1 \textbf{ by } 1 \textbf{ to } 3 \textbf{ do } s := s + a[i]{\uparrow}2.$$

Diese Konstruktion nennt man eine **Wiederholungsanweisung,** auch die Bezeichnung **Laufanweisung** ist gebräuchlich. Anstelle der zu wiederholenden Zuweisung an $s$ könnten auch mehrere Anweisungen stehen, die dann allerdings zu einem (echten) Block zusammengefaßt werden müssen. Startwert, Schritt und Endwert könnten auch durch Formeln angegeben sein, deren Werte dann zu Beginn der Verarbeitung der Wiederholungsanweisung erarbeitet werden. Insbesondere kann der Schritt auch negative Werte annehmen. Hat man etwa die Koeffizienten $a_i$ des Polynoms

$$a_n x^n + a_{n-1} x^{n-1} + \cdots + a_1 x + a_0$$

---

[29] Überschreitet bereits der Startwert den Endwert, so wird die zu wiederholende Anweisung überhaupt nicht abgearbeitet („leere Wiederholungsanweisung").

in einem Feld $a$ entsprechender Länge untergebracht, so berechnet

> **ref real** $p =$ **loc real** $:= 0$;
>
> **for** $i$ **from** $n$ **by** $-1$ **to** 0 **do** $p := p \times x + a[i]$

den Wert des Polynoms. $p$ nimmt hierbei nacheinander die Werte von

$$a[n],$$
$$a[n] \times x + a[n-1],$$
$$(a[n] \times x + a[n-1]) \times x + a[n-2],$$
$$((a[n] \times x + a[n-1]) \times x + a[n-2]) \times x + a[n-3].$$
$$\ldots\ldots$$

an.

Im Zusammenhang mit mehrstufigen Feldern kommt häufig eine weitere Wiederholungsanweisung als zu wiederholende Anweisung vor. Ist etwa $b$ ein zweistufiges Feld der Art $[1:5, 1:5]$ **real**, so multipliziert man die sämtlichen Elemente von $b$ mit $x$ durch

> **for** $i$ **from** 1 **by** 1 **to** 5 **do**,
>
> **for** $j$ **from** 1 **by** 1 **to** 5 **do** $b[i,j] := b[i,j] \times x$.

Offensichtlich hat der Zähler, für den eine beliebige frei gewählte Bezeichnung verwendet werden kann, nur Bedeutung innerhalb der Wiederholungsanweisung. Die Angabe

> **for** $i$

übernimmt daher die Rolle einer Deklaration, die jedoch nur innerhalb der Wiederholungsanweisung gültig ist: Der Zähler ist stets lokal zur Wiederholungsanweisung (einschließlich der zu wiederholenden Anweisung) und kann anderswo in anderer Bedeutung verwendet werden. Außerdem stellt eine Zuweisung eines neuen Wertes an den Zähler (abgesehen von der automatischen Erhöhung um den Schritt), zumeist einen schweren Programmierfehler dar. Derartige Zuweisungen werden daher verboten, indem man dem Zähler die Art **int**, nicht die Art **ref int** zuordnet[30]. Dies ist, wie wir später sehen werden, wichtig für die beschleunigte Durchführung von Wiederholungsanweisungen.

### 2.7.2 Die Wiederholungsanweisung mit Bedingung

Vor allem bei nichtnumerischen Aufgaben der Informationsverarbeitung möchte man gerne eine Anweisung wiederholen, solange eine bestimmte Bedingung erfüllt ist. Eine derartige Wiederholungsanweisung schreibt man in der Form

> **while** ›Bedingung‹ **do** ›zu wiederholende Anweisung‹.

---

[30] Diese Konventionen für den Zähler gelten in ALGOL 68. In ALGOL 60 ist der Zähler eine explizit zu vereinbarende Variable; statt Zähler verwendet man daher dort das Wort Laufvariable.

Hier wird die Bedingung bei jeder Wiederholung verarbeitet und die Iteration abgebrochen, sobald die Bedingung falsch ist[31]. Die zu wiederholende Anweisung muß folglich eine Zuweisung an eine Variable enthalten, die bei der Erarbeitung des Werts der Bedingung eine Rolle spielt.

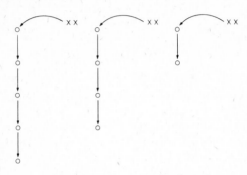

Abb. 61   Ketten der Maximallänge 5

Es mögen etwa baumartige Geflechte wie in Abb. 61 vorliegen, die aus höchstens 5 Verbunden der Art **list** (vgl. 2.6.2) bestehen. Weiter sei der Name des ersten Verbunds des Geflechts der Inhalt des Namensnamen $xx$. Dann erhält der Namensname $yy$ den Namen der Wurzel als Inhalt durch

> $yy := xx$;
> **if** *nächster* **of** $yy$ :≠: **nil then** $yy :=$ *nächster* **of** $yy$ **fi**;
> **if** *nächster* **of** $yy$ :≠: **nil then** $yy :=$ *nächster* **of** $yy$ **fi**;
> **if** *nächster* **of** $yy$ :≠: **nil then** $yy :=$ *nächster* **of** $yy$ **fi**;
> **if** *nächster* **of** $yy$ :≠: **nil then** $yy :=$ *nächster* **of** $yy$ **fi**.

Diese Folge von Anweisungen kann zusammengefaßt werden zu

> $yy := xx$,
> **while** *nächster* **of** $yy$ :≠: **nil do** $yy :=$ *nächster* **of** $yy$.

Da diese Wiederholungsanweisung solange durchgeführt wird, bis *nächster* **of** $yy$ anstelle eines Namens **nil** enthält, entfällt jetzt auch die Beschränkung, daß das Geflecht höchstens 5 Verbunde aufweisen darf.

### 2.7.3  Die allgemeine Wiederholungsanweisung

Gelegentlich möchte man eine Wiederholungsanweisung mit Bedingung mit einer Zählung verknüpfen. Hat man etwa im Beispiel von 2.7.2 die Wiederholungsanweisung zur Auffindung der Wurzel „aus Versehen" auf ein zyklisches Geflecht

---

[31] Das könnte bereits zu Anfang der Fall sein, dann wird die zu wiederholende Anweisung überhaupt nicht ausgeführt („leere Wiederholungsanweisung").

wie in Abb. 62 angewandt, so wird die Ausführung der Wiederholungsanweisung nie enden[32]. Weiß man jedoch, daß das Geflecht nie mehr als 1000 Verbunde enthält, so wird die „ewige" Wiederholung unterbunden durch

> **for** $i$ **from** 1 **by** 1 **to** 1000 **while** $yy: \neq :$ **nil do**
> $\qquad yy :=$ *nächster* **of** $yy$.   (∗)

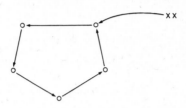

Abb. 62  Zyklus mit Namensname

Diese Wiederholungsanweisung besagt, daß die Wiederholung abzubrechen ist, sobald die Bedingung den Wert **false** ergibt, spätestens jedoch nach 1000 Wiederholungen.

Die dieser Anweisung zugrunde liegende allgemeine Wiederholungsanweisung lautet

> **for** ›Zähler‹ **from** ›Startwert‹ **by** ›Schritt‹ **to** ›Endwert‹,
> **while** ›Bedingung‹,
> **do** ›zu wiederholende Anweisung‹.

Die zu wiederholende Anweisung wird solange abgearbeitet bis entweder die Bedingung den Wert **false** ergibt (2.7.2) oder der Zähler den Endwert überschreitet (2.7.1). Die Wiederholungsanweisungen mit Zählung oder mit Bedingung sowie einige weitere Formen der Wiederholungsanweisung ergeben sich als Spezialfälle gemäß folgenden Regeln:
„**for** ›Zähler‹" darf weggelassen werden, wenn für den Zähler keine Bezeichnung benötigt wird.

Fehlt „**from** ›Startwert‹", so wird „**from** 1" ergänzt.

Fehlt „**by** ›Schritt‹", so wird „**by** 1" ergänzt.

„**to** ›Endwert‹" darf weggelassen werden, wenn die Zählung lediglich zur Erhöhung

---

[32] In 1.7.3 hatten wir gefordert, daß ein Algorithmus stets nach endlich vielen Verarbeitungsschritten endet, was hier nicht der Fall ist. Ob eine Folge von Anweisungen einen korrekten Algorithmus darstellt, kann also davon abhängen, auf welche Datenobjekte wir die Anweisungen anwenden.

des Zählers, nicht aber zum Abbruch der Wiederholungsanweisung benutzt werden soll. (Es wird also kein Endwert ergänzt.)

Fehlt „**while** ›Bedingung‹", so wird **while true** ergänzt.

Die Wiederholungsanweisung (∗) kann also verkürzt werden zu

$$\textbf{to } 1000 \textbf{ while } \textit{nächster } \textbf{of } yy \mathrel{:\!\ne\!:} \textbf{nil do } yy := \textit{nächster } \textbf{of } yy.$$

Statt

$$\textbf{for } i \textbf{ from } 1 \textbf{ by } 1 \textbf{ to } n \textbf{ do } s := s + i$$

könnte man auch schreiben

$$\textbf{for } i \textbf{ while } i \le n \textbf{ do } s := s + i.$$

Nach obigen Regeln lautet die kürzeste Form der Wiederholungsanweisung offenbar

$$\textbf{do } \text{›zu wiederholende Anweisung‹}.$$

Der Abbruch der Wiederholung muß in einem solchen Fall mit anderen Mitteln erreicht werden, die wir im folgenden Abschnitt kennenlernen.

### 2.7.4 Markierte Programmstellen und Sprünge

Gegeben sei ein Feld

$$[1:10] \textbf{ int } a,$$

den Komponenten von $a$ seien irgendwelche (positive oder negative) Zahlenwerte als Inhalt zugewiesen. Wir wollen feststellen, ob irgendeine Komponente den gleichen Inhalt hat wie eine vorgegebene Variable $b$ der Art **ref int**. Eine mögliche Lösung wäre

$$\textbf{int } k := 1,$$
$$\textbf{for } i \textbf{ to } 10 \textbf{ while } a[i] \ne b \textbf{ do } k := i + 1;$$
$$k \le 10.$$

Die letzte Formel dieses Abschnitts liefert den Wert **true**, wenn irgendeine Komponente von $a$ den gleichen Inhalt wie $b$ hat; $k$ enthält dann den Index dieser Komponente. Gab es keine solche Komponente, so hat $k$ den Inhalt 11 und der Abschnitt liefert **false**.

Die wiederholten Zuweisungen an $k$ sind an sich überflüssig. Es würde genügen, wenn man an $k$ genau einmal den Wert von $i$ zuweisen könnte, nämlich dann, wenn man feststellt, daß $a[i] = b$ gilt. Da diese Zuweisung auf jeden Fall Bestandteil der zu wiederholenden Anweisung sein muß, ergäbe sich folgendes Schema für die Wiederholungsanweisung

$$\textbf{for } i \textbf{ to } 10 \textbf{ do if } a[i] = b \textbf{ then } k := i;$$
$$\text{«Abbruch der Wiederholungsanweisung» } \textbf{fi}.$$

Mit den bisherigen Hilfsmitteln läßt sich dieses Schema nicht formulieren. Man hilft sich so:

Es wird erlaubt, bei der Ausführung des Programms von der geschriebenen Reihenfolge abzuweichen, indem man an gewissen Stellen explizit die anschließend abzuarbeitende Formel, Wertzuweisung usw. spezifizieren darf. Zu diesem Zweck führt man sog. **Marken** ein. Marken sind frei gewählte Bezeichnungen, gefolgt von einem Doppelpunkt, die vor gewisse Abschnitte geschrieben werden dürfen und damit diese Stellen **markieren.**

Beispiel:

$$\textit{element gefunden: print } (a[k]).$$

Damit ist der Beginn dieser Anweisung eine durch

$$\textit{element gefunden:}$$

**markierte Programmstelle.**

Auf eine solche markierte Programmstelle kann durch den **Sprung**

$$\textbf{goto } \textit{element gefunden}$$

verwiesen werden. Der Verweis besagt, daß die Programmausführung an dieser Stelle fortzusetzen sei.

Woher der Verweis (Sprung) gekommen ist, wird anschließend vergessen. Diese Tatsache unterscheidet Sprünge von Aufrufen von Rechenvorschriften oder Prozeduren.

Mit Sprüngen läßt sich unsere Aufgabe nun sehr einfach lösen durch

```
int k;
for i to 10 do if a[i] = b then k := i; goto element gefunden fi;
print („kein element gefunden");
goto fortsetzung;
element gefunden: print (k);
fortsetzung:...
```

Das Springen an die durch

$$\textit{fortsetzung:}$$

markierte Programmstelle bezeichnet man auch als **Überspringen** (eines Abschnitts).

Mit Hilfe eines Sprungs läßt sich auch die Wiederholungsanweisung in anderer, allerdings sehr unübersichtlicher Form wiedergeben:

Die allgemeine Wertzuweisung

```
for ›Zähler‹ from ›Startwert‹,
by ›Schritt‹ to ›Endwert‹ while ›Bedingung‹ do
    ›zu wiederholende Anweisung‹
```

ist gleichwertig mit dem echten Block

> **begin ref int** $j =$ **loc int** $:=$ ›Startwert‹,
> $\qquad$ **int** $k =$ ›Schritt‹,
> $\qquad$ **int** $l =$ ›Endwert‹;
> $\qquad$ *wiederhole*: **if if** $k > 0$ **then** $j \leq l$ **elsf** $k < 0$
> $\qquad\qquad\qquad\qquad\qquad$ **then** $j \geq l$ **else true fi**
> $\qquad\qquad$ **then int** ›Zähler‹ $= j$;
> $\qquad\qquad$ **if** ›Bedingung‹
> $\qquad\qquad$ **then** ›zu wiederholende Anweisung‹;
> $\qquad\qquad\qquad$ $j := j + k$;
> $\qquad\qquad\qquad$ **goto** *wiederhole* $\qquad\qquad$ **fi**
> $\qquad\qquad\qquad\qquad\qquad\qquad\qquad\qquad\qquad$ **fi**
>
> **end**

Regeln:

1. Markierbare Programmstellen sind:
   Der Beginn aller Formeln und Anweisungen, generell also aller Abschnitte, sofern diesen Abschnitten ein Semikolon, ein **begin**, **if**, **then**, **else**, (, oder $\ulcorner$ unmittelbar vorausgeht. Verboten ist also

$$x := y, marke : y := z,$$
$$x := marke : a + b.$$

2. Ein Abschnitt darf auch mehr als einmal markiert sein. Beispiel:

$$\ldots; \quad marke\,1 : marke\,2 : x := y; \ldots$$

3. Marken dürfen nicht vor Deklarationen stehen. Verbotenes Beispiel:

> **(real** $x = 1.1$; $m$:**ref real** $y =$ **loc real** $:= 5$;
> $y := y - x \uparrow 2$;
> **if** $y > 0$ **then goto** $m$ **fi)**.

Dieses Beispiel ist sinnlos, da man nach Ausführung des Sprungs und erneuter Deklaration von $y$ zweimal $y$ hätte und daher nicht genau erklären könnte, welches $y$ in der Zuweisung gemeint ist.

4. Es ist verboten, einen Sprung zu schreiben, dessen **Sprungziel** eine Stelle in irgendeinem Block ist, der nicht auch den Sprung enthält. Verbotenes Beispiel:

> **goto** $m$; $\ldots$ **(real** $x$; $m : x + 1$); $\ldots$

Nach Ausführung dieses Sprungs könnte die Formel $x + 1$ nicht abgearbeitet werden, da die Deklaration von $x$ umgangen wurde, so daß $x$ gar nicht vorhanden ist.

Der Einheitlichkeit halber wird der Sprung von außen in **alle** Blöcke verboten, auch in solche, die keine Deklarationen enthalten. Nach Stellen in einem umfassenden Block darf gesprungen werden.

Beachte: Die Abschnitte zwischen **if**−**then**, **then**−**else** (bzw. **then**−**fi**) und **else**−**fi** gelten wie schon früher gesagt jeweils als eigene Blöcke.

Verboten ist daher:

$$\textbf{if } y > 0 \textbf{ then } x := x + 1;\ m{:}y := y + 1$$
$$\textbf{else } x := x + 2;\ \textbf{goto } m \textbf{ fi}.$$

Man muß schreiben:

$$\textbf{if } y > 0 \textbf{ then } x := x + 1$$
$$\textbf{else } x := x + 2 \textbf{ fi};\ y := y + 1.$$

5. Man beachte, daß 4. auch das Verbot umfaßt, von außen in Rechenvorschriften oder Prozeduren zu springen. Rechenvorschriften oder Prozeduren, welche markierte Programmstellen enthalten, können diese nur innerhalb von Blöcken enthalten, da anders nicht zu erreichen ist, daß markierten Programmstellen ein Semikolon oder eines der Öffnungssymbole vorangeht.

Obwohl Sprünge häufig ein bequemes Hilfsmittel zum Zusammenfügen von Programmstücken entgegen der aufgeschriebenen Reihenfolge darstellen, sollte man nicht übersehen, daß Sprünge auch wesentlich zur Fehleranfälligkeit von Programmen beitragen können: Da die Bedeutung der Anweisungen, die auf eine markierte Programmstelle folgen, wesentlich abhängt von der Kenntnis der Inhalte der Variablen, die an den jeweiligen Absprungstellen definiert waren, muß man diese Absprungstellen sämtlich im Auge haben, wenn man die Bedeutung der markierten Programmstelle erfassen will. Das bereitet erfahrungsgemäß Schwierigkeiten, wenn die Absprungstellen im Sinne des Aufschreibens vom Sprungziel weit entfernt sind. Man sollte daher von der Möglichkeit, Blöcke, welche Deklarationen enthalten, mittels Sprung zu verlassen, nur in Ausnahmefällen Gebrauch machen. Die Absprungstellen befinden sich dann überwiegend in der Nähe des Sprungziels, womit die Übersichtlichkeit erhöht wird.

Eigentlich gehören Sprünge bereits zu dem Repertoire der maschinenorientierten algorithmischen Sprachen, die wir im nächsten Kapitel besprechen werden.

## 2.8 Bemerkungen zur Praxis des Programmierens

> „Was du tust, (beginne es klug
> und) bedenke das Ende".
> Nach Sirach 7,40

### 2.8.1 Programmablaufpläne

Oft besteht der Wunsch, den Ablauf eines Programms diagrammartig darzustellen. Dies gilt besonders, wenn Sprünge auftreten. Aber auch die fallweise Durchführung der Teilformeln von Bedingungen kann solcherart dargestellt werden. Dazu werden einige Sinnbilder[33] benötigt, die man um ein geeignet geschriebenes Programm herumzeichnen kann. Das Rechteckkästchen als Umrahmung eines Abschnitts oder Blocks haben wir schon kennengelernt. Es wird jetzt generell für eine Anweisung zur Verarbeitung benützt. Anweisungen, die durch Semikolon getrennt sind, werden durch einen Strich verbunden. Für die mit einer Bedingung verbundene Fallunterscheidung (Verzweigung) benützen wir ein flaches Sechseckkästchen.

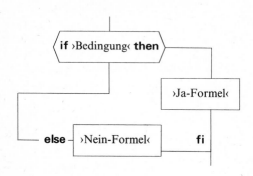

wobei **then** den Ja-Ausgang des Entscheidungskästchens markiert, **fi** die Zusammenführung der Wege ergibt.

Ist die Nein-Formel leer, verkürzt sich das zu

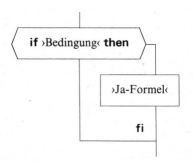

Gelegentlich läßt man bei der Angabe solcher Ablaufpläne die Symbole **if**, **then**, **else** und **fi** weg. Auch dann bezeichnet der waagrecht vom Sechseckkästchen wegführende Strich stets die Verbindung zur Ja-Formel.

---

[33] Nach DIN 66001.

Eine multiple Bedingung wie in 2.3.6

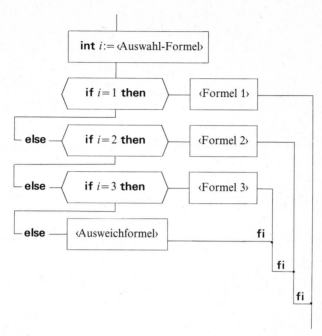

oder kürzer

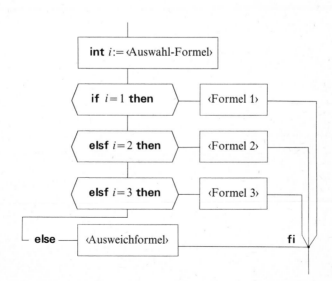

wird abgekürzt geschrieben

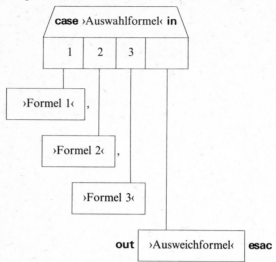

Sprünge werden durch kleine Kreise, in denen die Marke steht, wiedergegeben:

Für Wiederholungsanweisungen setzen wir über das Rechteckkästchen, das die zu wiederholende Anweisung enthält. ein Trapez mit der **Wiederholungsformel.**

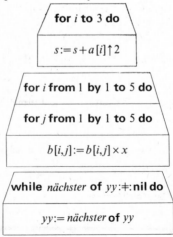

Häufig werden solche Programmabläufe dadurch verkürzt, daß der Inhalt der Kästchen nur noch teilweise wiedergegeben oder verbal umschrieben wird.

Wir geben im übernächsten Abschnitt einige Beispiele[34] von Programmen, deren Ablaufanalyse für den Anfänger eine gute Übung darstellt.

## 2.8.2 Programmdokumentation

Nicht nur für das Verständnis des fertigen Programms, sondern auch während der Programmentwicklung haben besondere Bedeutung **verkürzte Programme**, in denen lediglich das Zusammenwirken größerer logischer Einheiten des Programms wiedergegeben wird. Zur Beschreibung von Teilen von Anweisungen, von Anweisungen und ganzen Programmteilen zieht man dabei üblicherweise Sätze der Umgangssprache heran. Wie man an den Beispielen von 2.8.3 sieht, kann der Detaillierungsgrad solcher verkürzter Programme sehr unterschiedlich sein. Insbesondere können zu einem Programm mehrere solcher verkürzter Programme existieren, die im Laufe der Programmentwicklung durch fortlaufende Detaillierung auseinander entstehen.

Für diese übersichtliche Technik der Programmierung werden in 2.8.3 Beispiele gegeben.

Selbstverständlich können auch verkürzte Programme in der in 2.8.1 geschilderten Weise zu **verkürzten Programmablaufplänen** erweitert werden.

Der dem Verständnis ungemein dienliche Zusammenhang zwischen verkürzten Programmen und dem fertigen Programm wird hergestellt, indem man die zusammenfassenden verbalen Beschreibungen mit in das Programm übernimmt. Sie haben dort natürlich keine Bedeutung für den Ablauf des Algorithmus, sondern dienen nur als Verständnishilfe für den menschlichen Leser. Derartige **Kommentare** haben die Form

**comment** ›beliebiger Text, der das Wortsymbol

**comment** (oder **co**) nicht enthält‹ **comment**.

Statt **comment** darf auch das kürzere Wortsymbol **co** verwendet werden. Kommentare dürfen zwischen beliebige Symbole (frei wählbare Bezeichnungen, Standardbezeichnungen, Operationssymbole, Wortsymbole) eingeschoben werden und werden bei der maschinellen Verarbeitung übergangen.

Neben den weiter unten beschriebenen Angaben gehören bei längeren Programmen verkürzte Ablaufpläne zur Dokumentation eines Programms. Sie werden unabhängig vom eigentlichen Programmtext aufbewahrt. Eine ausreichende Dokumentation ist Voraussetzung für jede spätere Modifikation des Programms (einschließlich der Korrektur von Fehlern) sowie für die Weitergabe des Programms an Dritte. Es

---

[34] Einige davon sind aus dem ALGOL 68-Bericht.

ist häufig nötig, einen nicht unerheblichen Teil der für die Konstruktion eines Programms vorhandenen Zeit allein für die Erstellung der Dokumentation zu verwenden.

Man mache es sich insbesondere zur Regel, sämtlichen Rechenvorschriften, soweit sie nicht ganz trivial sind, einen Kommentar beizufügen, in dem die Bedeutung der Eingangsparameter, die vorkommenden globalen Variablen, das Ergebnis eines Aufrufs der Rechenvorschrift und die etwaigen Seiteneffekte beschrieben werden!

Ein Programm kann nicht benutzt werden, wenn die Bedeutung und Anordnung der – etwa mit Hilfe von *read* einzulesenden – Eingangsdaten und der – etwa mit Hilfe von *print* ausgedruckten – Ergebnisse nicht bekannt sind. Zu den Ergebnissen zählen auch etwaige „Fehlertexte", die gedruckt werden, wenn die Eingangsdaten nicht den Vorschriften entsprechen. Für die im Programm vorkommenden Objekte ist vielfach die Information, die man lediglich ihren gemäß 2.2 gebildeten Bezeichnungen entnehmen kann, nicht ausreichend für das Verständnis des Programms. Zum Beispiel könnte die Standardbezeichnung 25 neben der Information »fünfundzwanzig« die viel interessantere Information »Quadrat der Anzahl der Unbekannten eines linearen Gleichungssystems« wiedergeben. Auf derartige Zusatzinformationen kann man zwar durch mnemotechnisch geeignete frei gewählte Bezeichnungen hinweisen. Für das Verständnis des Programms und für etwaige Programmänderungen ist es jedoch erforderlich, Angaben über die vorkommenden primitiven und nichtprimitiven Objekte als Bestandteil der Programmdokumentation zusammenzustellen. Insbesondere bei der Verknüpfung von Verbunden zu Geflechten können sogar Ablaufpläne unverständlich werden, wenn die vorkommenden „Datenstrukturen" nicht ausreichend beschrieben sind.

Mit Programmen und Ablaufplänen unterschiedlichen Detaillierungsgrades, der Beschreibung der Eingangsdaten und Ergebnisse von Rechenvorschriften und Programmen, sowie mit der Beschreibung der Bedeutung der vorkommenden Objekte und Objektgeflechte haben wir die wesentlichen Elemente der Dokumentation eines Programms kennengelernt.

### 2.8.3 Beispiele

"The introduction of suitable abstractions is our only mental aid to organize and master complexity"

E. W. DIJKSTRA.

#### 2.8.3.1 *Quadratwurzel im Komplexen*
(nach ALGOL 68-Bericht, Example 11.1)

Es soll $u+iv$ so bestimmt werden, daß $(u+iv)^2 = x+iy$. Eindeutigkeit wird erzielt durch die zusätzliche Bedingung $u \geq 0$.

Setzt man

$$rp = \sqrt{\tfrac{1}{2}\left(\sqrt{x^2+y^2}+x\right)},$$

$$ip = \sqrt{\tfrac{1}{2}\left(\sqrt{x^2+y^2}-x\right)},$$

so gilt

$$rp^2+ip^2 = \sqrt{x^2+y^2},$$

$$rp^2+ip^2 = x,$$

$$2\,rp\,ip = |y|.$$

Aus Genauigkeitsgründen will man eine Subtraktion annähernd gleicher Zahlen vermeiden. Man berechnet deshalb

$$a = \sqrt{\tfrac{1}{2}\left(|x|+\sqrt{x^2+y^2}\right)}$$

und

$$b = y/2a.$$

Somit ist für $x \geq 0$: $u=a$, $v=b$ Lösung; für $x<0$ dagegen ist

falls $y \geq 0$: $u=b$, $v=a$,

falls $y<0$: $u=-b$, $v=-a$

Lösung mit dem gewünschten Vorzeichen.

Das Programm lautet:

```
proc complsqrt = (compl z) comment Quadratwurzel mit
    nichtnegativem Realteil aus der komplexen Zahl z comment
compl : ⌐real x = re z, y = im z;
        real a = sqrt ((abs x + sqrt (x↑2 + y↑2))/2);
        real b = if a = 0 then 0
                 else y/(2 × a) fi;
        if x ≥ 0 then a i b
        else abs b i if y ≥ 0 then a
                     else −a fi
                                 fi          ⌐
```

Beispiele für den Aufruf von complsqrt:

$$complsqrt\,(-1),$$
$$complsqrt\,(7\ \mathbf{i}\ 24).$$

### 2.8.3.2 *Potenzierung*
(nach JAMES KING und EDSGER W. DIJKSTRA)

Die Größe $z \times x^y$, mit ganzzahligem $y$, ist invariant unter den folgenden beiden Transformationsschritten

1. $y := y - 1,$    $z := z \times x,$
2. $y := y/2,$    $x := x\uparrow2,$

wovon der letztere nur für gerades $y$ erlaubt ist. Ist aber $y$ ungerade, so ist es nach Schritt 1. gerade. Mit $x = a$, $y = b$, $z = 1$ ist zu Beginn der Wert der Invariante $a^b$. $y$ nimmt bei Schritt 1. wie bei Schritt 2. ab. Ist schließlich $y = 0$, so ist $z = a^b$.

Beachte: $a^b$ ergibt sich also als Produkt derjenigen $a^{2^{k-1}}$, für die die $k$-te Stelle der Dualdarstellung von $b$ eine 1 ist.

Das Programm lautet

```
proc pow = (real a, int b) comment a hoch b
                für nichtnegatives b comment
     real :⌈real x := a, int y := b, real z := 1;
            while y > 0 do
            ⌈if odd y then y := y − 1;
                           z := z × x  fi;
            y := y/2;
            x := x↑2        ⌋;
            z                        ⌋
```

Beispiel für den Aufruf von *pow*:

$$pow\ (2.87437,\ 50).$$

### 2.8.3.3 *Primzahlen*
(nach EDSGER W. DIJKSTRA)

Die Aufgabe laute

„gib eine Tafel der ersten tausend Primzahlen".

Da es nach EUKLID mehr als endlich viele Primzahlen gibt, ist die Aufgabe lösbar. Wir verlangen, ein Feld [1:1000] **int** $p$ mit den Primzahlen zu besetzen:

```
for k to 1000 do p[k] := «k-te Primzahl».
```

Genauer kann das so ausgedrückt werden:

```
int j := 1;
    for k to 1000 do
    ⌈«erhöhe j bis zur nächsten Primzahl»;
    p[k] := j                        ⌋
```

Die Operation «erhöhe $j$ bis zur nächsten Primzahl» ergibt zu allererst die Primzahl 2, sodann aber werden die geraden Zahlen dabei nutzlos durchlaufen. Dem entgeht man durch

```
int j := 1; p[1] := 2;
    for k from 2 to 1000 do
    ⌈«erhöhe j in Schritten von 2 bis zur nächsten (ungeraden) Primzahl»;
      p[k] := j                                                        ⌋
```

Die Prüfung, ob eine Zahl $j$ Primzahl ist, kann durch Teilbarkeitsversuch mit allen schon bestimmten Primzahlen bewerkstelligt werden.

Der noch unerledigte Teil

«erhöhe $j$ in Schritten von 2 bis zur nächsten (ungeraden) Primzahl»

kann dann so erfolgen:

```
            bool jprime := false;
                while ¬ jprime do
            ⌈ j := j+2; jprime: = true;
                    for i from 2 to k while jprime do
            jprime := «j ist nicht teilbar durch p[i]» ⌋
```

Die Prüfung auf Teilbarkeit erstreckt sich allerdings auf unnötig viele Primzahlen. Die größte zur Prüfung heranzuziehende Primzahl ist die größte unter den Primzahlen $p[l]$, für die $p[l]\uparrow 2 \leq j$. Man kann also **while** $jprime$ durch **while** $jprime \wedge p[i]\uparrow 2 \leq j$ ersetzen. Auf weitere Feinheiten, wie Maßnahmen zur Vermeidung der wiederholten Berechnung von $p[i]\uparrow 2$, gehen wir nicht mehr ein. Insgesamt ergibt sich, wenn man auch noch das (nichttriviale!) zahlentheoretische Resultat $p[i+1]\leq p[i]\uparrow 2$ berücksichtigt und deshalb **to** $k$ wegläßt, und ferner «$j$ ist nicht teilbar durch $p[i]$» durch $j$ **mod** $p[i]\neq 0$ ausdrückt, das fertige Programm:

```
        ⌈ [1:1000] int p;
          int j := 1; p[1] := 2;
              for k from 2 to 1000 do
          ⌈ bool jprime := false;
              while ¬ jprime do
              ⌈ j := j+2; jprime := true;
                  for i from 2 while jprime ∧ p[i]↑2≤j do
                  jprime := j mod p[i] ≠ 0              ⌋;
                p[k] := j                               ⌋;
              print (p)                                 ⌋
```

### 2.8.3.4 *Die Türme von Hanoi*
(nach ALGOL 68-Bericht, Example 11.14)

Gegeben seien $n$ Spielsteine unterschiedlichen Durchmessers. Die Steine seien der Größe nach zu einem Turm geschichtet, der unterste Stein ist der größte. Dann lautet die Aufgabe dieses alten ostasiatischen Spiels, den Turm vom gegebenen Platz (Platznr. 1) auf einen anderen Platz (Platznr. 2) zu verlegen. Als Hilfsmittel steht ein weiterer Platz (Platznr. 3) zur Verfügung, auf dem zwischenzeitlich Steine abgelegt werden dürfen. Die Steine müssen einzeln bewegt werden, und es kann immer nur der oberste Stein eines Turmes bewegt werden. Zu keiner Zeit darf auf einem der drei Plätze ein kleinerer Stein unter einem größeren liegen.

Wir numerieren die Steine mit den ganzen Zahlen $1, \ldots, n$ und verabreden, daß die Relation $i < j$ bedeutet: Stein Nr. $i$ ist kleiner als Stein Nr. $j$. Dann ist die Lösung des Problems eine Folge von Spielzügen

«verlege Stein $i$ von Platz $a$ nach Platz $b$»

mit $i \leq n$; $1 \leq a, b \leq 3, a \neq b$. Garantieren wir, daß alle Steine auf den Plätzen $a$ und $b$ während dieser Bewegung eine Nummer $j$ haben, für die $j > i$ gilt, so ist offenbar die in der Aufgabenstellung zuletzt genannte Bedingung stets erfüllt. Dies ist gleichwertig damit, daß sich während der Verlegung des Steins mit Nr. $i$ von $a$ nach $b$ alle Steine mit Nummern kleiner als $i$ auf Platz $c$, $a \neq c$, $b \neq c$, befinden.

Aufgrund dieser Bemerkung können wir die Aufgabe lösen durch eine rekursive Prozedur *verlege*, nämlich «verlege die $k$ Steine kleinster Nummer von Platz $a$ nach Platz $b$». Die Prozedur besteht aus drei Anweisungen:

«Verlege die $k-1$ Steine kleinster Nummer von Platz $a$ nach Platz $c$;
Verlege Stein Nr. $k$ von Platz $a$ nach Platz $b$;
Verlege die $k-1$ Steine kleinster Nummer von Platz $c$ nach Platz $b$».

Die mittlere Anweisung gibt einen der gesuchten Spielzüge wieder, dieser muß daher gedruckt werden. Offensichtlich muß stets $k \geq 1$ gelten. Dies liefert das Kriterium für den Abbruch der Rekursion. Die Bezeichnungen $a, b, c$ sind Platzhalter für die Platznummern 1, 2, 3 in verschiedenen Permutationen. Es gilt daher stets

$$a + b + c = 1 + 2 + 3 = 6,$$

was wir in der Form

$$c = 6 - a - b$$

verwenden.

Damit ergibt sich folgende Form der eigentlichen Prozedur *verlege*:

```
proc (int, int, int) verlege = (int k, int a, int b):
    if k ≥ 1 then verlege (k−1, a, 6−a−b);
                  «verlege Stein k von Platz a nach Platz b»;
                  verlege (k−1, 6−a−b, b)
    fi.
```

Ersetzen wir die mittlere Anweisung durch eine Druckanweisung *print* $((k, a, b))$ und fügen noch ein Rahmenprogramm bei, so ergibt sich folgendes Gesamtprogramm:

```
⌈ int n comment n = Gesamtanzahl der Steine comment;
  proc (int, int, int) verlege = (int k, int a, int b):
     comment verlege die Steine mit Nr. 1, 2, …, k
     von Platz a nach Platz b comment
     if k ≥ 1 then verlege (k − 1, a, 6 − a − b);
                print ((k, a, b))
                comment verlege Stein k von Platz a
                nach Platz b comment;
                verlege (k − 1, 6 − a − b, b)          fi;
     read (n);
     verlege (n, 1, 2)                                           ⌋
```

Charakterisieren wir jeden Prozeduraufruf durch seine drei Parameter, so ergibt sich für $n = 3$ folgende Sequenz von Prozeduraufrufen und Spielzügen

| Prozeduraufrufe | Spielzüge | Besetzung der Plätze 1 | 2 | 3 |
|---|---|---|---|---|
| | | 123 | | |
| (3,1,2) | | | | |
| (2,1,3) | | | | |
| (1,1,2) | | | | |
| (0,1,3) | | | | |
| | (1,1,2) | 23 | 1 | |
| (0,3,2) | | | | |
| | (2,1,3) | 3 | 1 | 2 |
| (1,2,3) | | | | |
| (0,2,1) | | | | |
| | (1,2,3) | 3 | | 12 |
| (0,1,3) | | | | |
| | (3,1,2) | | 3 | 12 |
| (2,3,2) | | | | |
| (1,3,1) | | | | |
| (0,3,2) | | | | |
| | (1,3,1) | 1 | 3 | 2 |
| (0,2,1) | | | | |
| | (2,3,2) | 1 | 23 | |
| (1,1,2) | | | | |
| (0,1,3) | | | | |
| | (1,1,2) | | 123 | |
| (0,3,2) | | | | |

### 2.8.3.5 *Das Königinnenproblem*
(nach E. S. PAGE und E. W. DIJKSTRA)

Die klassische Aufgabe lautet, auf ein Schachbrett 8 Königinnen so zu plazieren, daß keine zwei sich gegenseitig bedrohen.

Offensichtlich können dann in keiner Zeile zwei Königinnen sein. Somit muß sich in jeder Zeile genau eine Königin befinden.

Es bezeichne $h[i]$ die Spalte, in der sich die Königin der $i$-ten Zeile befindet. Es wird nun, beginnend mit der ersten Zeile, Zeile um Zeile versuchsweise eine Königin gesetzt und geprüft, ob sie unbedroht ist. Dies ergibt rekursiv die Prozedur *besetze*:

```
proc besetze =
:       for r to 8 do
     ⌈ «setze Königin auf Feld r»;
        if «Königin unbedroht» then
           if «Brett voll» then «drucke Ergebnis»
                            else besetze fi

                                                fi ⌋
```

Nun muß, um die Bedrohung der neugesetzten Königin zu prüfen, deren Stellung mit der Stellung der bei früheren Aufrufen gesetzten Königinnen verglichen werden. Um letztere festzuhalten, benützen wir eine globale Variable $k$, die die Anzahl der Aufrufe zählt. Ersetzen wir dann auch noch mnemotechnisch $r$ durch $rk$, so ergibt sich für

«setze Königin auf Feld $r$»:
$$h[k] := rk.$$

Die Prüfung auf Bedrohung der neugesetzten Königin erstreckt sich dann auf die Stellung der Königinnen in den Zeilen $k-1, k-2, \ldots, 2, 1$. Mit der Variablen **bool** $ub$ für «Königin unbedroht» lautet die Prüfung also

```
bool ub := true;
   for i to k − 1 while ub do
ub := h[i] ≠ rk ∧ abs (h[i]−rk) ≠ k−i;
```

Wir berücksichtigen noch die Vorbesetzung, Zählung und Prüfung («Brett voll») der Variablen $k$. Dann ergibt sich das fertige Programm

```
⌈ [1 : 8] int h;
   int k := 0;
   proc besetze =
      :⌈ k := k + 1;
         for rk to 8 do
         ⌈ bool ub := true;
            h[k] := rk;
```

```
        for i to k − 1 while ub do
      ub := h[i] ⧧ rk ∧ abs (h[i] − rk) ⧧ k − i;
      if ub then
            if k = 8 then print (h)
                  else besetze fi
                                              fi ⌋;
  k := k − 1                                  ⌋;
besetze                                       ⌋
```

Der Ablauf des Programms kann in einem baumartigen Diagramm veranschaulicht werden. Für das Problem, vier Königinnen auf ein Brett von $4 \times 4$ zu setzen, ergibt sich die Abb. 63.

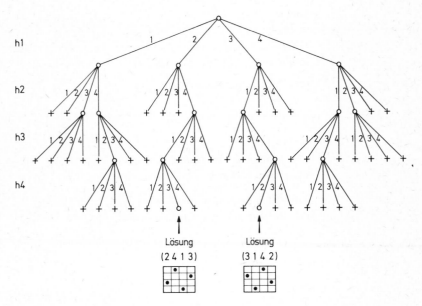

Abb. 63   Lösung des Königinnenproblems mit $n = 4$

### 2.8.3.6 *Baumartiges Durchmustern und Sortieren*

Das Durchmustern einer Menge von Objekten, ob sich ein bestimmtes Objekt unter ihnen befindet, ist eine Grundaufgabe. Handelt es sich um $n$ Objekte, die man in irgendeiner Reihenfolge vornimmt, so hat man im Mittel $n/2$ Versuche durchzuführen. Anders ist es, wenn die $n$ Objekte nach einem Ordnungsmerkmal geordnet sind. Dann unterteilt man die geordnete Menge möglichst in der Mitte und sieht nach, ob das gesuchte Objekt sich im vorderen oder im hinteren Teil nicht befinden kann. Die Suche wird dann jeweils mit dem anderen Teil fortgesetzt. Ist $n \leq 2^k$, kommt man mit $k$ solchen **Bisektionsschritten** zum Ziel, das Objekt zu finden, wenn es sich in der Menge befindet, oder andernfalls das Fehlen festzustellen.

Problematisch wird es, wenn ein Objekt, das sich nicht in der Menge befindet, nun der Menge hinzugefügt werden soll. Dann ist das Einsortieren vorzunehmen. Wenn man nicht genügend Platz hat, kommt man ohne Umspeicherung nicht aus, oder man muß „einflicken". Letzteres ist zur Methode entwickelt im baumartigen Durchmustern und Sortieren.

Als Objekte werden Verbunde der Art **bintree** mit einer Zahl und mit zwei Bezügen verwendet, wobei der Bezug *left* auf eine kleinere Zahl, der Bezug *right* auf eine größere Zahl als Nachfolger deutet:

> **mode bintree** = **struct** (**ref bintree** *left*, **int** *number*, **ref bintree** *right*).

Solche Verbunde können dazu dienen, ein baumartiges Geflecht aufzubauen. Das Vergleichen eines neuen Wertes *num* mit den bereits gefundenen erfolgt in einer rekursiven Prozedur *in*, die sich selbst wieder aufruft, wenn der betrachtete Wert mit dem vorgegebenem Wert *num* nicht übereinstimmt:

> **if** *number* **of** *tt* = *num* **then true**
> **elsf** *number* **of** *tt* > *num* **then** in (*left* **of** *tt*, *num*)
> **elsf** *number* **of** *tt* < *num* **then** in (*right* **of** *tt*, *num*) **fi**

und sonst den Wert **true** liefert.

Die Parameter der Prozedur sind eine Namensvariable *tt*, die vor dem Aufruf den Namen des zu betrachtenden Verbunds enthält, und der vorgegebene Wert *num*:

> **proc** (**ref ref bintree**, **int**) **bool** *in* =
> (**ref ref bintree** *tt*, **int** *num*) **bool** : ―――――

Ein Ende in der Bezugskette wird durch **nil** als Bezug in einer Verbundkomponente angezeigt. Der vorgegebene Wert ist dann nicht im Geflecht enthalten, ein weiterer Verbund muß gebildet und angefügt werden. Dazu muß die Verbundkomponente, die mit **nil** besetzt ist, durch einen Phantasienamen ersetzt werden. Dies geschieht durch Zuweisung an die Namensvariable *tt* :

> **if cont** *tt* :=: **nil then**
> *tt* := **loc bintree** := (**nil**, *num*, **nil**); **false fi** .

Das Ergebnis der Prozedur, von der Art **bool**, ist also **false**, wenn der vorgegebene Wert im Geflecht noch nicht enthalten war. Insgesamt ergibt sich

> **proc** (**ref ref bintree**, **int**) **bool** *in* =
> (**ref ref bintree** *tt*, **int** *num*) **bool** :
> **if cont** *tt* :=: **nil then** *tt* := **loc bintree**
> := (**nil**, *num*, **nil**);
> **false**

**else if** *number* **of** *tt* = *num* **then true**
**elsf** *number* **of** *tt* > *num* **then**
*in* (*left* **of** *tt*, *num*)
**elsf** *number* **of** *tt* < *num* **then**
*in* (*right* **of** *tt*, *num*)   **fi**
**fi**

Für eine Folge von Aufrufen

**ref bintree** *xx* := **nil**
*in* (*xx*, 16)
*in* (*xx*, 19)
*in* (*xx*,  0)
*in* (*xx*,  8)
*in* (*xx*, 19)
*in* (*xx*, 24)
⋮

ergibt sich ein Geflecht, das in Abb. 64 abgekürzt wiedergegeben ist. D. KNUTH hat berechnet, daß bei regellosem Einfall das Einsortieren in $N$ Objekte im Mittel größenordnungsmäßig log $N$ Schritte erfordert.

Jedem eingeordneten Objekt kommt eine gewisse endliche Folge von Schritten *links* oder *rechts* zu. Bildet man entsprechend Worte mit den Zeichen *links* und *rechts* und füllt sie durch Zeichen *leer* auf die maximale Länge auf, so sind die Objekte lexikographisch über dem Alphabet

{ *links*, *leer*, *rechts* }

geordnet.

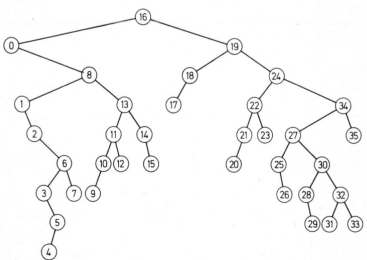

Abb. 64   Geflecht beim baumartigen Sortieren

2.8.3.7 *Internes Sortieren*
(nach C. A. R. HOARE)

Gegeben sei ein Feld

$$[s:t]\ \textbf{real}\ a$$

mit $s \leq t$, dessen Elemente aufsteigend geordnet werden sollen. Gesucht ist eine Prozedur

**proc** *quicksort* = (**ref** $[s:t]$ **real** $a$, **int** $m$, **int** $n$): ⎯⎯⎯⎯⎯⎯⎯

die den durch die Indizes $m$ und $n$, $s \leq m \leq n \leq t$, begrenzten Ausschnitt des Feldes $a$ ordnet. Für $m=n$ hat *quicksort* nichts zu tun, so daß wir uns im folgenden auf den Fall $m<n$ beschränken können.

Falls der zu ordnende Ausschnitt von $a$ bereits „partitioniert" ist, d. h. falls es zu einer geeigneten reellen „Schnittzahl" $x$ Indizes $i$ und $j$ mit den Eigenschaften

$$m \leq j < i \leq n,$$
$$a[r] \leq x \quad \text{für}\ m \leq r \leq j,$$
$$a[r] = x \quad \text{für}\ j < r < i,$$
$$a[r] \geq x \quad \text{für}\ i \leq r \leq n$$

gibt, reduziert sich die Aufgabe auf die beiden Teilaufgaben

$$quicksort\ (a, m, j),$$
$$quicksort\ (a, i,\ \ n).$$

Um die Partitionierung herbeizuführen, wird eine Variable $i$, von $m$ ausgehend, hochgezählt und eine Variable $j$, von $n$ ausgehend, heruntergezählt, bis erstmals

$$a[i] > x \ \text{oder} \ i=n \quad \text{bzw.}$$
$$a[j] < x \ \text{oder} \ j=m$$

gilt. Ist dabei $i<j$, so liegt ein Hindernis vor, das durch Vertauschung von $a[i]$ und $a[j]$ behoben wird. Dieser Prozeß ist zu wiederholen, solange noch nicht $j<i$ ist:

```
⌐⌐ i:=m, j:=n ⌐ ;
   while i≤j do
⌐ while i<n ∧ a[i]≤x do
   i:=i+1;
   while m<j ∧ x≤a[j] do
   j:=j-1;
   if i<j then exchange (a[i], a[j])   comment
                vertausche a[i] und a[j]   comment;
         ⌐ i:=i+1, j:=j-1 ⌐   fi          ⌐⌐
```

Wenn dieses Programm endet, liegt (wegen $m < n$) stets $j < i$ vor, und der betrachtete Ausschnitt von $a$ ist partitioniert, wie oben beschrieben. Dabei wurde kein nennenswerter zusätzlicher Speicherplatz benötigt: Das Verfahren wird daher als „internes" Sortieren bezeichnet.

Es ist nicht notwendig, daß die Schnittzahl $x$ in der Menge der Feldelementwerte vorkommt. Wenn nicht – wenn beispielsweise die Feldkomponenten sämtlich ganzzahlig sind und die Schnittzahl nicht-ganzzahlig – ist am Ende sicherlich $j + 1 = i$: die mittlere Menge der Partition ist leer. Ist jedoch die Schnittzahl aus der Menge, d. h.

$$x = \textbf{cont } a[f] \quad \text{für ein bestimmtes } f, m \leq f \leq n,$$

so besteht eine gewisse Chance, daß $j + 1 < i$ und damit die nächsten Partitionierungen weniger umfangreich werden. Außerdem kann sich $a[f]$ am Ende noch in der linken oder rechten Menge der Partition befinden. Dann wird $a[f]$ in die mittlere Menge gebracht mittels

> **if** $i < f$ **then** *exchange* $(a[i], a[f])$; $i := i + 1$ **fi**;
> **if** $f < j$ **then** *exchange* $(a[f], a[j])$; $j := j - 1$ **fi**

Da $i < f$ und $f < j$ nicht gleichzeitig gelten können (denn $i < f \wedge f < j$ impliziert $i < j$), kann auch formuliert werden:

> **if** $i < f$ **then** *exchange* $(a[i], a[f])$; $i := i + 1$
> **elsf** $f < j$ **then** *exchange* $(a[f], a[j])$; $j := j - 1$ **fi**

Die Prozedur *exchange* hat transiente Parameter:

> **proc** *exchange* = (**ref real** $u$, **ref real** $v$):
>    $\ulcorner$ **real** $t = u$; $u := v$; $v := t$ $\lrcorner$;

beim Aufruf findet die Indexauswertung nur einmal statt.

Die Strategie dieses Sortierverfahrens hängt nun nur noch davon ab, welche der verschiedenen Möglichkeiten gewählt wird, die Schnittzahl $x$ festzulegen. HOARE (1961) wählt einen Index $f, m \leq f \leq n$, zufällig und nimmt als Schnittzahl $x = \textbf{cont } a[f]$. Dies ergibt folgende Prozedur:

```
proc quicksort = (ref [s:t] real a, int m, int n)
   :⌐ int i,j;
      proc partition = (ref int i, ref int j)
         :⌐ int f = m + entier ((n − m + 1) × random)
            comment zufälliger Index f mit m ≤ f ≤ n;
            für die Prozedur random siehe 2.4.5 comment;
            real x = a[f];
```

```
proc exchange = (ref real u, ref real v)
    :⌐ real t=u; u:=v; v:=t ⌐;
⌐ i:=m, j:=n  ⌐;
   while i≤j do
⌐  while i<n ∧ a[i]≤x do
   i:=i+1;
      while m<j ∧ x≤a[j] do
   j:=j−1;
      if i<j then exchange (a[i],a[j]);
                    ⌐ i:=i+1, j:=j−1  ⌐ fi  ⌐;
   if i<f then exchange (a[i],a[f]);
              i:=i+1
   elsf f<j then exchange (a[f],a[j]);
              j:=j−1                            fi  ⌐;
if m<n then partition (i,j);
            quicksort (a,m,j);
            quicksort (a,i,n)                   fi    ⌐
```

Beispiel eines Aufrufs:

```
[1:8] real q:=(7, 28, 4, 3, 19, 2, 11, 7);
quicksort (q, 1, 8)
```

> „La plus belle ruse du Diable est
> de nous persuader qu'il n'existe pas"
> BAUDELAIRE

3. Kapitel

# Maschinenorientierte algorithmische Sprachen

Die bisher eingeführte algorithmische Programmiersprache war weitgehend an der menschlichen, synthetischen Art zu denken orientiert (**benutzerorientierte** Sprache). Da die Algorithmen, die in einer solchen Sprache formuliert sind, von Maschinen ausgeführt werden sollen, müssen sie in eine algorithmische Beschreibung überführt werden, die die Maschine „verstehen" kann, nämlich in eine Folge von **Befehlen,** die unmittelbar die entsprechende Wirkung der Maschine zu bewirken imstande sind.

In diesem Kapitel soll eine solche **maschinenorientierte** Sprache entwickelt werden. Soweit wie möglich werden wir dabei die früher entwickelten Grundbegriffe und Notationen benutzen. Charakteristischerweise werden jedoch alle Konstruktionen mehr und mehr unterdrückt, bei denen man sich „etwas denken muß", etwa unterstellte Dereferenzierungen, Artausweitungen, Prozeduraufrufe; oder Formeln, in denen Klammern unterstellt sind auf Grund des Vorrangs gewisser Operationen vor anderen. Überhaupt wird die Verwendung von Klammern eingeschränkt. Alle diese Maßnahmen zielen darauf ab, daß die Bedeutung einer Konstruktion stets aus ihr selbst erschlossen werden kann, ohne die Umgebung anzusehen. Die einzelnen bedeutungsisolierten Konstruktionen nennt man dann auch bezeichnenderweise **Befehle,** die Sprache bietet ein dementsprechend abgehacktes Bild. Im Sinne einer in einem späteren Kapitel zu besprechenden Terminologie handelt es sich um eine Sprache mit **syntaktisch armer Struktur.** Eine solche ist der Maschine angemessen. Für denkgeschulte Menschen ist sie schlecht geeignet, weil sie zu unübersichtlich ist.

Neben der maschinenorientierten Sprache selbst besprechen wir die Überführung der bisher benutzten Sprache in maschinenorientierte Sprachen, allerdings müssen wir dabei einige schwierige Fragen für ein späteres Kapitel zurückstellen.

Die behandelten Beispiele lassen für die Überführung eine Methode erkennen; diese Methode intuitiv in den Griff zu bekommen, ist eine der Aufgaben dieses Kapitels. In einem späteren Kapitel wird kurz darauf eingegangen, wie die Vorschrift zur Überführung so vollständig abgefaßt werden kann, daß eine Maschine selbst sie vornehmen kann, daß sie zur **Übersetzung** wird. Es besteht also die – nur scheinbar paradoxe – Situation, daß die Maschine zwar ein benutzerorientiertes Programm nicht unmittelbar „verstehen" kann, daß aber dieselbe Maschine mittels eines **Übersetzerprogramms** das Programm in eine maschinenorientierte Form übersetzen kann, die sie anschließend „versteht".

> „Aber viele, die da sind die Ersten,
> werden die Letzten, und die Letzten
> werden die Ersten sein."
>
> Matth. 19, 30

## 3.1  Aufbrechen von Formeln

Formeln sind in der maschinenorientierten Sprache immer elementar, d.h. sie enthalten höchstens ein Operationszeichen. Es sind also neben Bezeichnungen wie

$$3 \quad \textbf{true} \quad \text{„buegeleisen"} \quad anton$$

nur einstellige Formeln wie

$$-17 \quad \neg\, ledig \quad \textbf{sign} \quad anton$$

und zweistellige Formeln wie

$$4+7 \quad a \times berta \quad \text{„buegel"} + \text{„eisen"}$$

zulässig. Kompliziertere Formeln müssen durch Einführung von Hilfsbezeichnungen aufgebrochen werden. Dabei verlängert sich die Aufschreibung – die Information wird verdünnt.

### 3.1.1  Überführung in „Drei-Adreß-Form"

Beispiel:
Es seien $a, b$ Konstantenbezeichnungen der Art **int**,
  $x$  eine Variable der Art **ref real**,
  $z$  eine Variable der Art **ref compl**.

Die Formel

$$\textbf{abs}\,(12 \times x - z \uparrow a) < b \times {}_{10} - 3$$

wird aufgebrochen in eine Folge von „Drei-Adreß-Befehlen":

$$
\begin{aligned}
\textbf{real}\,\eta^1 &= 12 \times x,\\
\textbf{compl}\,\eta^2 &= z \uparrow a,\\
\textbf{real}\,\eta^3 &= b \times {}_{10} - 3;\\
\textbf{compl}\,\eta^4 &= \eta^1 - \eta^2;\\
\textbf{real}\,\eta^5 &= \textbf{abs}\,\eta^4;\\
\eta^5 &< \eta^3
\end{aligned}
$$

unter Einführung der Konstantenbezeichnungen $\eta^1 \dots \eta^5$. Dabei ist von kollateraler Ausarbeitung soweit wie möglich Gebrauch gemacht. Das erarbeitete Ergebnis ergibt sich aus der letzten Zeile, aus der Formel wurde also ein Abschnitt.

Ähnlich wird aus einer Identitätsdeklaration oder Zuweisung mit einer Formel auf der rechten Seite ein echter Abschnitt.

In den folgenden, weiteren Beispielen nehmen wir der Einfachheit halber an, alle vorkommenden Objekte seien von gleicher Art, z. B. **ref real**. Wir wollen eine Methode in die Durchführung der Zerlegung bringen.

Beispiel (1):

$$g := (a \times b + c) + d - e/f,$$
$$\ulcorner \mathbf{real}\, \eta^{17} = a \times b;$$
$$\mathbf{real}\, \eta^{18} = \eta^{17} + c;$$
$$\mathbf{real}\, \eta^{19} = \eta^{18} + d \lrcorner,$$
$$\mathbf{real}\, \eta^{20} = e/f;$$
$$g := \eta^{19} - \eta^{20}.$$

Beispiel (2):

$$(a \times b + (a + d) \times c)/(a \times a + b \times b),$$
$$\ulcorner \mathbf{real}\, \eta^{33} = a \times b,$$
$$\ulcorner \mathbf{real}\, \eta^{34} = a + d;$$
$$\mathbf{real}\, \eta^{35} = \eta^{34} \times c \lrcorner;$$
$$\mathbf{real}\, \eta^{36} = \eta^{33} + \eta^{35} \lrcorner,$$
$$\ulcorner \mathbf{real}\, \eta^{37} = a \times a,$$
$$\mathbf{real}\, \eta^{38} = b \times b;$$
$$\mathbf{real}\, \eta^{39} = \eta^{37} + \eta^{38} \lrcorner;$$
$$\eta^{36}/\eta^{39}.$$

Man erkennt an den Beispielen, daß Zwischenergebnisse „zurückgestellt" werden, wenn, bedingt durch Klammern oder Vorrang, eine neue Teilformel begonnen werden muß, wobei von links nach rechts so wenig wie nötig zurückgestellt wird und so bald wie möglich das Zurückgestellte verarbeitet wird.

Dieses Prinzip (SAMELSON und BAUER 1957) hat besondere Vorteile, wie sich gleich (und auch im 8. Kap.) zeigen wird.

Werden nämlich statt der Konstantenbezeichnungen ein für allemal vereinbarte Variable verwendet, so ist, insbesondere wenn man die Kollateralität aufgibt, der Aufwand an Hilfsbezeichnungen weit geringer.

Wir nehmen vorläufig an, eine endliche Anzahl von Variablen $h1, h2, h3 \dots$ der Art **ref real** sei ein für allemal deklariert. Sie können dann für jede Formel neu verwendet werden, sie können insbesondere auch innerhalb der Formel wiederholt verwendet werden: Für das letztgenannte Beispiel ergibt sich in streng sequentieller Schreibweise

$$h1 := a \times b;$$
$$h2 := a + d;$$
$$h2 := h2 \times c;$$
$$h1 := h1 + h2;$$
$$h2 := a \times a;$$
$$h3 := b \times b;$$
$$h2 := h2 + h3;$$
$$h1/h2.$$

Bedenkt man nämlich, daß jedes Zwischenergebnis nur einmal verwendet wird[1], so wird eine Variable, die dieses enthält, stets „frei", sobald ihr Inhalt wieder verwendet worden ist.

   Das vorhin erwähnte Prinzip zieht nach sich, daß immer die zuletzt belegte Variable als erste frei wird (engl.: last in – first out). Ein Speicher (vgl. S. 163), der solcherart organisiert ist, wird **Keller** genannt (engl.: stack, push down). Es ergibt sich, daß der **Zwischenergebniskeller pulsierend** ist und stets nur mit dem Minimum an erforderlichen Zwischenergebnissen belegt ist (Kellerprinzip). Am Ende einer Formel steht das erarbeitete Ergebnis in der ersten Kellervariablen $(h1)$ (und in keiner anderen, Kontrolle!). Durch eine anschließende Zuweisung oder Identitätsdeklaration wird der Keller völlig frei[2].

   Anstatt eines Satzes von Variablen kann auch ein Feld von Variablen verwendet werden. Dann wird das Belegen der nächsten Variablen des Kellers oder das Freiwerden einfach durch Zähler besorgt

$$i := i+1; \qquad h[i] := a \times b;$$
$$i := i+1; \qquad h[i] := a + d;$$
$$h[i] := h[i] \times c;$$
$$i := i-1; \qquad h[i] := h[i] + h[i+1];$$
$$i := i+1; \qquad h[i] := a \times a;$$
$$i := i+1; \qquad h[i] := b \times b;$$
$$i := i-1; \qquad h[i] := h[i] + h[i+1];$$
$$i := i-1; \qquad h[i]/h[i+1].$$

Die dabei verwendete Zählvariable (von der Art **ref int**) wird **Pegel** genannt. Ihr momentaner Wert gibt das Ende des **belegten Kellers** an.

---

   [1] Dies gilt nur, solange nicht aus Effizienzgründen und unter Ausnützung der Kollateralität eine wiederholt vorkommende Teilformel nur e i n m a l berechnet werden soll.
   [2] Wollte man jedoch die Kollateralität bewahren, so käme man mit e i n e m Keller nicht aus. Für jeden „Zweig" der kollateralen Verarbeitung wäre ein eigener Keller nötig.

Die Verwendung einer Kette von Verbunden der Art (Abb. 65)

**mode stack = struct (ref real** *zelle*, **ref stack** *nachfolger*,
**ref stack** *vorgänger*)

ist ebenfalls möglich, das Hinauf- bzw. Hinunterzählen des Pegels wird dann durch *nachfolger* **of** bzw. *vorgänger* **of** ausdrückbar.

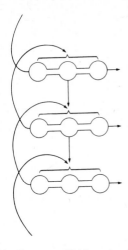

Abb. 65    Kette von Objekten der Art **stack**

### 3.1.2  Überführung in „Ein-Adreß-Form"

Als Grundform trat im vorigen Abschnitt die „Drei-Adreß-Form" auf, in der bis zu drei „Stücke" – bis zu zwei Operanden und eine Ergebnisvariable – anzugeben wären. Gelegentlich kann jedoch unter Verwendung von Hilfsvariablen ein Ergebnis dieselbe Bezeichnung wie ein Operand haben. Insbesondere kann es zweckmäßig sein, eine Sondervariable zu haben, „auf der" man operiert, d.h. in die man addiert

$$AC := AC + a,$$
$$AC := AC \times a$$

etc. Die Standardbezeichnung **AC**, schon durch die Schriftart ausgezeichnet, soll nur für diesen Zweck Verwendung finden; sie ist eine Abkürzung des Wortes **Akkumulator.**

Neben dem Operieren mit der durch $\omega$ bzw. $\sigma$ bezeichneten Operation auf dem Akkumulator

dyadisch:              $AC := AC\,\omega$ ›Operand‹,                    (i)
monadisch:             $AC := \sigma\,AC$                              (ii)

gibt es an „Ein-Adreß-Befehlen" noch das **Bringen in den Akkumulator**

$$AC := \text{›Operand‹}$$ (iii)

sowie das **Zuweisen aus dem Akkumulator**

$$\text{›Ergebnis‹} := AC$$ (iv)

an Variable.

Die Überführung in Ein-Adreß-Form geschieht nun mechanisch zunächst durch die Ersetzung jedes Drei-Adreß-Befehls durch drei Ein-Adreß-Befehle unter anschließendem Weglassen unnötiger Bestandteile:

Beispiel:

$$(a \times b + (a+d) \times c)/(a \times a + b \times b).$$

Aus Beispiel (2) in der Fassung von S. 140 ergibt sich

| | | |
|---|---|---|
| $AC := a$; | $AC := AC \times b$; | $h1 := AC$; |
| $AC := a$; | $AC := AC + d$; | $h2 := AC$; |
| $AC := h2$; | $AC := AC \times c$; | $h2 := AC$; |
| $AC := h1$; | $AC := AC + h2$; | $h1 := AC$; |
| $AC := a$; | $AC := AC \times a$; | $h2 := AC$; |
| $AC := b$; | $AC := AC \times b$; | $h3 := AC$; |
| $AC := h2$; | $AC := AC + h3$; | $h2 := AC$; |
| $AC := h1$; | $AC := AC/h2$; | |

wobei die Teilfolge $h2 := AC$; $AC := h2$ unerheblich ist und weggelassen werden darf.

Das erarbeitete Ergebnis einer Formel fällt im **AC** an.

Schreibtechnisch empfiehlt sich für die Ein-Adreß-Befehle eine Kurzschrift: Man schreibt lediglich

$$\omega \, \text{›Operand‹} \quad \text{für} \quad AC := AC \, \omega \, \text{›Operand‹}$$
$$\sigma \quad \text{für} \quad AC := \sigma \, AC$$

sowie suggestiv[3]

$$0 + \text{›Operand‹} \quad \text{für} \quad AC := \text{›Operand‹}$$

und schließlich nach K. Zuse („Ergibtpfeil")

$$\Rightarrow \text{›Ergebnis‹} \quad \text{für} \quad \text{›Ergebnis‹} := AC.$$

---

[3] als Addieren in den „gelöschten" Akkumulator.

Das ergibt dann

$$\text{Wirkung: } \mathbf{AC} \text{ enthält}$$

$$
\begin{array}{ll}
\mathbf{0} + a & a \\
\times\, b & a \times b \\
\Rightarrow h\,1 & \\
\mathbf{0} + a & a \\
+ d & a + d \\
\times\, c & (a+d) \times c \\
\Rightarrow h\,2 & \\
\left.\begin{array}{l}\mathbf{0} + h\,1 \\ + h\,2\end{array}\right\}\!+ h\,1 & (a+d) \times c + a \times b \\
\Rightarrow h\,1 & \\
\mathbf{0} + a & a \\
\times\, a & a \times a \\
\Rightarrow h\,2 & \\
\mathbf{0} + b & b \\
\times\, b & b \times b \\
\Rightarrow h\,3 & \\
\left.\begin{array}{l}\mathbf{0} + h\,2 \\ + h\,3\end{array}\right\}\!+ h\,2 & b \times b + a \times a \\
\Rightarrow h\,2 & \\
\mathbf{0} + h\,1 & (a+d) \times c + a \times b \\
/ h\,2 & ((a+d) \times c + a \times b)/(b \times b + a \times a).
\end{array}
$$

Dabei ist noch angegeben, welche Einsparung möglich ist, wenn das Kommutativgesetz ausgenutzt wird. Bei den im Beispiel unterstellten numerisch-reellen Zahlen ist üblicherweise Kommutativität der Addition und der Multiplikation gegeben.

Generell kann

$$
\left.\begin{array}{l}
\Rightarrow \rangle H \langle \\
\mathbf{0} + \rangle K \langle \\
\omega \rangle H \langle
\end{array}\right\} \text{ durch } \omega \rangle K \langle
$$

ersetzt werden, wenn $\omega$ kommutativ ist.

In

$$a + b \times c$$

ergeben sich (ohne Ausnutzung der Kommutativität der Addition!) die beiden sequentiellen Aufschreibungen der kollateralen Beschaffung der Operanden der Addition:

|  | Wirkung: **AC** enthält |  | Wirkung: **AC** enthält |
|---|---|---|---|
| $\mathbf{0}+a$ | $a$ | | |
| $\Rightarrow h1$ | | | |
| $\mathbf{0}+b$ | $b$ | $\mathbf{0}+b$ | $b$ |
| $\times c$ | $b\times c$ | $\times c$ | $b\times c$ |
| $\Rightarrow h2$ | | $\Rightarrow h1$ | |
| $\mathbf{0}+h1$ | $a$ | $\mathbf{0}+a$ | $a$ |
| $+h2$ | $a+b\times c$ | $+h1$ | $a+b\times c,$ |

von denen die zweite einfacher ist.

Unter Ausnutzung der Kommutativität der Addition erhielte man jedoch aus der zweiten noch einfacher

|  | Wirkung: **AC** enthält |
|---|---|
| $\mathbf{0}+b$ | $b$ |
| $\times c$ | $b\times c$ |
| $+a$ | $b\times c+a.$ |

Folgender Unterschied ist genau zu beachten:

„Kollateralität ausnutzen" bedeutet, Operanden in der geeigneten Reihenfolge *beschaffen*,

„Kommutativität ausnutzen" bedeutet, Operanden in der geeigneten Reihenfolge *verknüpfen*.

Auch das vorige Beispiel ließe sich noch vereinfachen, indem unter Ausnutzung der Kollateralität zuerst der Nenner und dann der Zähler berechnet werden:

|  | Wirkung: **AC** enthält |
|---|---|
| $\mathbf{0}+a$ | $a$ |
| $\times a$ | $a\times a$ |
| $\Rightarrow h1$ | |
| $\mathbf{0}+b$ | $b$ |
| $\times b$ | $b\times b$ |
| $+h1$ | $b\times b+a\times a$ |
| $\Rightarrow h1$ | |
| $\mathbf{0}+a$ | $a$ |
| $\times b$ | $a\times b$ |
| $\Rightarrow h2$ | |
| $\mathbf{0}+a$ | $a$ |
| $+d$ | $a+d$ |
| $\times c$ | $(a+d)\times c$ |
| $+h2$ | $(a+d)\times c+a\times b$ |
| $/h1$ | $((a+d)\times c+a\times b)/(b\times b+a\times a).$ |

Auch für nichtkommutative Operationen ist also generell die zur Form (i)

$$\mathbf{AC} := \mathbf{AC}\,\omega\,\rangle\text{Operand}\langle$$

spiegelbildliche Form

$$\mathbf{AC} := \rangle\text{Operand}\langle\,\omega\,\mathbf{AC} \tag{i'}$$

entbehrlich.

Schreibt man die einzelnen „Ein-Adreß-Befehle" fortlaufend von rechts nach links und unterdrückt dabei alle Zeichen **0 +**, so ergibt sich in unserem vorigen Beispiel

$$/h1 + h2 \times c + d\ \ a \Rightarrow h2 \times b\ \ a \Rightarrow h1 + h1 \times b\ \ b \Rightarrow h1 \times a\ \ a ,$$

wobei wir, entsprechend dem Pulsieren des Zwischenergebniskellers, auf die Angabe der Zwischenergebnisvariablen (deren Weiterverwendung durch Pfeile angedeutet ist) gänzlich verzichten können. Was sich dann ergibt, wird **polnische Schreibweise**[4] genannt. In unserem Beispiel wird das zu

$$/ + \times c + d\ a \times b\ a + \times b\ b \times a\ a .$$

Offenbar kann man aus der polnischen Schreibweise die Ein-Adreß-Befehl-Folge eindeutig wieder rekonstruieren:

Jedes dyadische Operationszeichen bekommt, von rechts beginnend, als Operanden die beiden nächstgelegenen, noch freien Zwischenergebnisse oder Größen zugewiesen; für monadische Operationszeichen gilt sinngemäß entsprechendes.

Die Überführung in Ein-Adreß-Form ist also der Überführung in polnische Schreibweise äquivalent, und die Zwischenergebnisse bei der Auswertung eines Ausdrucks in polnischer Schreibweise bilden gerade den pulsierenden Zwischenergebniskeller[5].

Was vorausgehend am Beispiel von Größen der Art **real** erläutert wurde, gilt entsprechend auch für andere Arten und zugehörige Operationen. Dabei müssen wir zunächst davon ausgehen, daß **AC** zwar eine Sondervariable, aber von einer bestimmten Art ist. Wir müssen also verschiedene **AC**, wie $\mathbf{AC_{real}}$, $\mathbf{AC_{int}}$, $\mathbf{AC_{bool}}$, $\mathbf{AC_{ref}}$ unterscheiden. Wir werden auf einer späteren Stufe diese Unterscheidung (teilweise) aufgeben und damit einen nicht-artspezifischen Akkumulator einführen. Dies wird damit einhergehen, daß primitive Objekte verschiedener Art durch das gleiche Binärwort codiert werden, insbesondere daß z. B. **true** und eine gewisse ganze Zahl dasselbe Codezeichen, **false** und eine gewisse (andere) ganze Zahl ebenfalls dasselbe Codezeichen zugewiesen bekommen (vgl. 3.2.5).

---

[4] Auch „Warschauer Normalform" oder „Postfixform" genannt; eingeführt in der Schule des polnischen Logikers LUKASIEWICZ um 1925.
[5] ANGSTL und BAUER, 1950. Verwirklicht im Formelrechner STANISLAUS.

Neuerdings kommen in größeren Rechenanlagen nicht nur tatsächlich artspezifische Akkumulatoren vor, sondern es werden auch zunehmend mehrere Akkumulatoren verfügbar gemacht. Dies erlaubt zunächst ihre Verwendung an Stelle der Hilfsvariablen und damit eine Einsparung von $0+$ und $\Rightarrow$-Operationen. In unserem Beispiel (2) ließe sich jetzt schreiben

$$\mathbb{F}\ulcorner AC1 := a; \quad AC1 := AC1 \times b \lrcorner, \ulcorner AC2 := a; \quad AC2 := AC2 + d;$$
$$AC2 := AC2 \times c \lrcorner; \; AC1 := AC1 + AC2 \lrcorner,$$
$$\mathbb{F}\ulcorner AC3 := a; \quad AC3 := AC3 \times a \lrcorner, \ulcorner AC4 := b; \quad AC4 := AC4 \times b \lrcorner;$$
$$AC3 := AC3 + AC4 \lrcorner;$$
$$AC1/AC3 \lrcorner.$$

Die Verfügbarkeit mehrerer Akkumulatoren bedeutet jedoch noch nicht notwendig die Möglichkeit der zeitlich parallelen Erarbeitung der Ergebnisse kollateraler Teilformeln. Dazu ist auch die Verfügbarkeit getrennt arbeitender Verarbeitungswerke erforderlich.

Am Ende dieses Abschnitts soll nochmals zusammengestellt werden: Die maschinennahe Ausnutzung der Kollateralität kann bedeuten:

1. Erzielung einer günstigen Reihenfolge in der Beschaffung der Operanden.

2. Einmalige Erarbeitung des Ergebnisses einer mehrfach vorkommenden Teilformel.

3. Parallele Erarbeitung der Ergebnisse kollateraler Teilformeln, wobei jedoch die Maximalausnutzung ein schwieriges Problem darstellt.

### 3.1.3 Bedingte Sprünge

Eine bedingte Formel oder ein bedingter Abschnitt kann unter Verwendung von Sprüngen zurückgeführt werden auf einen **bedingten Sprung:**
Anstatt

> **if** ›Bedingung‹ **then** ›Ja-Konstituente‹
> **else** ›Nein-Konstituente‹ **fi** ⎯⎯⎯⎯⎯⎯

kann man schreiben

> **if** ›Bedingung‹ **then goto** $m1$ **fi**;
> ›Nein-Konstituente‹; **goto** $m2$;
> $m1$: ›Ja-Konstituente‹;
> $m2$: ⎯⎯⎯⎯⎯⎯

Sind die beiden Konstituenten Formeln oder Abschnitte, die ein erarbeitetes Ergebnis liefern, so fällt das Ergebnis in der obersten Kellervariablen $h1$ bzw. im **AC** an.

Für die verkürzte Form

> **if** ›Bedingung‹ **then** ›Ja-Konstituente‹ **fi**

ist statt der verkürzten Umsetzung in

> **if** ›Bedingung‹ **then goto** $m1$ **fi**;
> **goto** $m2$;
> $m1$: ›Ja-Konstituente‹;
> $m2$: ─────────

besser, weil weniger umständlich, das „Nichtüberspringen"

> **if** ¬›Bedingung‹ **then goto** $m1$ **fi**;
> ›Ja-Konstituente‹;
> $m1$: ─────────

Die ›Bedingung‹ ist eine Formel oder ein Abschnitt, der einen Wert der Art **bool** liefert. In der „Drei-Adreß-Form" genügt es, die letzte Operation zu betrachten. Somit sind zumindest **bedingte Sprünge** der Form

> **if** ›Operand‹ $\rho$ ›Operand‹ **then goto** ›Marke‹ **fi**

vorzusehen. Die drei Stücke sind hier zwei Operanden und eine Marke. Als $\rho$ können alle sechs Vergleichsoperatoren

$$\leq \quad < \quad \geq \quad > \quad = \quad \neq$$

vorkommen. Damit reicht man aber auch aus: Man kann nämlich das Ergebnis einer Booleschen Operation stets einer Hilfsvariablen $\eta$ zuweisen und

> **if** $\eta$ = **true then goto** ›Marke‹ **fi**

anstelle von

> **if** $\eta$ **then goto** ›Marke‹ **fi**

benutzen.

Bei „Ein-Adreß-Form" wird man voraussetzen, daß das erarbeitete Ergebnis der Bedingung als Boolescher Wert in einem Akkumulator steht, der meist nicht artspezifisch ist. Dann benötigt man lediglich die „Ein-Adreß-Form" des bedingten Sprunges

> **if AC** = **true then goto** ›Marke‹ **fi**.

Für Vergleichsoperationen auf zahlartigen Objekten steht jedoch häufig keine dyadische Operation zur Verfügung. Statt dessen wird für **int**, **rat** und **real** die Translationsinvarianz des Vergleichs ausgenutzt, nämlich daß

$$\left. \begin{array}{l} a \leq b \\ a < b \\ a \geq b \\ a > b \\ a = b \\ a \neq b \end{array} \right\} \text{gleichwertig ist mit} \left\{ \begin{array}{l} a-b \leq 0 \\ a-b < 0 \\ a-b \geq 0 \\ a-b > 0 \\ a-b = 0 \\ a-b \neq 0. \end{array} \right.$$

Nach einer Hilfssubtraktion der Operanden, mit einem im **AC** anfallenden Ergebnis, verbleiben also nur noch die monadischen Operationen

$$< 0 \qquad > 0$$
$$> 0 \qquad < 0$$
$$= 0 \qquad \neq 0$$

auszuführen, die, angewandt auf Operanden der Art **int**, **rat**, **real**, die letzten beiden auch auf **compl**, ein Ergebnis der Art **bool** haben. Da die in der rechten Spalte stehenden jeweils die Negation der links daneben stehenden liefern, kommt man mit dreien aus, wenn man auch noch

**if AC = false then goto** ›Marke‹ **fi**

hat, oder wenn man in Kauf nimmt, Ja-Konstituente und Nein-Konstituente austauschen zu müssen, was u. U. eine kompliziertere Sprungkonstruktion erzwingt.

Außerdem ist

$$\left.\begin{array}{l} a-b \geq 0 \\ a-b > 0 \end{array}\right\} \text{ gleichwertig mit } \left\{\begin{array}{l} b-a \leq 0, \\ b-a < 0, \end{array}\right.$$

so daß man nur $\geq$ oder $\leq$ bzw. nur $>$ oder $<$ braucht, wenn man vorher die Reihenfolge in der Subtraktion umkehrt – was allerdings eine Zwischenspeicherung mehr erfordern kann.

Häufig zieht man die monadische Vergleichsoperation mit dem bedingten Sprung zusammen, also etwa

**if AC > 0 then goto** ›Marke‹ **fi**,
**if AC = 0 then goto** ›Marke‹ **fi**.

Abkürzend für **AC**$\rho$ **0** kann geschrieben werden $\rho$ **0**.

Den Vergleich anderer als zahlartiger Objekte stellen wir zurück.

Beispiel:

Programmstück zur Berechnung von

$$F(x) = \begin{cases} a & \text{für } a \leq x < b \\ b & \text{für } x = b \\ c & \text{für } b < x \leq c \\ 0 & \text{sonst} \end{cases}$$

Wirkung: **AC** enthält

| | |
|---|---|
| **0**$+x$ | $x$ |
| $-a$ | $x-a$ |
| **if** $<$ **0 then goto** $L$ **fi** | $x < a$ |
| **0**$+x$ | $x$ |
| $-b$ | $x-b$ |

$$\begin{array}{ll}
\textbf{if} < \textbf{0 then goto } M \textbf{ fi} & x < b \\
\textbf{if} = \textbf{0 then goto } N \textbf{ fi} & x = b \\
\textbf{0} + x & x \\
\quad - c & x - c \\
\textbf{if} > \textbf{0 then goto } L \textbf{ fi} & x > c
\end{array}$$

$$\begin{array}{l}
\qquad \textbf{0} + c \\
\qquad \textbf{goto } E \\
M: \ \textbf{0} + a \\
\qquad \textbf{goto } E \\
N: \ \textbf{0} + b \\
\qquad \textbf{goto } E \\
L: \ \ \textbf{0} + 0 \\
E: \Rightarrow F.
\end{array}$$

Dabei ist unterstellt, daß ein unbedingter Sprung den Akkumulator unverändert läßt. Im übrigen ist klar, daß die behandelte Zurückführung bedingter Formeln und Abschnitte auf den Fall eines einzigen Akkumulators zugeschnitten ist.

### 3.1.4 Behandlung Boolescher Operationen durch Sprünge

Es sei zunächst daran erinnert, daß alle dyadischen Operationen die Erarbeitung ihrer beiden Operanden erfordern. Wird das Ergebnis einer Operation durch einen Operanden allein bestimmt, so kann aber auf die Erarbeitung des zweiten Operanden gänzlich verzichtet werden, sofern diese keine Seiteneffekte verursacht. Dies sei für diesen Abschnitt angenommen[6].

Hat etwa der erste Operand der Operation $\wedge$ den Wert **false**, so kann die Ausrechnung des zweiten übersprungen werden.

Von zwei Operanden wird man nun für den Sprungtest denjenigen auswählen[7], dessen Ausrechnung weniger Arbeitsaufwand erfordert, oder dessen Wert am häufigsten so ausfällt, daß das Überspringen des anderen erlaubt ist.

Insbesondere ist diese Methode angezeigt, wenn das Ergebnis der Booleschen Operation in einem bedingten Sprung

$$\textbf{if } AC = \textbf{true then goto } \rangle\text{Marke}\langle \textbf{ fi}$$

Verwendung finden soll.

Beispiel:

$$\textbf{if } (\textbf{abs } a > \textbf{abs } b) \vee (a = 0 \wedge b = 0)$$
$$\textbf{then goto } m\text{l } \textbf{fi}$$

---

[6] Meist bereitet es praktisch unüberwindliche Schwierigkeiten, das Fehlen von Seiteneffekten mechanisch nachzuweisen. Daher ist die geschilderte Methode nur für unmittelbare maschinennahe Programmierung geeignet, nicht aber für ALGOL 68-Übersetzer.

[7] Bei unmittelbarer maschinennaher Programmierung.

wird zu

$$0+a$$
**abs**
$$\Rightarrow h1$$
$$0+b$$
**abs**
$$-h1$$
**if** $<$ **0 then goto** $m1$ **fi**
$$0+a$$
**if** $\neq$ **0 then goto** $m2$ **fi**
$$0+b$$
**if** $=$ **0 then goto** $m1$ **fi**
$$m2: \underline{\quad\quad\quad}$$

### 3.1.5  Behandlung von Rechenvorschriften

Eine Rechenvorschrift wird, wie im 2. Kap. dargelegt, aufgerufen durch Angabe der sie kennzeichnenden Bezeichnung, evtl. gefolgt von einer Liste aktueller Parameter.

Dementsprechend liegt es nahe, den Aufruf durch Einkopieren des Rumpfes der Rechenvorschrift oder der echten Prozedur zu bewerkstelligen (im Jargon: Technik der offenen Unterprogramme[8], wofür wir auch **offener Einbau** der Rechenvorschrift sagen.

Beispiel: Aufruf der Rechenvorschrift *quadrat*,

$$\textbf{proc real } quadrat = \textbf{real}: a\uparrow2 + b\uparrow2$$

in der Wertzuweisung

$$d := a + quadrat \times 2.$$

In die linksstehende Sequenz wird die rechtsstehende, den Rumpf der Rechenvorschrift enthaltende Sequenz eingefügt.

$$0+a$$
$$\Rightarrow h1$$
$$\qquad\qquad 0+b$$
$$\qquad\qquad \times b$$
$$\qquad\qquad \Rightarrow h2$$
$$\qquad\qquad 0+a$$
$$\qquad\qquad \times a$$
$$\qquad\qquad +h2$$
$$\times 2$$
$$\Rightarrow h2$$
$$0+h1$$
$$+h2$$
$$\Rightarrow d.$$

---

[8] Engl. „*intrinsic procedures*" oder „*open subroutines*". Gelegentlich spricht man auch von **Makrobefehlen** (engl. „*macros*").

Zu beachten ist, daß der **AC** in der Regel im einzubauenden Rumpf benutzt wird und deshalb gegebenenfalls vorher abgespeichert, nachher wiederbesetzt werden muß. Ferner muß bei der Verwendung von Kellervariablen für Zwischenergebnisse beachtet werden, daß eventuell schon einige belegt sind, es muß also mit der ersten freien (im obigen Beispiel: mit $h2$) begonnen werden. Davon abgesehen, wird stets dieselbe Sequenz einkopiert.

Vorteile, die die kollaterale Ausarbeitung der Formel, aus der der Aufruf kommt, bietet, werden natürlich ausgenutzt. Deshalb könnte kürzer geschrieben werden

$$
\begin{aligned}
&& 0 + b \\
&& \times b \\
&& \Rightarrow h1 \\
&& 0 + a \\
&& \times a \\
&& + h1 \\
& \times 2 \\
& \Rightarrow h1 \\
& 0 + a \\
& + h1 \\
& \Rightarrow d.
\end{aligned}
$$

Gelegentlich ergeben sich nach dem Einkopieren aus dem Assoziativgesetz noch Vereinfachungsmöglichkeiten, wie etwa für

$$\textbf{proc int } sum = \textbf{int}: a + b$$

mit dem Aufruf

$$d := 1 + sum,$$

wobei

$$
\begin{aligned}
&& 0 + a \\
&& + b \\
& \Rightarrow h1 \\
& 0 + 1 \\
& + h1 \\
& \Rightarrow d
\end{aligned}
$$

zu

$$
\begin{aligned}
& 0 + 1 \\
& + a \\
& + b \\
& \Rightarrow d
\end{aligned}
$$

vereinfacht werden kann.

Wenn die einzuarbeitende Rechenvorschrift Parameter hat, so wird es notwendig, auch die die Parameterübergabe bewirkende Sequenz von Identitätsdeklarationen einzukopieren. Da die formalen Parameter nur für die Rechenvorschrift selbst Bedeutung haben, erfolgt der Einbau der Identitätsdeklarationen, gefolgt vom eigentlichen Rumpf, im ganzen als Block:

Beispiel: Die Rechenvorschrift *quadrat 1*,

$$\textbf{proc (real) real } quadrat\ 1 = (\textbf{real } a)\ \textbf{real}: a{\uparrow}2 + b{\uparrow}2$$

wird aufgerufen in

$$d := quadrat\ 1(c) \times 3 + a.$$

Der offene Einbau ergibt

$$\ulcorner \textbf{real}\ a = c$$
$$\mathbf{0} + b$$
$$\times b$$
$$\Rightarrow h1$$
$$\mathbf{0} + a$$
$$\times a$$
$$+ h1 \lrcorner$$
$$\times 3$$
$$+ a$$
$$\Rightarrow d.$$

Bei einem anderen Aufruf mit einem anderen aktuellen Parameter steht dieser auf der rechten Seite der Identitätsdeklaration. Davon, und von der Verwendung der jeweils ersten freien Kellervariablen abgesehen, wird stets dieselbe Sequenz einkopiert.

Von welcher Art die formalen Parameter sind, spielt keine Rolle. Sie können auch **ref** oder **proc** sein, im letzteren Fall entsteht eine Identitätsdeklaration für eine als aktuellen Parameter einzubringende Rechenvorschrift.

Beispiel: Der Aufruf der Rechenvorschrift *simpson* von S. 87

$$simpson\ ((\textbf{int}\,j)\ \textbf{real} : x \uparrow j)$$

bewirkt die Identitätsdeklaration

$$\textbf{proc (int) real}\,f = (\textbf{int}\,j)\ \textbf{real} : x \uparrow j$$

und führt zu folgendem:

$$\ulcorner \text{int}\,j = 0$$
$$\mathbf{0} + x$$
$$\uparrow j \ \lrcorner$$

$$\Rightarrow h1$$

$$\ulcorner \textbf{int}\,j = 1$$
$$\mathbf{0} + x$$
$$\uparrow j \ \lrcorner$$

$$\times 4$$
$$+ h1$$
$$\Rightarrow h1$$

$$\ulcorner \textbf{int}\,j = 2$$
$$\mathbf{0} + x$$
$$\uparrow j \ \lrcorner$$

$$+ h1$$
$$/6.$$

Im Rumpf der einzukopierenden Rechenvorschrift steht im letzten Beispiel selbst ein Aufruf der eingebrachten Rechenvorschrift. In anderen Fällen mag im Rumpf ein Aufruf einer im Rumpf vereinbarten Rechenvorschrift vorkommen. Während des Vorgangs des Einkopierens kann es also notwendig werden, erneut einen Einkopiervorgang zu beginnen. Es ist für das Verständnis am einfachsten, sich den offenen Einbau **schalenweise** vorzustellen. Dabei wird auch klar, daß der Methode des Kopierens dort eine Grenze gesetzt wird, wo unbeschränkt viele Kopiervorgänge erforderlich würden (vgl. 5. Kap.).

Nicht zuletzt aus diesem Grund, vor allem aber auch wegen der Unwirtschaftlichkeit des wiederholten Aufschreibens verwendet man zur Behandlung des Aufrufs von Rechenvorschriften oft eine andere Methode.

Die Methode des Ansprungs (im Jargon: Technik des geschlossenen Unterprogramms[9]) benutzt einen Sprung auf den nur einmal vorzusehenden, die Rechenvorschrift bildenden Block. Zunächst, im parameterlosen Fall, ist dazu eine neue Art von Sprung notwendig: Ein Sprung auf den Beginn eines Blockes mit automatischer Rückkehr nach dem Ende des angesprungenen Blockes unmittelbar hinter die Absprungstelle. Der Beginn des angesprungenen Blockes (Abb. 66), der die Rechen-

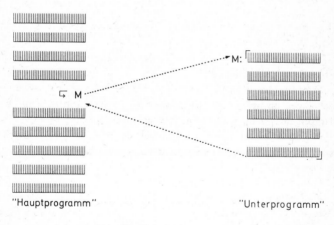

"Hauptprogramm"                    "Unterprogramm"

Abb. 66    Unterprogrammaufruf

vorschrift bildet, ist durch eine öffnende Klammer ⌐ gekennzeichnet, für die Rückkehr ist dann die korrespondierende schließende Blockklammer ⌐ als „Stolperschwelle" anzusehen. Mit der Bezeichnung

↳ ›Marke‹

---

[9] Engl. „closed subroutine".

würde sich dann im vorhin benutzten Beispiel folgendes ergeben:

$$
\begin{aligned}
&\mathbf{0}+a \\
&\Rightarrow h1 \\
&\llcorner \quad quadrat \\
&\times 3 \\
&\Rightarrow h2 \\
&\mathbf{0}+h1 \\
&+h2 \\
&\Rightarrow d
\end{aligned}
$$

und an der Stelle der ursprünglichen Identitätsdeklaration für *quadrat* steht

$$
\begin{aligned}
quadrat: \ulcorner \ &\mathbf{0}+b \\
&\times b \\
&\Rightarrow h2 \\
&\mathbf{0}+a \\
&\times a \\
&+h2 \ \lrcorner
\end{aligned}
$$

ein Block, dessen erarbeitetes Ergebnis im **AC** steht und mit dem nach der Rückkehr unmittelbar weiter operiert werden kann.

Die Methode besteht also darin, aus der Bezeichnung der Rechenvorschrift eine Marke abzuleiten[10], diese unmittelbar vor den die Rechenvorschrift definierenden Block zu setzen und bei jedem Aufruf mit Rückkehrsprung unter Verwendung dieser Marke den Block anzuspringen. Der Ansprung darf natürlich nur aus dem Block heraus erfolgen, für den die aufgerufene Rechenvorschrift gültig ist.

Für den Fall echter Prozeduren ergibt sich lediglich, daß kein ausgearbeitetes Ergebnis anfällt. Der Sprung $\llcorner$ darf im übrigen, wie auch der Sprung **goto**, den **AC** nicht verändern.

Für den Fall von Rechenvorschriften mit Parametern entsteht ein zusätzliches Problem. Die Parameterübergabe mit den wechselnden aktuellen Parametern kann nicht in Form von Identitätsdeklarationen zu Beginn des die Rechenvorschrift bildenden Rumpfes gemacht werden, unmittelbar vor dem Sprung jedoch ebenfalls nicht, wenn man nicht die Beschränkung der Gültigkeit der formalen Parameter auf den Rumpf durchbrechen will. Man führt deshalb Hilfsvariable ein in Form von (nicht-artspezifischen[11]) Parameterregistern **PAR1**, **PAR2**, ..., denen vor dem Absprung die aktuellen Parameter in der Reihenfolge ihres Auftretens kellerartig zuge-

---

[10] Äußerlich unter Verwendung der gleichen Bezeichnung, der begriffliche Unterschied kommt durch den nachfolgenden Doppelpunkt zum Ausdruck, bzw. die Uminterpretation erfolgt durch das vorausgehende $\llcorner$ anstelle des **goto** beim Ansprung.

[11] Vgl. 3.2.5.

wiesen werden und deren Inhalte auf der rechten Seite von Identitätsdeklarationen zu Beginn des Rumpfes die Parameterübergabe vollziehen. In unserem vorgenannten Beispiel ergibt sich:

$$\textbf{PAR1} := c$$
$$\unrhd\ quadrat\,1$$
$$\times 3$$
$$+a$$
$$\Rightarrow d$$

und an der Stelle der ursprünglichen Identitätsdeklaration für *quadrat 1* steht

$$quadrat\,1: \ulcorner \textbf{real}\,a = \textbf{PAR1}$$
$$0+b$$
$$\times b$$
$$\Rightarrow h1$$
$$0+a$$
$$\times a$$
$$+h1\ \lrcorner.$$

Ist ein aktueller Parameter eine explizit angegebene Rechenvorschrift, so mag es angezeigt sein, erst eine Hilfsbezeichnung für diese vorzugeben und dann nur diese über das **PAR** zu übermitteln. Im Beispiel der Prozedur *simpson* ergibt das zunächst:

$$\textbf{PAR1} := integrand$$
$$\unrhd\ simpson$$
$$simpson: \ulcorner \textbf{proc (int) real}\,f = \textbf{PAR1}$$
$$\textbf{PAR2} := 0$$
$$\unrhd\ f$$
$$\Rightarrow h1$$
$$\textbf{PAR2} := 1$$
$$\unrhd\ f$$
$$\times 4$$
$$+h1$$
$$\Rightarrow h1$$
$$\textbf{PAR2} := 2$$
$$\unrhd\ f$$
$$+h1$$
$$/\,6\ \lrcorner,$$

und dann, mit einer ebensolchen Behandlung von integrand:

$$integrand: \ulcorner \textbf{int}\,j = \textbf{PAR2}$$
$$0+x$$
$$\uparrow j\ \lrcorner.$$

Die auf S. 140 für die Kellervariablen gemachte Bemerkung gilt auch für die Parameterregister. Auf einer späteren Stufe wird sich eine vereinheitlichte Behandlung ergeben.

Zu beachten ist, daß nunmehr ein Rückkehrsprung stattfinden kann, bevor ein vorangegangener Rückkehrsprung beendet ist. Die Rückkehrsprünge liegen dann schachtelartig ineinander. Wir werden auf dieses Phänomen insbesondere im 5. Kap. unter dem Stichwort „rekursive Produren" zurückkommen.

Auch die Behandlung von Standardprozeduren (S. 90) fällt unter die Methoden dieses Abschnitts. Es darf unterstellt werden, daß für die von den Standardprozeduren selbst durchzuführende Tätigkeit ein Programm ein für allemal geschrieben ist und die Standardprozedur definiert, während die „verbale Beschreibung" nur eine zwischen roher Annäherung und abstrakter Verallgemeinerung schwankende Beschreibung ist. Es muß dann lediglich bekannt sein, auf welches Parameterübergabeverfahren dieses Programmstück abgestellt ist, und welche Parameter zu übergeben sind. Für die verhältnismäßig einfachen Standardprozeduren von S. 90 wird nicht selten offener Einbau verwendet. Andernfalls sind beim Ansprung Parameterregister zu verwenden. Für Prozeduren, die ein erarbeitetes Ergebnis liefern und außerdem genau ein Argument haben (dazu gehören die meisten der auf S. 90 behandelten), wird dabei der **AC** oft nicht nur für das Ergebnis, sondern auch anstelle von **PAR 1** verwendet[12] („Übergabe durch **AC**"). Ähnlich wie bei Standardprozeduren verfährt man auch bei Prozeduren, die man aus irgendwelchen Gründen „von Hand" in maschinenorientierter Programmierung fertigt („Codeprozeduren").

Die Methoden dieses Abschnittes haben dazu geführt, Identitätsdeklarationen für Rechenvorschriften und echte Prozeduren aufzulösen. Es bleiben also nur noch Identitätsdeklarationen für Namen und für primitive Objekte zu behandeln.

## 3.2 Adressen und Zellen

### 3.2.1 Behandlung von mehrstufigen Feldern

In diesem Abschnitt sollen mehrstufige Felder eliminiert werden, indem sie auf einstufige zurückgeführt werden. Ein $r$-stufiges Feld $a$ mit der Indikation

$$[\rangle m_1 \langle : \rangle n_1 \langle, \rangle m_2 \langle : \rangle n_2 \langle, \dots, \rangle m_r \langle : \rangle n_r \langle] \text{ real}$$

umfaßt insgesamt

$$K = k_1 \times k_2 \times \cdots \times k_r$$

Komponenten, wobei

$$k_i = n_i - m_i + 1$$

---

[12] Bei unmittelbar maschinennaher Programmierung.

die **Spanne** des $i$-ten Indexes ist. Ebensoviel Komponenten hat das einstufige Feld $a$ mit der Indikation

$$[\rangle\hat{m}\langle:\hat{m}+K-1\langle] \ \textbf{real},$$

das durch sukzessives „Strecken" des Feldes entsteht, nämlich durch Hintereinanderfügen von $k_1$ $(r-1)$-stufigen Feldern mit der Indikation

$$[\rangle m_2\langle:\rangle n_2\langle, \ldots, \rangle m_r\langle:\rangle n_r\langle] \ \textbf{real},$$

von denen jedes durch Hintereinanderfügen von $k_2$ $(r-2)$-stufigen Feldern mit der Indikation

$$[\rangle m_3\langle:\rangle n_3\langle, \ldots, \rangle m_r\langle:\rangle n_r\langle] \ \textbf{real}$$

entsteht usw.

Die einzelnen Komponenten werden dabei abgebildet durch

$$a[i_1, i_2, \ldots, i_r] \overset{f}{\longleftrightarrow}$$
$$\hat{a}[k_2 k_3 \ldots k_r(i_1-m_1)+k_3\ldots k_r(i_2-m_2)+\cdots+k_r(i_{r-1}-m_{r-1})+i_r-m_r+1].$$

Für den Index auf der rechten Seite gilt auch die Form

$$i_1 k_2 k_3 \ldots k_r + i_2 k_3 \ldots k_r + \cdots + i_{r-1} k_r + i_r + \text{const}$$

mit einer geeigneten Konstanten, oder in **gehornerter** Form

$$(\ldots((i_1 k_2+i_2)k_3+i_3)k_4+\cdots+i_{r-1})k_r+i_r+\text{const}.$$

$f$ wird auch **Speicherabbildungsfunktion** genannt. Bei der Wahl von $\hat{m}$ ist man an keine Vorschrift gebunden; man kann daher $\hat{m}$ so wählen, daß $i_r+\text{const}=0$ wird.

Beispiel:

$$[1:5, 1:5] \ \textbf{real} \ a$$

wird ersetzt durch

$$[6:30] \ \textbf{real} \ \hat{a},$$

dabei ist $k_1=5$, $k_2=5$, die Ausdrücke

$$a[i+k, i-k], \quad a[i,i], \quad a[i,k]+a[k,i]$$

werden ersetzt durch

$$\hat{a}[6\times i+4\times k],$$
$$\hat{a}[6\times i],$$
$$\hat{a}[5\times i+k]+\hat{a}[5\times k+i].$$

Es werden also sämtliche mehrstufigen Indikationen durch entsprechende einstufige ersetzt und jede Komponente durch die entsprechende des zugeordneten einstufigen Feldes, wozu insbesondere Kenntnis der Spannen des mehrstufigen Feldes notwendig ist. Auf den Indexpositionen treten dabei im allgemeinen kompliziertere Formeln auf, deren erarbeitetes Ergebnis im **AC** anfällt.

Mit Komponenten einstufiger Felder als Operanden ergeben sich zunächst Operationen der Form

$$0 + a[i]$$
$$\Rightarrow a[i].$$

Um diese der Einadreßform näherzubringen, benutzt man für einen der beiden hier auftretenden Operanden, nämlich für den Index, ein dem Akkumulator ähnliches Indexregister **IR**. **IR** ist spezifisch für Werte der Art **int** vorgesehen. Weiterhin wird der Inhalt des **IR** und nur dieser auf Indexpositionen erlaubt.

Nach einer Übertragung des **AC** ins Indexregister

$$\Rightarrow \textbf{IR}$$

kann nachfolgend dieses Indexregister verwendet werden, etwa

$$0 + a[\textbf{IR}]$$
$$\times b[\textbf{IR}]$$
$$\Rightarrow c[\textbf{IR}].$$

Den Umweg über den **AC** in der Sequenz

$$0 + i$$
$$\Rightarrow \textbf{IR}$$

erspart man oft durch den eigenen Befehl

$$i \Rightarrow \textbf{IR}.$$

Bei großen Anlagen stattet man das **IR** mit einigen Fähigkeiten zum Rechnen mit ganzen Zahlen aus, fast immer mit der Fähigkeit zum Zählen (aufwärts und abwärts)

$$\textbf{IR} := \textbf{IR} + 1$$
$$\textbf{IR} := \textbf{IR} - 1$$

oft auch mit der Fähigkeit zur beliebigen ganzzahligen Addition

$$\textbf{IR} := \textbf{IR} + \text{const}$$

(selten mit der Fähigkeit zum Multiplizieren) und mit der Übertragung in den **AC**,

$$0 + \textbf{IR}.$$

Meist sieht man dann auch mehrere Indexregister **IR 1**, **IR 2**, ... vor, die als **Akkumulatoren eines Indexrechenwerkes** auftreten.

Wo ohnehin artspezifische Akkumulatoren $\textbf{AC}_{\textbf{int}}$ eingeführt sind, werden sie zweckmäßig auch als Indexregister verwendbar gemacht.

Ihre besondere Wichtigkeit erweisen Indexregister in Verbindung mit der Behandlung von Wiederholungsanweisungen, bei denen auf Indexpositionen von Feldern ein Zähler vorkommt. Es sei z. B. $i$ die Bezeichnung des Zählers, und von einem $r$-stufigen Feld $a$ komme die Komponente

$$a[\rangle e_1(i)\langle, \rangle e_2(i)\langle, \ldots, \rangle e_r(i)\langle]$$

in dem zu wiederholenden Abschnitt vor.

Der Zähler durchläuft eine arithmetische Folge von ganzen Zahlen mit konstanter Differenz, nämlich dem Schritt. Wenn die Funktionen $e(i)$ alle linear in $i$ sind, durchläuft auch der Index der zugehörigen einstufigen Feldkomponenten

$$\hat{a}[e_1(i)k_2 k_3 \ldots k_r + \cdots + e_{r-1}(i)k_r + e_r(i) + const]$$

eine arithmetische Folge mit konstanter Differenz. Ist

$$e_\mu(i) = c_\mu i + c'_\mu,$$

so beträgt diese, das **Inkrement**, gerade das

$$(c_1 k_2 k_3 \ldots k_r + c_2 k_3 \ldots k_r + \cdots + c_{r-1} k_r + c_r)\text{-fache}$$

des Schritts des Zählers.

Wird also der Anfangsindex für $i = \rangle$Anfangswert$\langle$ und das Inkrement berechnet, so kann die jeweilige Berechnung der komplizierten Indexausdrücke ersetzt werden durch die anfängliche Übertragung des Anfangsindexes in ein **IR** und die Erhöhung dieses **IR** bei jedem Durchlauf um das (konstante) Inkrement **(Lineare Fortschaltung)**. Für jede verschieden indizierte Größe[13] benötigt man dabei in der Regel ein eigenes **IR**. Für den Zähler selbst verwendet man ebenfalls oft ein Indexregister. Um auf den Endwert prüfen zu können, hat dann dieses Indexregister zweckmäßig die für einen **AC** besprochene Eigenschaft, einen bedingten Sprung steuern zu können.

Unglücklicherweise findet man an Rechenanlagen selten so viele Indexregister verfügbar, daß man in jedem Fall ausreichen würde. Für ALGOL 68-Übersetzer muß deshalb in Betracht gezogen werden, fehlende Indexregister zu **simulieren**, d. h. durch Variable der Art **int** zu ersetzen. Die damit verbundenen Umstände können eine effiziente Durchführung der linearen Fortschaltung sehr erschweren.

### 3.2.2 Adressen

Neben den durch frei gewählte Bezeichnungen bezeichneten Namen begegneten uns schon zu Beginn des 2. Kap. Phantasienamen. War ihre erste Einführung bei den Identitätsdeklarationen für Variable vielleicht nur formal fundiert, so sahen wir doch im Beispiel der Verlängerung von Geflechten (S. 108), daß die Wertzuweisung von Phantasienamen an Namensvariable praktische Bedeutung hat. Phantasienamen sind also konkrete Objekte unserer Programmierung. Wir gehen in der Konkretisierung nun einen Schritt weiter und nennen Phantasienamen **Adressen,** wenn die

---

[13] Zumindest für solche mit verschiedenen Inkrementen, vgl. Fußnote S. 163.

nachstehenden zwei Bedingungen erfüllt sind, von denen die erste durch die Behandlung von Feldern motiviert ist:

1. Adressen bilden eine linear geordnete nicht-beschränkte, abzählbare Menge, ordnungsisomorph den natürlichen Zahlen.

2. Adressen sind Namen, die nicht mehr artspezifisch sind (vgl. 3.2.5).

Wird in einer Identitätsdeklaration der Phantasiename als Adresse aufgefaßt, so wird die zugehörige frei gewählte Bezeichnung als **symbolische Adresse** bezeichnet:

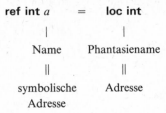

So wie ein Name zusammen mit seinem Inhalt eine Variable bildet, bildet auch eine Adresse zusammen mit ihrem Inhalt, dem **Zelleninhalt,** eine Variable, genannt **Zelle** (Abb. 67, vgl. auch Abb. 51).

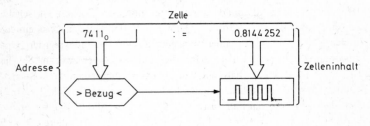

Abb. 67   Zelle

Der Forderung 2. gemäß, daß Adressen nicht mehr artspezifisch sind, nehmen wir an, daß der Inhalt einer Adresse, der Zelleninhalt, von der Art **bits** ist und somit zur Binärcodierung jedes Objektes geeignet ist. Wir sprechen überdies von den einzelnen Zelleninhalten als von **Worten.** Ein solches Wort wird eine im Einzelfall von der Anlage abhängige Anzahl von Bits umfassen, die **Wortlänge.** Übliche Wortlängen liegen zwischen 18 und 60 Bits, sie sind fast immer durch 4, häufig auch durch 6 teilbar.

Der Forderung 1. gemäß kann man jetzt sinnvoll von „der nächsten", „der übernächsten", „der vorangehenden" Adresse sprechen. Es ist also auf natürliche Weise eine Addition von Adressen und ganzen Zahlen erklärt, die als Ergebnis wieder eine Adresse liefert. Naheliegend ist es, zur Bezeichnung von Adressen ganze

Zahlen zu verwenden, zum Unterschied von Objekten der Art **int** jedoch gekennzeichnet, z. B. durch einen angehängten Apostroph oder eine tiefgestellte 0:

$$33_0 \qquad 137_0 \qquad 4711_0$$

sind Adressen. Es gilt dann beispielsweise

$$33_0 + 4 = 37_0$$

und

$$(33_0 + 4) + 5 = 33_0 + (4 + 5),$$

das Assoziativgesetz.

Auch mit symbolischen Adressen darf gerechnet werden: Wir erlauben die Addition oder Subtraktion ganzer Zahlen zu symbolischen Adressen, sowie die Subtraktion zweier Adressen, deren Ergebnis eine ganze Zahl ist; dem Ergebnis der Addition zweier Adressen kann jedoch im allgemeinen keine sinnvolle Bedeutung zugeordnet werden. Der Deutlichkeit halber kann man auch symbolische Adressen durch
Anhängen der tiefgestellten 0 kennzeichnen: $i_0 + 1$.

Spätestens jetzt müssen wir den Gebrauch von **cont** aus notationellen Gründen
vorschreiben, damit

> **cont** $i_0 + 1$     Inhalt von $i_0$ um 1 erhöht,
> **cont** $(i_0 + 1)$     Inhalt der nächsten Adresse nach $i_0$

deutlich unterschieden werden kann.

Mit der Einführung der Adressen und der Worte als Zelleninhalte wird nicht
lediglich eine neue Art von Objekten eingeführt, vielmehr werden die bisher behandelten Objekte auf Zelleninhalte zurückgeführt, mit Ausnahme von Rechenvorschriften und Prozeduren, die schon aufgelöst sind.

### 3.2.2.1 *Zurückführung primitiver Objekte*

Objekte der Art **int**, **rat**, **real**, **compl**, **bool**, **char** benötigen ein oder mehrere
Worte, jeweils eine für eine bestimmte Anlage artspezifische Anzahl. Beispiele zeigt
folgende Tabelle.

|          | Maschine A | Maschine B | Maschine C |
|----------|------------|------------|------------|
| **int**  | 1 Wort     | 1 Wort     | 1 Wort     |
| **rat**  | 2 Worte    | 2 Worte    | 2 Worte    |
| **real** | 2 Worte    | 2 Worte    | 1 Wort     |
| **compl**| 4 Worte    | 3 Worte    | 2 Worte    |
| **bool** | 1 Wort     | 1 Wort     | 1 Wort     |
| **char** | 1 Wort     | 1 Wort     | 1 Wort     |

In A und B ist unterstellt, daß die Mantisse einer numerisch reellen Zahl durch ein Wort, der Exponent durch ein zweites dargestellt wird. In C ist dagegen die Mantisse verkürzt, um Platz für den Exponenten zu schaffen.

In A und C wird für numerisch-komplexe Zahlen ein Paar reeller Zahlen benutzt, während in B je ein Wort für die Mantisse von Real- und Imaginärteil, ein drittes Wort für den gemeinsamen Exponenten benutzt wird.

Zur Fixierung des Objekts sind nicht alle Adressen nötig, es genügt Angabe der ersten, oder der letzten, oder der „nullten" Adresse – letztere ist die Adresse vor der ersten.

Objekte von der Art **string** sind im allgemeinen von wechselnder Länge; die Angabe einer festen Anzahl von Worten zu ihrer Darstellung wäre unpraktisch. In der Regel gehen 4–10 Zeichen in ein Wort. Zur Fixierung eines Objekts genügt jetzt die Angabe der ersten und letzten Adresse, oder die Angabe der nullten und letzten Adresse, oder die Angabe einer dieser Adressen und der Länge.

Manche Hersteller, deren Anlagen relativ kurze Wortlängen haben, bezeichnen diese als Halbwort. Das ist natürlich nur ein terminologischer Trick. Anders ist es, wenn ein Wort echt in zwei Halbworte, mit denen einzeln gearbeitet werden kann, zerfällt. Solche Halbworte haben etwa 18–24 Bits. Noch kleinere, einzeln adressierbare Einheiten mit etwa 6–8 Bits, üblicherweise gerade für ein Zeichen ausreichend, werden englisch byte genannt.

### 3.2.2.2 *Zurückführung von Namen*

Namen werden als symbolische Adressen aufgefaßt, die zugehörigen Phantasienamen sind echte Adressen. Deren Darstellung geschieht aber ebenfalls durch Binärworte und geht meist parallel zur Darstellung ganzer Zahlen. Namen werden also, soweit sie als Objekte auftreten, ebenfalls auf Zelleninhalte zurückgeführt. Fast immer genügt ein Wort (bei 24 bit für rund $4 \times 10^6$, bei 60 bit für rund $10^8$ verschiedene Adressen). Oft wird tatsächlich nur ein Halbwort benutzt, oft auch nur ein bestimmter Teil eines Wortes, **Adressenteil** genannt.

Unter Adressen findet man als Zelleninhalte also eventuell selbst wieder Adressen. Solche Zellen, Namensvariablen entsprechend, werden **Leitzellen** genannt. Der Übergang zu Adressen führt also nicht nur zum Verwischen des Unterschieds zwischen primitiven Arten, sondern auch zur völligen Nivellierung der Referenzstufung[14]. Man sagt auch, die maschinenorientierte Sprache ist bezüglich der Namensebenen **ungeschichtet.**

### 3.2.2.3 *Zurückführung von Feldern*

Eindimensionale Felder aus Objekten jedweder Art werden grundsätzlich durch eine Aufreihung der zu den Komponenten gehörigen Worte dargestellt. Sind für

---

[14] Umgekehrt sind die Feinheiten verschiedener Namensebenen von der maschinenorientierten Sprache her nicht leicht zu verstehen.

eine Komponente $q$ Worte notwendig, so ergibt sich für ein $[1:\rangle n\langle]$-Feld ein Bedarf von $n \cdot q$ Worten. Das Feld selbst kann durch Angabe der ersten oder letzten Adresse und der Komponentenanzahl, oder durch Angabe der ersten und der letzten Adresse fixiert werden. Anstelle der ersten Adresse wird oft auch die „nullte" Adresse, d.h. die Adresse des fiktiven Elementes $a[0]$ verwandt.

Im übrigen gilt für symbolische Adressen, wenn zur Darstellung der Komponente $q$ Worte gebraucht werden

$$a[\mathsf{IR}] = a[0] + q \times \mathsf{IR}.\ ^{15}$$

Die Benutzung des Indexregisters geschieht also derart, daß das $q$-fache des **IR** zur „Anfangsadresse" $a[0]$ addiert wird. Aus technischen Gründen (weil nämlich meist keine Multiplikation für Indexregister vorgesehen ist) wird ersatzweise das **IR** statt in Schritten von 1, in Schritten von $q$ gezählt.

### 3.2.2.4 *Zurückführung von Verbunden*

Sie kann auf der momentan erreichten Stufe noch nicht völlig behandelt werden; jedoch läuft ein wesentlicher Teil parallel zur Behandlung von Feldern. Weiteres siehe im 6. Kap.

### 3.2.3 Beseitigung der Identitätsdeklarationen

Mit der Zurückführung auf Binärworte sind auch die Identitätsdeklarationen zu eliminieren.

#### 3.2.3.1 *Identitätsdeklaration für Variable*

Identitätsdeklarationen für Variablenbezeichnungen werden durch das **Adreßbuch** ersetzt, nämlich durch eine Liste von Paarungen von symbolischen Adressen und echten Adressen. Die echten Adressen sind gleichzeitig die Namen der Zellen; die Zelleninhalte, die sich bei Initialisierung ergeben, können sogleich dahinter eingetragen werden. Die Initialisierung kann die Abarbeitung eines Abschnittes und Wertzuweisung an die Zellenadresse erfordern. Ist keine Initialisierung vorzunehmen, so wird als Platzfüller **skip**, für Namen **nil** eingetragen.

Die komplette Liste von Adressen und Zelleninhalten heißt **Speicher**. Der Speicher ist also eine linear geordnete Menge von Variablen, eine Folge von Zellen.

Beispiel:
> **ref real** $x =$ **loc real** $:= 5.3$,
> **ref int** $i =$ **loc int**,
> $[1:3]$ **ref int** $k =$ (**loc int**, **loc int**, **loc int**),
> **ref** $[1:2]$ **bool** $m =$ **loc** $[1:2]$ **bool** $:=$ (**true**, **false**),
> **ref ref compl** $nn =$ **loc ref compl** .

---

[15] Es ist also auch $a[\mathsf{IR}] = a[k] + q \times (\mathsf{IR} - k)$. Wird $k$ jeweils gleich dem Anfangsindex gesetzt, so ergibt sich für alle Größen mit gleichem Inkrement die Verwendbarkeit ein- und desselben Indexregisters, vgl. Fußnote S.159.

Für den Fall von Maschine B ergibt sich[16]:

Adreßbuch

| | | |
|---|---|---|
| $x$ | $1043_0$ | 0.53 |
| | $1044_0$ | $_{10}1$ |
| $i$ | $1045_0$ | **skip** |
| $k$ | $1046_0$ | **skip** |
| | $1047_0$ | **skip** |
| | $1048_0$ | **skip** |
| $m$ | $1049_0$ | **true** |
| | $1050_0$ | **false** |
| $nn$ | $1051_0$ | **nil** |

Speicher

### 3.2.3.2 *Identitätsdeklaration für Konstante*

Identitätsdeklarationen für Konstantenbezeichnungen werden eliminiert, indem man überall, wo die frei gewählte Bezeichnung vorkommt, die sie definierenden primitiven Objekte, eventuell nach Erarbeitung, einsetzt. In trivialen Fällen kann man das ein für allemal tun, wo das nicht geht, z. B. in wiederholten Anweisungen, könnte man besondere Befehle heranziehen, die das bewirken (Methode des Ein-substituierens, nach VON NEUMANN). Meist geht man einen einfacheren Weg und behandelt die Konstanten mißbräuchlicherweise als Variable, liest also

**int** *mille* = 1000

als

**ref int** *mille* = **loc int** := 1000 .

Damit entfällt aber der Schutz gegen Überschreiben des Variableninhalts. Neuerdings wird in gewissen Teilen des Speichers durch technische Maßnahmen („Schreibschutz") die Zuweisung verboten und somit der Mangel kompensiert.

### 3.2.4 Dynamische Aspekte der Adressierung

Phantasienamen, die während der Rechnung gebraucht werden, etwa

**ref real** $x$ = **loc real**

*nächster* **of val** $xx$ := **loc list**

werden einfach durch eine noch nicht benutzte Adresse dargestellt. Dabei kann durch Weiterzählen einer Variablen

*EBS* („Ende des benutzten Speichers")

eine neue Adresse erhalten werden.

---

[16] Die Eintragung von **nil** statt eines undefinierten Namens oder **skip** statt eines undefinierten primitiven Objekts ist augenfälliger als das Leerlassen des Zelleninhaltes.

In nichttrivialen Fällen – nämlich wenn die Adresse einer Leitzeile zugewiesen wird, wie im zweiten Beispiel oben – führt also der **loc**-Operator zur Verfügbarkeit einer neuen Adresse und damit zur „Schaffung von einer oder mehreren Zellen": Aus einem als unerschöpflich gedachten Vorrat von Zellen wird dabei während der Rechnung (und nicht, wie in den vorangegangenen trivialen Fällen, ein für allemal vor Beginn der Rechnung) Speicher verfügbar gemacht. Im Jargon heißt das „dynamische Speicherverteilung". Dafür noch ein Beispiel:

Zunächst soll zur Behandlung von Verbunden noch eine Konkretisierung in der Herstellung des Geflechts gegeben werden: Eine Konstruktion wie

$$\textbf{ref stammblatt } y1 = \textbf{loc stammblatt} \, ;$$
$$y1 := (61, \text{„kuntner", } \textbf{nil}) \, ;$$
$$y1 := (39, \text{„kuntner", } y1)$$

bekommt konkreteren Sinn durch Verwendung einer Namensvariablen

$$\textbf{ref ref stammblatt } yy = \textbf{loc ref stammblatt} := \textbf{nil} \, ;$$
$$yy := (\textbf{loc stammblatt} := (61, \text{„kuntner", } yy)) \, ;$$
$$yy := (\textbf{loc stammblatt} := (39, \text{„kuntner", } yy)).$$

Gerade für Verbunde geht man gerne zur Benutzung von Namen statt der (umständlichen) Objekte selbst über. Dies bedeutet aber Einführung von Namensvariablen, oder von Leitzellen. Die Leitzellentechnik, die sich frühzeitig als Hilfsmittel raffinierter maschinenorientierter Programmierung herausbildete[17], erfährt also ihre theoretische Begründung in der Referenzstufung. Im übrigen führt sie bei der eben geschilderten Anwendung auf Verbunde ebenfalls zu dynamischer Speicherzuweisung, nämlich für jedes Auftreten von

**loc stammblatt**.

Auch bei der Identitätsdeklaration eines Feldes mit Grenzen, die erst im Augenblick der Identitätsdeklaration erarbeitet werden, ergibt sich die Notwendigkeit der „Schaffung" von neuen Zellen. Eine Identitätsdeklaration wie

$$[1 : n \uparrow 2] \, \textbf{ref int } k = \ldots$$

würde auf der rechten Seite eine u. U. wechselnde Anzahl von **loc int** erfordern, kann also in dieser Form nicht geschrieben werden.

$$[1 : n \uparrow 2] \, \textbf{ref int } k = [1 : n \uparrow 2] \, \textbf{loc int}$$

stellt eine naheliegende Form dar, diese Schwierigkeit zu umgehen. Die Verwendung von **loc int** ist jedoch jetzt klar dynamisch.

Auf die Behandlung der dynamischen Aspekte der Speicherung werden wir im 6. Kap. noch ausführlich zurückkommen. Das bisher diskutierte reicht jedenfalls aus, um im Abschnitt 3.3 den Aufbau heutiger Rechenanlagen zu motivieren.

---

[17] H. SCHECHER, Dissertation München 1956.

„Eure Rede aber sei: ja, ja; nein, nein.
Was darüber ist, das ist vom Übel."

Matth. 5, 37

### 3.2.5 Fragen der Binärcodierung

Mit der Einführung der Adressen, nämlich der Aufhebung der Unterscheidung primitiver Arten untereinander und von Namen, geht der Übergang zur Binärcodierung einher. Einige der dazu notwendigen Überlegungen sollen hier zusammengestellt werden.

Zur Definition der Codierung gehört, daß nicht zwei verschiedene Binärworte dasselbe Objekt darstellen. Das ist z.B. bei Objekten der Art **real** zu beachten, wo $1.23_{10}-4$ und $0.123_{10}-3$ denselben Wert bezeichnen, also auch dieselbe Binärcodierung verlangen. In der Numerischen Mathematik wird darüber unter dem Stichwort „normalisierte Gleitpunktdarstellung" Näheres gesagt. Jedenfalls ist Vorsicht geboten, wenn z.B. für die Null, also das durch 0 bezeichnete Objekt der Art **int**, zwei verschiedene Binärworte („positive" und „negative" Null) gebraucht werden.

Ist nun die Binärcodierung eines Objekts der Art $A$ sogar umkehrbar eindeutig, so wird über die gemeinsame Binärcodierung auch eine Abbildung

$$A \leftrightarrow \mathbf{bits} \leftarrow \begin{cases} \mathbf{real} \\ \mathbf{int} \\ \mathbf{bool} \\ \vdots \end{cases}$$

der übrigen Objekte in die Menge der Objekte der Art $A$ bewirkt.

Häufig richtet man es so ein, daß dabei gerade die im 2. Kap., S. 69, aufgeführten Beziehungen entstehen, d.h. daß

(1) Objekte der Art **int** im direkten Code codiert werden,

(2) Objekte der Art **char** dadurch ebenfalls auf Objekte der Art **int** abgebildet werden,

und daß sich damit die Operation **abs** auf **bits** und **char** auf reine **Umdeutung** reduziert. Ebensolches gilt für die Operationen **bin** und **repr** auf **int**.

Als „klassisch" gilt ferner, vgl. S. 176,

(4)          **false**  durch  O,
             **true**   durch  L

binär zu codieren. Steht ein ganzes Wort zur Verfügung, so kann man redundanterweise

(4\*)         **false**  durch  OOO...OO,
             **true**   durch  OOO...OL

codieren und erhält damit aus (1):

$$(3) \qquad \begin{aligned} \textbf{false} &\leftrightarrow 0, \\ \textbf{true} \ \ &\leftrightarrow 1. \end{aligned}$$

Damit ist auch die Operation **abs** auf **bool** nur eine Sache der Umdeutung geworden. Wenn man nur das letzte Bit betrachtet, erhält man auch trivialerweise die Operation **odd** auf **int**.

Daß ferner Adressen mit Objekten der Art **int** zusammengeworfen werden, ist nach dem früher gesagten fast selbstverständlich.

Als Binärcodierung für **nil** hat ein Binärwort Verwendung zu finden, das mit keiner Speicheradresse verwechselt werden kann.

Da **skip** lediglich als Platzfüller auftritt, sein Wert folglich belanglos ist, kann als Binärcodierung jedes Binärwort dienen; es muß nicht immer das gleiche Binärwort sein.

Operationen, die für gewisse Arten definiert sind, induzieren nun weitere Operationen auf anderen Arten durch Umdeutung. Manche davon sind nicht besonders nützlich. Andere, wie z.B. die Subtraktion, bekommen generelle Bedeutung: Zwei Objekte einer beliebigen Art sind jetzt genau dann gleich, wenn sie, als **int** aufgefaßt, bei der Subtraktion das Ergebnis 0 liefern. Damit ist der auf S. 148 offengelassene Vergleich anderer als zahlartiger Objekte erledigt, sowie der Namensvergleich mittels der zugehörigen Adressen.

Sind nun Zellen als nicht-artspezifische Variable eingeführt, so ist auch die Einführung von nicht-artspezifischen Akkumulatoren motiviert. Auch die Hilfsvariablen, die den Keller bilden, sind jetzt durch eine Folge von Zellen ersetzbar. Da der Keller pulsiert, stellt man sich zunächst am besten vor, daß er ganz am Ende des Speichers, d.h. hinter die höchste benutzte Adresse EBS gelegt wird. Die Parameterregister werden dann zweckmäßigerweise ebenfalls in den Speicher gelegt. Über die sich ergebende „Speicherverteilung" wird Genaueres im 5. Kap. gesagt. Festgehalten muß jedoch werden, daß wir vorläufig die Adressierung nur „lokal", d.h. innerhalb eines Blockes, besprochen haben, bzw. daß unsere bisherigen Überlegungen nur für Programme ausreichen, die nur aus einem einzigen Block bestehen. Lediglich die Parameterregister fallen heraus, sie weisen bereits auf die noch ausstehenden Probleme hin.

## 3.3 Befehlssystem

### 3.3.1 Befehlsrepertoire

Die Befehle, die wir nach dem Übergang zu Adressen inzwischen kennengelernt haben, zeigt folgende Übersicht, in der ›Adresse‹ eine symbolische oder echte Adresse, **IR** $k$ das $k$-te Indexregister bedeutet. Bei Verwendung mehrerer Akkumulatoren muß noch die Nummer $j$ des **AC** $j$ angegeben werden.

### 3.3.1.1 *Rechenbefehle*

$$0 + \textbf{cont} \ (\text{›Adresse‹} + \textbf{IR}\,k) \qquad (\text{„bringe“}),$$
$$\omega \ \textbf{cont} \ (\text{›Adresse‹} + \textbf{IR}\,k) \qquad (\text{dyadische Operation } \omega),$$
$$\sigma \qquad\qquad (\text{monadische Operation } \sigma),$$
$$\Rightarrow (\text{›Adresse‹} + \textbf{IR}\,k) \qquad (\text{„speichere“}).$$

Je nach Anlage ist das Repertoire für $\omega$ und $\sigma$ unterschiedlich; besonders in kleineren Anlagen müssen oft Umschreibungen, z.B. für Boolesche Operationen, vorgenommen werden, oder es müssen Standard-Rechenvorschriften (z.B. für Operationen mit Objekten der Art **real** bei Anlagen, die nicht für numerische Zwecke gebaut sind) mittels offenem Einbau oder Rückkehrsprung benutzt werden.

Führt man **0** („lösche Akkumulator“) als monadische Operation ein, so kann man „bringe“ sparen. Manche Anlagen erlauben auch kombinierte Operationen, z.B.

$$0 - \qquad \text{„bringe negativ“},$$
$$0 + \textbf{abs} \quad \text{„bringe Betrag“},$$

oder

$$\times - \qquad \text{„multipliziere mit negativem Wert“}.$$

Gelegentlich findet man auch, wenn ›ganze Zahl‹ eine explizite Darstellung eines Objektes der Art **int** ist,

$$0 + \text{›ganze Zahl‹},$$
$$\omega \ \text{›ganze Zahl‹},$$

wo $\omega$ zunächst[18] Addition und Subtraktion umfaßt (direkte Form der Konstantenbehandlung). Beachte, daß diese Befehle unter Indexrechenbefehle subsummiert werden können, wenn **int** und Adresse zusammenfallen. Wo sie nicht vorhanden sind, muß man Konstante als Operanden erst speichern und dann unter ihrer Adresse benutzen, d.h. man ersetzt, ähnlich dem Vorgehen in 3.2.3.2

$$0 + \text{›ganze Zahl‹}$$

durch

$$0 + \ulcorner \textbf{ref int } ganze\,zahl = \textbf{loc int} := \text{›ganze Zahl‹}; \ ganze\,zahl \ \lrcorner.$$

Daß die Variable nicht verändert werden darf, wird durch die bloß „lokale“ Gültigkeit der Bezeichnung erreicht, vgl. 6. Kap. Eine besondere Form der Konstantenbehandlung durch Speicherung in einem Teil des Speichers mit „Schreibschutz“ ist schon in S.164 angeklungen.

---

[18] Um bei ganzen Zahlen Multiplikationen mit Zweierpotenzen auf einfache Weise vornehmen zu können, hat man oft auch Befehle

$$\times 2\uparrow \text{›ganze Zahl‹},$$

die auch als „arithmetische Verschiebung“ bezeichnet werden.

In den meisten Anlagen gibt es außerdem

**Befehle mit indirekter Adresse** (auch: mit „automatischer Adressensubstitution",
mit „Adresse von Adresse", SCHECHER 1955)

und nachgeschalteter Indexmodifikation:

$$\mathbf{0} + \mathbf{cont}\ (\mathbf{cont}\ \text{›Adresse‹} + \mathbf{IR}\,k),$$
$$\omega\ \mathbf{cont}\ (\mathbf{cont}\ \text{›Adresse‹} + \mathbf{IR}\,k),$$
$$\Rightarrow (\mathbf{cont}\ \text{›Adresse‹} + \mathbf{IR}\,k)$$

und Varianten hiervon. Meist wird nur durch ein Zusatzbit (engl.: *tag*) zu den nor-
malen Befehlen die indirekte Adressierung angegeben. Soll kein Indexregister verwendet werden, gibt man eines an, das mit 0 besetzt ist (oder ein fiktives, das nicht
addiert). Wenn Adressen und ganze Zahlen durch ein bestimmtes Bit unterschieden
sind, so kann man zu einer völlig einheitlichen Behandlung aller Referenzstufen
kommen: Jede im Befehl vorkommende Adresse, durch das Kennbit gekennzeichnet,
wird im Befehl durch den Inhalt der durch sie gekennzeichneten Speicherstelle ersetzt –
solange, bis ein Befehl $\omega$ ›Zahl‹ entsteht.

### 3.3.1.2 *Indexrechenbefehle*

(sofern nicht Indexregister und Akkumulatoren zusammenfallend)

$$\Rightarrow \mathbf{IR}\,k$$
$$\mathbf{cont}\ \text{›Adresse‹} \Rightarrow \mathbf{IR}\,k$$
$$\text{›ganze Zahl‹} \Rightarrow \mathbf{IR}\,k$$
$$\mathbf{IR}\,k + \mathbf{cont}\ \text{›Adresse‹} \Rightarrow \mathbf{IR}\,k$$
$$\mathbf{IR}\,k + \text{›ganze Zahl‹} \Rightarrow \mathbf{IR}\,k^{19}$$
$$\left.\begin{array}{c}\mathbf{IR}\,k + \mathbf{cont}\ \text{›Adresse‹} \Rightarrow \mathbf{IR}\,k \\ \mathbf{IR}\,k \times \text{›ganze Zahl‹} \Rightarrow \mathbf{IR}\,k\end{array}\right\} \text{(selten!)}$$
$$\mathbf{0} + \mathbf{IR}\,k\ (\text{auch } \mathbf{0} + (\text{›Adresse‹} + \mathbf{IR}\,k))$$
$$\omega\,\mathbf{IR}\,k\ (\text{auch } \omega(\text{›Adresse‹} + \mathbf{IR}\,k)).$$

### 3.3.1.3 *Sprungbefehle*

In den Sprungbefehlen ersetzen wir nun auch die Marken durch Adressen. Wir
haben dann

> **goto** ›Adresse‹ + **IR** $k$
> **if AC** $\rho$ **0 then goto** ›Adresse‹ + **IR** $k$
> **if AC** = **true then goto** ›Adresse‹ + **IR** $k$
> **if AC** = **false then goto** ›Adresse‹ + **IR** $k$
> ⤶ ›Adresse‹ + **IR** $k$

eventuell mit Zusatz für indirekte Adressierung.

---

[19] Gelegentlich nur $\mathbf{IR}\,k + 1 \Rightarrow \mathbf{IR}\,k$.

### 3.3.2 Befehlszellen

Die Marken in Sprungbefehlen werden insofern ersetzbar, als wir jetzt als letztes auch Befehle als Zelleninhalte zulassen und den Sprung auf eine Marke als Sprung auf den Befehl, der in der durch die Adresse angegebenen Zelle steht, auffassen. Ein solches Wort muß i. allg. neben der Adresse, der Nummer des zu verwendenden Akkumulators und dem Zusatzbit für indirekte Adressierung noch den **Operationsteil** aufnehmen, der die auszuführende Operation detailliert. Manche Anlagen mit kurzer Wortlänge benutzen zwei Worte pro Befehl. Abgesehen von Sprungbefehlen, wird nach einem Befehl der nächste im Speicher stehende Befehl genommen.

Damit ist, abgesehen von den „dynamischen Aspekten", für jeden Abschnitt folgendes erzielt:

Die Identitätsdeklarationen haben zur Anlage des Adreßbuches und damit zur Bildung des Abschnitts-Arbeitsspeichers, die Initialisierungen zur teilweisen Belegung des Abschnitts-Arbeitsspeichers geführt. Im unmittelbar anschließenden Abschnitts-Programmspeicher befinden sich die Befehle für die auszuführenden Operationen. Sie operieren auf dem Abschnitts-Arbeitsspeicher. Zusätzliche Sprungbefehle werden benutzt, um die Arbeitsspeicherzellen zu überspringen. Enden von Abschnitts-Programmspeichern werden also immer von Sprüngen markiert. Die Stolperschwelle ist ebenfalls ein Sprung, der eine Leitzelle benutzt, in diese wird beim Rückkehrsprung die „Absprungadresse" überführt. Um geschachtelte Rückkehrsprünge verarbeiten zu können, ist ein Keller solcher Leitzellen vorzusehen. Auch dies ist ein dynamischer Effekt. Ferner ist die Verwendung des Speichers zur Realisierung der Variablen des Kellers und der Parameterregister ebenfalls von dynamischer Natur. Diese Fragen werden im 5. Kap. wieder aufgegriffen werden.

### 3.3.3 Aufbau einer Rechenanlage und Ablauf der Vorgänge

Neben dem Verarbeitungswerk (oder den Verarbeitungswerken) und dem Speicher (oder den Speichern) benötigt eine Rechenanlage nach dem vorhin gesagten ein Leitwerk. Dieses enthält einen Zähler, der die Adresse des nächsten zur Ausführung kommenden Befehls enthält **(Befehlszähler).** Nach jedem ausgeführten Befehl wird der Befehlszähler um 1 weitergezählt, außer nach Sprungbefehlen: Diese wirken sich gerade dahin aus, daß der Befehlszähler auf die im Sprungbefehl angegebene Adresse gestellt wird (Abb. 68). Für die Rechenbefehle aber, in denen auf eine Adresse Bezug genommen wird, gilt im 2-Takt folgendes:

1. Das Leitwerk gibt Anlaß zur Herstellung einer Adresse und deren Übermittlung an den Speicher. Wird kein Indexregister angesprochen, ist es die im Befehl stehende Adresse selbst (Abb. 69), andernfalls wird noch der Inhalt des Indexregisters aufaddiert (Abb. 70). Vom Speicher kommt der Inhalt der durch die Adresse angesprochenen Zelle. Er wird dem Verarbeitungswerk zur Verfügung gestellt. Bei „in-

direkter Adresse" aber wird vorweg der Adressenteil an den Speicher übermittelt, um mit dem Inhalt in einem Zwischentakt wie oben zu verfahren[20] (Abb. 71).

2. Das Leitwerk gibt auf Grund des Operationsteils dem Verarbeitungswerk Anlaß zur gewünschten Verarbeitung mit dem zur Verfügung gestellten Inhalt. Der Befehlszähler wird hochgezählt und ein neuer Befehl aus dem Speicher geholt (Abb. 69–71, gestrichelt).

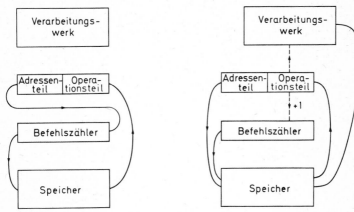

Abb. 68   Operationsteil ist Sprungbefehl

Abb. 69   Operationsteil ist kein Sprungbefehl. Adressenteil enthält keinen Bezug auf ein Indexregister und auf indirekte Adressierung

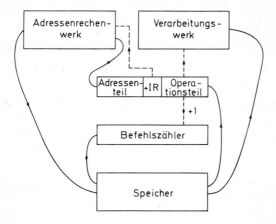

Abb. 70   Operationsteil ist kein Sprungbefehl. Adressenteil enthält Bezug auf ein Indexregister

---

[20] Bei der in 3.3.1.1 geschilderten Variante der indirekten Adressierung erfolgt die Kennzeichnung nicht im Befehl selbst, sondern im Inhalt. Dies erlaubt beliebige Wiederholung der indirekten Adressierung.

Für Rechenbefehle, in denen auf keine Adresse Bezug genommen wird, entfällt der Speicherzugriff in Takt 1 natürlich. Hierzu gehören monadische Operationen (Abb. 72) aber auch Operationen wie (Abb. 73)

$$0 + \text{›ganze Zahl‹},$$
$$\omega \text{›ganze Zahl‹}$$

und gewisse Indexrechenbefehle (Abb. 74).

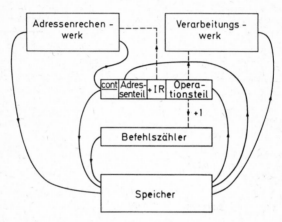

Abb. 71  Operationsteil ist kein Sprungbefehl. Adressenteil enthält Bezug auf ein Indexregister und auf indirekte Adressierung

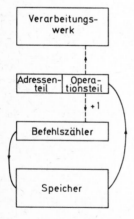

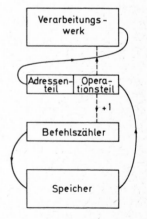

Abb. 72  Operationsteil ist kein Sprungbefehl.
Adressenteil enthält keinen Bezug auf Adresse
(monadische Operation)

Abb. 73    Befehl ist $\omega$ ›ganze Zahl‹

Für „speichere" erfolgt Umkehrung einer Überführungsrichtung, nämlich Überführung vom Verarbeitungswerk zum Speicher (Abb. 75).

Damit sind alle Steuer- und Überführungsmöglichkeiten zwischen den erwähnten Hauptbestandteilen der Rechenanlage eingeführt. Abb. 76 zeigt den kompletten Aufbau.

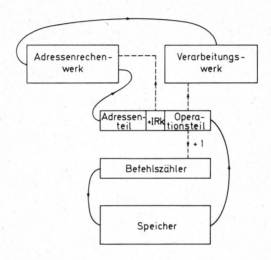

Abb. 74   Befehl ist $\omega$ (›Adresse‹ $+$ **IR** $k)$

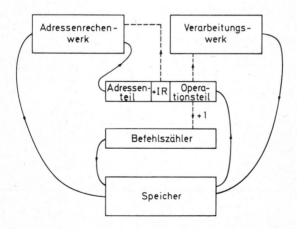

Abb. 75   Befehl „speichere"

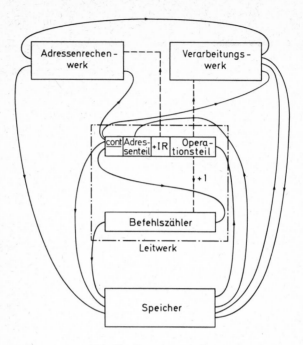

Abb. 76    Kompletter Aufbau

Die frühen Maschinen waren, sofern nicht Arbeitsspeicher und Programmspeicher völlig getrennt waren (AIKEN), ohne Adressenrechenwerk (VON NEUMANN). Mit der Einbeziehung von Adressenrechenwerken (SCHECHER) wurde der Indizierung und der Referenzstufung maschinell Rechnung getragen.

Für die Zukunft zeichnet sich die Verwendung mehrerer Verarbeitungswerke (und auch mehrerer Adressenrechenwerke) ab.

## 4. Kapitel

# Schaltnetze und Schaltwerke

Das letzte Kapitel hat uns den schematischen Aufbau einer Rechenanlage gebracht. In diesem Kapitel soll dargestellt werden, wie im einzelnen die mit den verschiedenen Befehlen zusammenhängenden Informationsverarbeitungsschritte ablaufen und wie der Gesamtablauf im Steuerwerk veranlaßt wird. Die Details der technischen Realisierung kümmern uns dabei nicht – wir betrachten nur die Wirkungsweise, nehmen also eine Abstraktion (die funktionelle Abstraktion) vor. Wir nehmen ferner – der technischen Situation entsprechend – an, alle vorkommenden Zeichen und Wörter seien binär codiert – also sowohl die Objekte, in diesem Zusammenhang auch **Daten** genannt, wie auch die Befehle. Wir haben dann Funktionen über binären Werten zu betrachten.

## 4.1 Schaltvariable und Schaltfunktionen

Eine Funktion einer oder mehrerer Variablen heißt **Schaltfunktion,** wenn jede der Variablen nur endlich viele Werte zuläßt. Die Funktion hat dann als Wertebereich ebenfalls nur endlich viele Werte. Eine Variable, die nur endlich viele Werte annimmt, heißt **Schaltvariable.** Eine Schaltfunktion ist also eine Funktion einer oder mehrerer Schaltvariablen und hat als Bildvariable selbst eine Schaltvariable. Eine Zusammenfassung mehrerer Schaltfunktionen – eine mehrwertige Schaltfunktion – heißt ein **Schaltnetz.**

Schaltfunktionen und Schaltnetze können, der Endlichkeit der Abbildung wegen, einfach durch Wertetabellen dargestellt werden. Schaltnetze bewirken gerade das, was wir früher Codeumsetzung genannt haben.

Eine Schaltvariable heißt **binär,** wenn sie genau zwei Werte annehmen kann. Sind alle Schaltvariablen binär, so sprechen wir von einer binären **Schaltfunktion** oder einem **binären Schaltnetz.** Für das Folgende werden wir immer den binären Fall annehmen und dementsprechend das Wörtchen binär oft weglassen.

### 4.1.1 Das Boolesche Normalform-Theorem

An (binären) Schaltfunktionen mit einer Variablen – einstellige Schaltfunktionen also – gibt es nur vier wesentlich verschiedene, nämlich die beiden folgenden, durch ihre Wertetafel charakterisierten, die **Identität** und die involutorische[1] **Negation**,

| $x$ | O | L |
|---|---|---|
| iden $(x)$ | O | L |

| $x$ | O | L |
|---|---|---|
| neg $(x)$ | L | O |

sowie die beiden konstanten Funktionen $y = O$, $y = L$

| $x$ | O | L |
|---|---|---|
| $y$ | O | O |

| $x$ | O | L |
|---|---|---|
| $y$ | L | L |

An (binären) Schaltfunktionen mit zwei Variablen – zweistelligen Schaltfunktionen also – gibt es bereits sechzehn wesentlich verschiedene. In die vier Felder der Wertetafel lassen sich nämlich alle Kombinationen von O und L, das sind aber $2^4$, eintragen. Generell gibt es $2^{(2^v)}$ wesentlich verschiedene $v$-stellige Schaltfunktionen.

Es erhebt sich die Frage, ob man alle Schaltfunktionen auf einige wenige Arten von Schaltfunktionen zurückführen kann. Dies ist in der Tat möglich z. B. mit Hilfe der (einstelligen) Involution und zwei zweistelligen Schaltfunktionen, nämlich der **Konjunktion** (auch „**Und-Verknüpfung**") conjunct $(x_1, x_2)$, und der **Disjunktion** oder Adjunktion (auch „**Oder-Verknüpfung**"[2]) disjunct $(x_1, x_2)$ mit den Wertetabellen

| conjunct | O | L |
|---|---|---|
| O | O | O |
| L | O | L |

| disjunct | O | L |
|---|---|---|
| O | O | L |
| L | L | L |

In Präfixschreibweise benützen wir das Zeichen $\neg$ für die Negation und in Konnektivschreibweise das Zeichen $\wedge$ für die Konjunktion, das Zeichen $\vee$ für die Disjunktion[3]. Mit dieser schreibtechnischen Vereinfachung gilt dann der

**Hilfssatz:** Für jede $n$-stellige Schaltfunktion $f$ gilt

$$f(a_1, a_2, \ldots a_{i-1}, a_i, a_{i+1}, \ldots a_n) = \\ (a_i \wedge f(a_1, a_2, \ldots a_{i-1}, L, a_{i+1}, \ldots a_n)) \\ \vee (\neg a_i \wedge f(a_1, a_2, \ldots a_{i-1}, O, a_{i+1}, \ldots a_n)).$$

---

[1] Zweimalige Anwendung der Negation ergibt die Identität, neg neg$(x)$ = iden$(x)$, daher die Bezeichnung.

[2] Auch als „nichtausschließendes Oder" bezeichnet, lat. *vel*.

[3] Die selben Zeichen also, die für Aussageverknüpfungen verwendet werden – mit der Korrespondenz O ⟷ »falsch«, L ⟷ »wahr«. Die Schaltfunktionen stimmen damit äußerlich mit den Aussageverbindungen für Boolesche Variable (2. Kap., S. 72) überein. Sieht man Aussagenverbindungen als gleich an, wenn sie wertverlaufgleich sind, so gelten auch für sie die in 4.1.2 noch abzuleitenden Gesetze. Genaueres erfährt man darüber in Spezialvorlesungen über Mathematische und Formale Logik.

**Beweis:** Wir benutzen eine Fallunterscheidung.

1. Sei $a_i = \mathsf{L}$. Dann ist $\neg\, a_i = \mathsf{O}$. Auf der rechten Seite ergibt sich

$$(\mathsf{L} \wedge f(a_1, a_2, \ldots a_{i-1}, \mathsf{L}, a_{i+1}, \ldots a_n))$$
$$\vee\, (\mathsf{O} \wedge f(a_1, a_2, \ldots a_{i-1}, \mathsf{O}, a_{i+1}, \ldots a_n))\,.$$

Der erste Term der Disjunktion hat nach der Wertetabelle der Konjunktion den Wert $f(a_1, a_2\, a_{i-1}, \mathsf{L}, a_{i+1}, \ldots a_n)$, der zweite Term den Wert $\mathsf{O}$. Nach der Wertetabelle der Disjunktion hat also die rechte Seite den Wert $f(a_1, a_2, \ldots a_{i-1}, \mathsf{L}, a_{i+1}, \ldots, a_n)$. Eben diesen Wert hat auch die linke Seite.

2. Sei $a_i = \mathsf{O}$. Dann erhält man ähnlich wie oben

$$f(a_1, a_2, \ldots a_{i-1}, \mathsf{O}, a_{i+1}, \ldots a_n)$$

als Wert der rechten Seite.

Der Hilfssatz erlaubt das Herauslösen einer Variablen $a_i$ aus der Schaltfunktion. Durch sukzessive Anwendung auf $a_1, a_2, \ldots a_n$ ergibt sich das

**Boolesche[4] Normalform-Theorem:**

Jede Schaltfunktion läßt sich eindeutig folgendermaßen darstellen (konjunktive Normalform)

$$
\begin{aligned}
f(a_1, a_2, \ldots a_n) = \; & (a_1 \wedge a_2 \wedge \cdots \wedge a_{n-1} \wedge a_n \wedge f(\mathsf{L}, \mathsf{L}, \ldots \mathsf{L}, \mathsf{L})) \\
& \vee (\neg\, a_1 \wedge a_2 \wedge \cdots \wedge a_{n-1} \wedge a_n \wedge f(\mathsf{O}, \mathsf{L}, \ldots \mathsf{L}, \mathsf{L})) \\
& \vee (a_1 \wedge \neg a_2 \wedge \cdots \wedge a_{n-1} \wedge a_n \wedge f(\mathsf{L}, \mathsf{O}, \ldots \mathsf{L}, \mathsf{L})) \\
& \qquad\qquad \vdots \\
& \vee (\neg\, a_1 \wedge \neg a_2 \wedge \cdots \neg a_{n-1} \wedge a_n \wedge f(\mathsf{O}, \mathsf{O}, \ldots \mathsf{O}, \mathsf{L})) \\
& \vee (\neg\, a_1 \wedge \neg a_2 \wedge \cdots \neg a_{n-1} \wedge \neg a_n \wedge f(\mathsf{O}, \mathsf{O}, \ldots \mathsf{O}, \mathsf{O}))\,.
\end{aligned}
$$

Falls $f(\alpha_1, \alpha_2, \ldots \alpha_n) = \mathsf{O}$, fällt natürlich der Term fort. Jede Schaltfunktion läßt sich also als Disjunktion von $\kappa$, $0 \leq \kappa \leq 2^n$, sogenannten **Min-Termen** darstellen, wobei jeder Minterm eine $n$-stellige Konjunktion ist, die entweder jede Variable selbst oder ihre Negation enthält.

Beispiel: Die Schaltfunktion mit der Wertetafel

| $a_1$ | L | O | L | O | L | O | L | O |
|---|---|---|---|---|---|---|---|---|
| $a_2$ | L | L | O | O | L | L | O | O |
| $a_3$ | L | L | L | L | O | O | O | O |
| $f(a_1, a_2, a_3)$ | L | O | O | L | O | L | L | O |

kann dargestellt werden als

$$
\begin{aligned}
f(a_1, a_2, a_3) = \; & (a_1 \wedge a_2 \wedge a_3) \vee (\neg\, a_1 \wedge \neg a_2 \wedge a_3) \\
& \vee (\neg\, a_1 \wedge a_2 \wedge \neg a_3) \vee (a_1 \wedge \neg a_2 \wedge \neg a_3)\,.
\end{aligned}
$$

---

[4] GEORGE BOOLE, 1815–1864, englischer Mathematiker und Logiker.

Insbesondere lassen sich die sechzehn verschiedenen zweistelligen Schaltfunktionen auf Negation, Konjunktion und Disjunktion zurückführen. Es ergeben sich

a) je eine Schaltfunktion mit keinem und mit genau vier Mintermen, die konstant O bzw. L ergeben,

b) je vier Schaltfunktionen mit genau einem und mit genau drei Mintermen,

c) sechs Schaltfunktionen mit genau zwei Mintermen.

Von den unter b) stehenden sind neben Konjunktion und Disjunktion noch besonders wichtig die kommutativen Verknüpfungen:

$$\text{nor}\,(a_1, a_2) = \neg a_1 \wedge \neg a_2 \qquad \text{(,,Nor''-Verknüpfung, auch}$$
$$\text{Peirce-Funktion genannt),}$$

$$\text{nand}\,(a_1, a_2) = (\neg a_1 \wedge a_2) \vee (a_1 \wedge \neg a_2)$$
$$\vee (\neg a_1 \wedge \neg a_2) \qquad \text{(,,Nand''-Verknüpfung, auch}$$
$$\text{Sheffer-Funktion genannt).}$$

Durch Durchprüfen aller Kombinationen verifiziert man

$$\text{nor}\,(a, a) = \neg a,$$
$$\text{nor}\,(\text{nor}\,(a, a), \text{nor}\,(b, b)) = a \wedge b,$$
$$\text{nor}\,(\text{nor}\,(a, b), \text{nor}\,(a, b)) = a \vee b.$$

Mit Hilfe der Peirce-Funktion (und ähnlich mit Hilfe der Sheffer-Funktion) allein lassen sich also Schaltfunktionen darstellen, vgl. 4.1.4.

Von den unter c) stehenden Schaltfunktionen sind nichttrivial die beiden folgenden

$$\text{äquiv}\,(a_1\, a_2) = (a_1 \wedge a_2) \vee (\neg a_1 \wedge \neg a_2) \qquad \text{(Äquivalenzfunktion),}$$

$$\text{antiv}\,(a_1\, a_2) = (\neg a_1 \wedge a_2) \vee (a_1 \wedge \neg a_2) \qquad \text{(Antivalenzfunktion[5]).}$$

In Konnektivschreibweise notiert man auch

$$a_1 \equiv a_2 = \text{äquiv}\,(a_1, a_2),$$
$$a_1 \not\equiv a_2 = \text{antiv}\,(a_1, a_2).$$

Insbesondere hat man

$$\text{O} \not\equiv \text{O} = \text{O}, \qquad \text{O} \not\equiv \text{L} = \text{L},$$
$$\text{L} \not\equiv \text{O} = \text{L}, \qquad \text{L} \not\equiv \text{L} = \text{O};$$

wird O mit 0 und L mit 1 identifiziert, bezeichnet $\not\equiv$ die Operation der „Addition modulo 2".

### 4.1.2 Verband der Schaltfunktionen

Nicht nur die binären Werte O, L lassen sich verknüpfen, auch Schaltfunktionen selbst lassen sich verknüpfen. In $\text{nor}(\text{nor}(a, a), \text{nor}(b, b))$ war das schon der Fall, auch im Normalform-Theorem.

---

[5] Auch als „exklusives Oder" bezeichnet, lat. *aut.*

Für die Verknüpfung von Schaltfunktionen $f$, $g$, $h$ (und somit trivialerweise auch für einzelne Schaltvariable) gelten die folgenden Gesetze

| | | |
|---|---|---|
| $\neg\,(\neg f) = f$ | | **(Involutionsgesetz)**, |
| $f \wedge g = g \wedge f$ | $f \vee g = g \vee f$ | **(Kommutativgesetze)**, |
| $(f \wedge g) \wedge h = f \wedge (g \wedge h)$ | $(f \vee g) \vee h = f \vee (g \vee h)$ | **(Assoziativgesetze)**, |
| $f \wedge f = f$ | $f \vee f = f$ | **(Idempotenzgesetze)**, |
| $f \wedge (f \vee g) = f$ | $f \vee (f \wedge g) = f$ | **(Absorptionsgesetze)**, |
| $f \wedge (g \vee h) = (f \wedge g) \vee (f \wedge h)$ | $f \vee (g \wedge h) = (f \vee g) \wedge (f \vee h)$ | **(Distributivgesetze)**, |
| $\neg\,(f \wedge g) = \neg f \vee \neg g$ | $\neg\,(f \vee g) = \neg f \wedge \neg g$ | **(Gesetze von De Morgan)**. |

Es ist ferner $f \wedge \neg f$ konstant $\mathsf{O}$, $f \vee \neg f$ konstant $\mathsf{L}$.

Eine Menge von Elementen, die bezüglich dreier Operationen $\neg$, $\wedge$, $\vee$ die vorstehenden Gesetze erfüllt, heißt **Boolescher Verband**. Die Schaltfunktionen bilden also einen Booleschen Verband. $a \wedge \neg a$ heißt **Nullelement**, $a \vee \neg a$ **Einselement** dieses Verbands[6].

Durch Durchspielen aller Wahlkombinationen nach der Verknüpfungstafel läßt sich die in den Gesetzen zum Ausdruck kommende Gleichheit des Werteverlaufs der rechts- und linksstehenden Schaltfunktionen beweisen. Damit soll aber keineswegs gesagt sein, daß alle Beweise über Gleichheit von Schaltfunktionen durch Durchprobieren geführt werden müßten. Für Schaltfunktionen mit vielen Variablen wäre das auch ein praktisch unzulänglicher Weg. Im Gegenteil, solche Beweise können nur durch „Manipulieren mit Zeichenreihen" durchgeführt werden.

Beispiel: Es ist

$$(a \wedge b) \vee (\neg a \wedge b) \vee (a \wedge \neg b) =$$
$$((a \wedge b) \vee (\neg a \wedge b)) \vee (a \wedge \neg b) =$$
$$((a \vee \neg a) \wedge b) \vee (a \wedge \neg b) =$$
$$(\mathsf{L} \wedge b) \vee (a \wedge \neg b) =$$
$$b \vee (a \wedge \neg b) =$$
$$(b \vee a) \wedge (b \vee \neg b) =$$
$$(b \vee a) \wedge \mathsf{L} =$$
$$b \vee a$$

### 4.1.3 Schaltnetze

Die Realisierung einer Schaltfunktion der Variablen $a_1, \ldots, a_n$ stellt man sich als „schwarzen Kasten" $K$ vor, mit den Eingängen $a_1, \ldots, a_n$ und einem Ausgang $j = f(a_1, a_2, \ldots, a_n)$. Man braucht sich dabei nicht auf einen Ausgang zu beschränken und hat dann $m$ Schaltfunktionen $j_i = f_i(a_1, a_2, \ldots a_n)$ $i = 1, 2, \ldots m$ für die Ausgänge

---

[6] Die Menge $\{\mathsf{O}, \mathsf{L}\}$ bildet ebenfalls einen Booleschen Verband, einen Unterverband des Verbandes der Schaltfunktionen. Man vergleiche die Situation mit dem Ring der rationalen Funktionen und dem Ring der rationalen Zahlen.

$j_1 \ldots j_m$ (Abb. 77). Ein solcher „schwarzer Kasten", **Schaltglied** genannt, läßt sich als ein Codeumsetzer mit $n$-stelligen Binärworten am Eingang, $m$-stelligen Binärworten am Ausgang auffassen. Für die Schaltfunktionen Involution, Konjunktion und Disjunktion führt man anstelle des rechteckigen Sinnbilds drei besondere Sinnbilder ein (Abb. 78), die zugehörigen Schaltglieder heißen **Nicht-Glied, Und-Glied, Oder-Glied,** allgemein spricht man von **Verknüpfungsgliedern.**

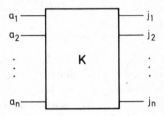

Abb. 77    Sinnbild für Schaltglied

| Sinnbild | a ⟩ r<br>b | a ⟩ r<br>b | a •⟩ r oder a ——•— r |
|---|---|---|---|
| Formel | $r = a \wedge b$ | $r = a \vee b$ | $r = \neg a$ |
| Benennung | Und-Glied | Oder-Glied | Nicht-Glied |

Abb. 78    Sinnbilder für Konjunktion, Disjunktion, Negation

Die Verknüpfung von Schaltfunktionen mit Hilfe der Grundoperationen wird durch das Hintereinandersetzen der Sinnbilder bewerkstelligt. Insbesondere ergeben sich so Schaltfunktionen und Schaltnetze, die nur auf Konjunktion, Disjunktion und Negation aufgebaut sind. Für die Negation eines Eingangs einer Konjunktion oder Disjunktion setzt man lediglich einen „Negationspunkt": Es ergeben sich Sinnbilder wie in Abb. 79 (das linke stellt die Nor-Verknüpfung nach S. 178 dar).

Abb. 79    Sinnbild für Nor-Verknüpfung, Gesetz von DE MORGAN

Die Gesetze von 4.1.2 drücken sich mit Hilfe der Sinnbilder zum Teil recht einprägsam aus. Das gilt vor allem für die Gesetze von DE MORGAN (Abb. 79) und das Involutionsgesetz, das bedeutet, daß zwei Negationspunkte sich gegenseitig wegheben.

Das Kommutativgesetz drückt sich darin aus, daß die Sinnbilder symmetrisch in beiden Eingängen sind. Die Möglichkeit, den Sinnbildern auch mehr als zwei Eingänge zu geben, drückt das Assoziativgesetz aus (Abb. 80).

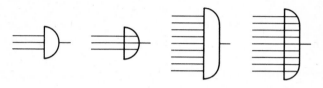

Abb. 80    Sinnbilder mit mehr als zwei Eingängen

Das Absorptionsgesetz und das Distributivgesetz sind in Abb. 81 und Abb. 82 bildlich dargestellt. Wir beschränken uns auf jeweils eines, das andere ergibt sich durch Vertauschung von Konjunktion und Disjunktion. Das Distributivgesetz kann also als „Durchziehen des Sinnbildes unter Verdopplung" aufgefaßt werden.

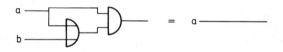

Abb. 81    Absorptionsgesetz

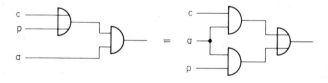

Abb. 82    Distributivgesetz

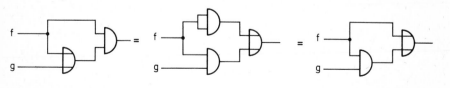

Abb. 83    $f \wedge (f \vee g) = f \vee (f \wedge g)$

Aus dem Distributivgesetz und dem Idempotenzgesetz folgt übrigens das Absorptionsgesetz nicht, aber es folgt wenigstens $f \wedge (f \vee g) = f \vee (f \wedge g)$, denn $f \wedge (f \vee g)$ $= (f \wedge f) \vee (f \wedge g) = f \vee (f \wedge g)$. Vgl. dazu Abb. 83. Aus dem Absorptionsgesetz folgt das Idempotenzgesetz:

$$f = f \wedge [f \vee (f \wedge g)] = f \wedge f.$$

Es mögen einige wenige Beispiele folgen:

Ein Schaltnetz, das für die stellenweise Addition von zwei binär codierten Zahlen gebraucht wird, ist der **Halbaddierer** von Abb. 84, mit den zwei Ausgängen

$$s = a \not\equiv b,$$
$$ü = a \wedge b.$$

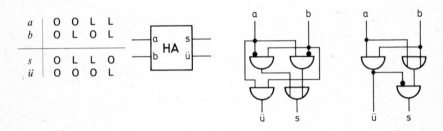

Abb. 84    Halbaddierer

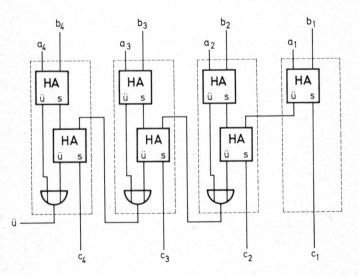

Abb. 85    Additionsschaltnetz

Bei der Realisierung durch das rechts angegebene Schaltnetz ist die Umformung

$$(\neg a \wedge b) \vee (a \wedge \neg b) = ((\neg a \wedge b) \vee a) \wedge (\neg a \wedge b) \vee \neg b$$
$$= (a \vee b) \wedge (\neg a \vee \neg b) = (a \vee b) \wedge \neg (a \wedge b)$$

ausgenützt worden.

Halbaddierer können verwendet werden, um zwei Zahlen, die im direkten Code (vgl. 1.4.2) verschlüsselt sind, zu addieren. Neben den Stellenwerten der beiden Zahlen muß dabei stets auch der ankommende Übertrag von der nächst „kleineren" Stelle berücksichtigt werden. Für zwei je vierstellige Zahlen zeigt Abb. 85 das Schaltnetz, das unter Verwendung von 7 Halbaddierern und drei Disjunktionen aufgebaut ist. Die gestrichelt umrandeten Einheiten werden **Volladdierer** genannt. Codeumsetzer lassen sich im Prinzip in zwei Stufen aufbauen: Die erste Stufe setzt den Eingangscode von $n$ Kombinationen in einen 1-aus-$n$-Code um, die zweite setzt den 1-aus-$n$-Code in den Ausgangscode um. Nimmt man an, daß mit jeder Schaltvariablen auch ihre Negierte am Eingang zur Verfügung steht bzw. am Ausgang gebraucht wird, so läßt sich, aufbauend auf der Booleschen Normalform, die erste Stufe ganz mit Konjunktionen, die zweite ganz mit Disjunktionen aufbauen. Für das Beispiel der Umsetzung vom Exzeß-3-Code in den direkten Code zeigt das die Abb. 86.

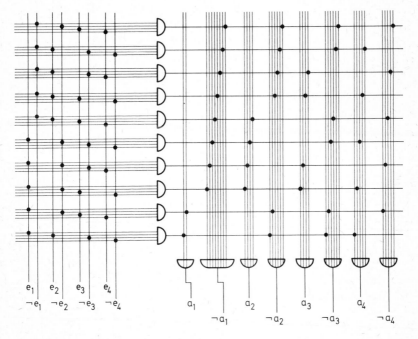

Abb. 86  Umsetzung Exzeß-3-Code in direkten Code

### 4.1.4  Technische Verwirklichung von Schaltnetzen

Die seit über 100 Jahren bekannten elektromechanischen Relais sind heute zum Aufbau von Schaltnetzen ebenso überholt wie die vor 30 Jahren erstmals dazu verwendeten Glühkathodenröhren. Seit über 10 Jahren werden vornehmlich Transistoren zum Aufbau von Schaltnetzen verwendet. Beispielsweise zeigt Abb. 87 die ingenieurmäßige Schaltung[7] für ein Nor-Glied mit zwei $n$-$p$-$n$-Transistoren. Wie in 4.1.1 er-

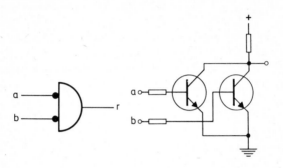

Abb. 87    Nor-Glied mit $n$-$p$-$n$-Transistoren

wähnt, läßt sich jedes Schaltnetz unter alleiniger Verwendung von Nor-Gliedern aufbauen. Neben Transistoren werden aber auch noch Dioden zur Realisierung von Schaltverknüpfungen verwendet. Abb. 88 zeigt eine vereinfachte Schaltung[8] mit Dioden für ein Und-Glied. Auch Oder-Glieder und damit zweistufige Codeumsetzer nach Art der Abb. 86 lassen sich mit Dioden allein[8] aufbauen, nicht dagegen die Negation.

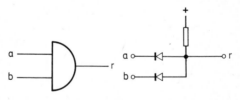

Abb. 88    Und-Glied mit Dioden

In der neuerdings eingeführten Technologie der **integrierten Schaltungen** werden Dutzende und mehr von einzelnen Verknüpfungsgliedern auf Plättchen mit wenigen Quadratmillimetern untergebracht, der Herstellungsprozeß umfaßt Aufdampfen und Eindiffundieren des halbleitenden Materials.

---

[7]  Dabei ist positiver Signalhub angenommen: O↔tiefe Spannung, L↔hohe Spannung. Bei umgekehrter Zuordnung ergibt sich ein Nand-Glied.

[8]  Aus Dimensionierungsgründen werden heute meist auch hierbei Transistoren zur Potentialfestlegung zwischengeschaltet. Es ergibt sich dann durch die transistorbedingte Negation ein Nand-Glied (Dioden-Transistor-Schaltnetztechnik).

Ringkerne, die in 4.2.5 noch in ihrer Speicherfunktion diskutiert werden sollen, werden insbesondere bei der Speicheransteuerung zur Bildung von Konjunktionen benützt. Für Einzelheiten muß auf spezielle Literatur *(Physikalische und elektrotechnische Grundlagen der Informatik, Elektronik-Praktikum)* verwiesen werden.

## 4.2 Schaltwerke

Zum Wesen der Schaltfunktionen und Schaltnetze gehört, daß ihre Schaltvariablen verschiedene Werte annehmen können. Soweit sie durch physikalische Apparaturen dargestellt werden, haben wir Schaltnetze bisher statisch, d. h. im ruhenden oder eingeschwungenen Zustand betrachtet. Die Veränderlichkeit, die bei den üblichen Realisierungen als zeitliche Veränderung auftritt, ist aber nicht momentan; eine Schaltvariable springt nur idealisiert zwischen den Werten O und L, der Wert des Signalparameters ändert sich in Wirklichkeit nicht ruckartig. Tatsächlich gilt, daß erst nach einer gewissen Zeit $t$ zuverlässig die Werte am Ausgang eines Schaltnetzes festgestellt werden können, und daß in der Zwischenzeit die Schaltvariablen gar nicht definiert sind. Die **Schaltzeit** $t$ hängt natürlich sehr von der verwendeten Technik ab; während sie für ein einzelnes Und-Glied um 1950 in Relaistechnik noch $10^{-2}$ sec betrug, ist sie heute unter Verwendung von Transistoren in integrierten Schaltungen auf weniger als $10^{-9}$ sec zurückgegangen. Für komplizierte Schaltnetze ergibt sich die Schaltzeit im wesentlichen aus den Signaldurchlaufzeiten der einzelnen Glieder.

Als Konsequenz ergibt sich aus dieser Einsicht zunächst, daß eine Zeitverzögerung als wesentliches Element für den tatsächlichen Aufbau von Schaltungen in Kauf zu nehmen ist; für die lediglich funktionelle Beschreibung führen wir aber die Fiktion weiter, daß Schaltnetze verzögerungsfrei sind und stecken die tatsächlich auftretende Verzögerung in ein besonderes Schaltglied, das Verzögerungsglied. Der Tatsache, daß zu gewissen Zeiten der Ausgang eines Schaltnetzes undefiniert ist, begegnet man überdies durch **Zeitrasterung** (vgl. 1.5.1), nämlich durch Festlegung von **Taktzeitpunkten.** Jede Schaltvariable wird lediglich zu Taktzeitpunkten betrachtet.

### 4.2.1 Verzögerungsglieder

Ein Verzögerungsglied als idealisiertes Gebilde hat eine charakteristische **Verzögerungszeit** $\Delta t$. Nehmen wir als einfachsten Fall an, alle in einer Schaltung vorkommenden Verzögerungszeiten sind gleich oder kleine ganzzahlige Vielfache einer **Taktzeit** $\delta t$, so sind die allein interessierenden Taktzeitpunkte $t_i = t_0 + i\delta t$, und für die zeitlich veränderliche Schaltvariable $v(t)$ interessieren nur die Werte $v^{(i)} = v(t_i)$ $= v(t_0 + i\delta t)$[9]. Die Verzögerung um die Einheit $\delta t$ drücken wir durch das Operations-

---

[9] Nach dem Abtasttheorem kann damit sogar eine Signalfunktion mit einer Höchstfrequenz $(2\delta t)^{-1}$ übertragen werden.

symbol $D$ aus, es ist also $Dv^{(i)}=v^{(i+1)}$. Entsprechend gilt $D^k v^{(i)}=v^{(i+k)}$ für ein Verzögerungsglied mit der Verzögerungszeit $\Delta t = k\,\delta t$. Abb. 89 zeigt das für ein Verzögerungsglied verwendete Sinnbild.

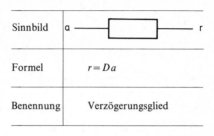

| Sinnbild | a ⎯⎯⎯⎯⎯⎯⎯ r |
|---|---|
| Formel | $r = Da$ |
| Benennung | Verzögerungsglied |

Abb. 89    Sinnbild für Verzögerungsglied

Für die Zusammenschaltung von Verzögerungsgliedern mit den Verknüpfungsgliedern gelten einige Vereinfachungen. Zunächst gilt ein Kommutativgesetz

$$\neg\,(Da) = D(\neg\,a)$$

sowie eine Art von Distributivgesetz

$$(Da)\wedge(Db) = D(a\wedge b),$$
$$(Da)\vee(Db) = D(a\vee b),$$

vgl. Abb. 90.

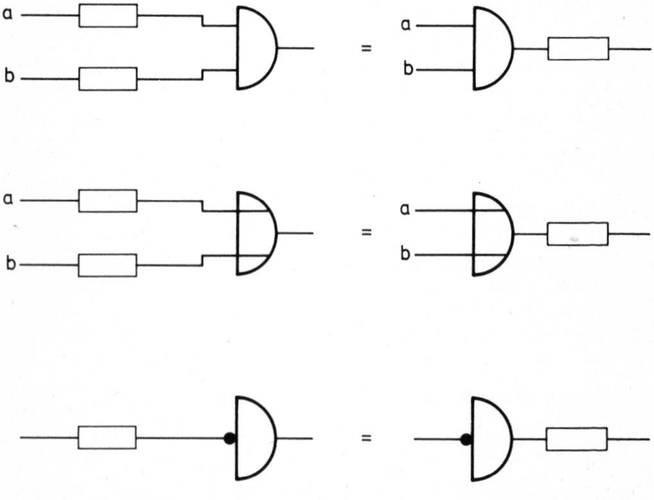

Abb. 90    Durchziehen des Verzögerungsglieds

Auf den technischen Aufbau von Verzögerungsgliedern soll nicht näher eingegangen werden. Wo solche tatsächlich Verwendung finden, ist $\delta t$ jedenfalls groß gegenüber den in den Schaltnetzen auftretenden Verzögerungen. Heute werden Verzögerungsglieder fast ausschließlich durch taktgesteuerte Flipflops, vgl. 4.2.4, ersetzt.

### 4.2.2 Verzögerte Rückführung, Verzögerungsschaltwerke

Verzögerungsglieder werden nicht nur gebraucht, um in Schaltnetzen tatsächlich auftretende Verzögerungen zu beschreiben. Die Verzögerung als selbständiges Element hat eine über das bisherige hinausgehende Bedeutung.

Während es nämlich bisher, also in einem (verzögerungsfreien) Schaltnetz nicht sinnvoll war, eine Ausgangsvariable in einen Eingang zurückzuführen (beispielsweise Abb. 91, in $\neg a = a$ führt es zu einem Widerspruch, desgl. Abb. 92, in $\neg(a \wedge b) = a$, falls $b$ den Wert L hat), kann jetzt eine verzögerte **Rückführung** sinnvoll sein. Das zeigt das Beispiel des **Serien-Addierers** (Abb. 93).

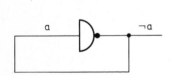

Abb. 91   Widersprüchliche Rückführung

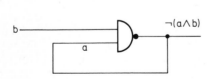

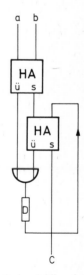

Abb. 92   Partiell widersprüchliche Rückführung

Abb. 93   Serien-Addierschaltwerk

Was in Abb. 85 als Übertrag in die nächste Stelle läuft, wird jetzt verzögert und in den Übertragseingang rückgeführt. Stehen nun die einzelnen Dualziffern $a^{(1)}$, $a^{(2)}, \ldots, a^{(n)}$ der Zahl $a$ und $b^{(1)}$, $b^{(2)}, \ldots, b^{(n)}$ der Zahl $b$ in taktgebundener zeitlicher Reihenfolge an den Eingängen $a$ und $b$ an, so ergibt sich die Summe ziffernweise am Ausgang $c$.

Während der Paralleladdierer die Addition „auf einen Schlag"[10] macht, braucht der Serienaddierer dazu $n$ Zeiteinheiten, wenn die zu addierenden Zahlen $n$-stellig sind. In einem gewissen Sinn ist ein Serienaddierer sogar leistungsfähiger als ein Paralleladdierer: Die Stellenzahl der Zahlen, die addiert werden können, ist nicht beschränkt[11]: Jedes Paar von Zahlen kann addiert werden.

Ein Gebilde, in dem neben Schaltnetzen auch Verzögerungsglieder und Rückführungen vorkommen, nennen wir **Schaltwerk**, vorausgesetzt keine Rückführung ist unverzögert.

Sicher liegt ein Schaltwerk vor, wenn ein Schaltnetz mit

$$k + m \text{ Eingängen } a_1, a_2, \ldots, a_k, v_1, v_2, \ldots, v_m$$

und

$$l + m \text{ Ausgängen } r_1, r_2, \ldots, r_l, v_1', v_2', \ldots, v_m'$$

mit $m$ verzögerten Rückführungen

$$v_i = D v_i' = D f_i(v_1, v_2, \ldots, v_m, a_1, a_2, \ldots a_k)$$

versehen wird. Der Serienaddierer von Abb. 93 fällt ohne weiteres darunter. Andere Gebilde lassen sich, wenn überhaupt möglich, auf diese „Normalform" bringen, indem man jeden Ausgang eines Verzögerungsgliedes mit einer internen Variablen $v_\mu$ bezeichnet.

Die Schaltvariablen $v$ nennt man **interne (verzögert rückgeführte)** Variablen. Der Ausgang $r$ hängt nunmehr nicht nur vom Eingang $a$, sondern auch von den Werten der einzelnen internen Variablen ab. Deren Wertekombinationen bestimmen den Ausgang mit; das Schaltwerk kann sich in verschiedenen **internen Zuständen** befinden, in denen es sich verschieden verhält. In welchem Zustand es sich befindet, hängt von der Vorgeschichte ab. In Kap. VII werden wir in den endlichen Automaten eine abstrakte Weiterverfolgung dieser Situation vorfinden.

Im Beispiel des Serienaddierers gibt es zwei interne Zustände: $v^{(i)} = L$ mit der Bedeutung „Übertrag steht an" und $v^{(i)} = O$ mit der Bedeutung „kein Übertrag steht an". Ein Schaltwerk mit $m$ internen Variablen kann bis zu $2^m$ interne Zustände, den $2^m$ möglichen Wertekombinationen entsprechend, haben. Ein Beispiel für die volle Anzahl liefert der Dualzähler, Abb. 94. Er entsteht aus dem Paralleladdierer, indem $b_2 = b_3 = \cdots = b_n$ identisch $O$ gesetzt werden. Ist dann $b_1 = L$, wird um Eins hochgezählt. Die Ausgänge $c_\mu = v_\mu'$ werden verzögert in die Eingänge $a_\mu = v_\mu = D c_\mu$ rückgeführt. Die sogenannte „Zählfolge" der internen Zustände ist die des direkten Codes (1.4.2.).

---

[10] Nicht in der Schaltung 85, bei der ein Übertrag eventuell durch alle Stellen „hindurchklappert". Durch besondere Maßnahmen kann dem aber abgeholfen werden.

[11] Man sage nicht: Sie ist „unendlich". Zahlen mit unendlich, d. h. mehr als endlich vielen Stellen können nicht addiert werden.

Andere Schaltwerke nützen nicht alle internen Wertekombinationen aus. Ein Beispiel liefert ein Schaltwerk zur Erzielung eines 3-stelligen Kettencodes, vgl. 1.4.2. Es hat den Aufbau von Abb. 95, wobei also

$$v_1 = Dv_2,$$
$$v_2 = Dv_3,$$
$$v_3 = Df(v_1, v_2, v_3).$$

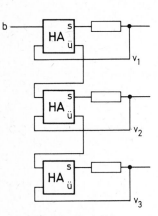

Abb. 94   Dualzähler

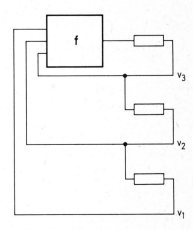

Abb. 95   Kettencode-Erzeugung

Es ist dies ein Schaltwerk ohne Eingang, seine inneren Zustände werden (schließlich) periodisch durchlaufen. Für die Fälle

(A)    $f(v_1, v_2, v_3) = v_1$,

(B)    $f(v_1, v_2, v_3) = \neg v_1$,

(C)    $f(v_1, v_2, v_3) = (v_1 \wedge v_2) \vee (\neg v_1 \wedge \neg v_2)$

werden die folgenden Wertekombinationen $(v_1, v_2, v_3)$ durchlaufen:

(A)
┌→(OOO)
└─┘

┌→(OOL)
│ (OLO)
│ (LOO)
└─┘

┌→(OLL)
│ (LLO)
│ (LOL)
└─┘

┌→(LLL)
└─┘

(B)
┌→(OOO)
│ (OOL)
│ (OLL)
│ (LLL)
│ (LLO)
│ (LOO)
└─┘

┌→(LOL)
│ (OLO)
└─┘

(C)
┌→(OOO)
│ (OOL)
│ (OLL)
│ (LLO)
│ (LOL)
│ (OLO)
│ (LOO)
└─┘

┌→(LLL)
└─┘

Für (C) ergibt sich die Kette ┌→OOOLLOL┐ .

Als besonders einfaches Beispiel geben wir schließlich noch die „Selbsthaltung" (Abb. 96)

$$v_1 = D(a \vee v_1),$$

wobei nach einem Auftreten von L am Eingang $a$ der Zustand immer L bleibt.

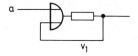

Abb. 96   Selbsthaltung

### 4.2.3 Flipflops

Ein Schaltwerk heißt **multistabil**, wenn es dafür eine Eingangskombination gibt, die alle internen Variablen wertmäßig unverändert läßt. Ein solches Schaltwerk läßt sich zur Speicherung verwenden. Wegen seiner Einfachheit grundlegend ist das **Flipflop**, das **bistabil** ist: Es besitzt zwei innere Zustände, etwa gekennzeichnet durch die Werte e i n e r internen Variablen $v$ oder durch zwei Variablen $(v_1, v_2)$, die die Wertkombinationen (O, L) und (L, O) annehmen, also $v_2 = \neg v_1$.

Das gebräuchlichste Flipflop („R-S-Flipflop") hat zwei symmetrische Eingänge $(r, s)$, wobei die Kombination (L, L) ausgeschlossen ist. Für die Kombination (O, O) soll der Zustand unverändert bleiben; für $r = L$, $s = O$ soll $v_1 = L$, für $r = O$, $s = L$ soll $v_2 = L$ werden.

Sein Verhalten wird beschrieben durch die symmetrischen Gleichungen

$$v_1 = D((r \vee v_1) \wedge \neg s),$$
$$v_2 = D((s \vee v_2) \wedge \neg r).$$

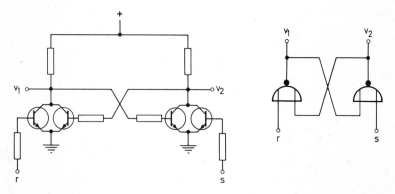

Abb. 97   Flipflop mit $n$-$p$-$n$-Transistoren

In der Tat ist

$$\neg v_1 = \neg D((r \vee v_1) \wedge \neg s) = D(s \vee (\neg r \wedge \neg v_1)) = D((s \vee \neg v_1) \wedge (s \vee \neg r)),$$

aber wegen $r \wedge s = 0$ kann $s \vee \neg r$ durch $\neg r$ ersetzt werden; ist also einmal $v_2 = \neg v_1$, so bleibt dies so.

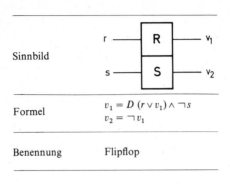

| Sinnbild | |
| --- | --- |
| Formel | $v_1 = D\,(r \vee v_1) \wedge \neg s$<br>$v_2 = \neg v_1$ |
| Benennung | Flipflop |

Abb. 98   Sinnbild für Flipflop

Technisch wird ein Flipflop meist direkt durch zwei sich gegenseitig sperrende Schaltelemente realisiert (Eccles-Jordan-Schaltung, 1919). Die lautmalerische Bezeichnung Flipflop soll an das Umkippen des Zustandes erinnern. Abb. 97 zeigt eine moderne Schaltung mit Transistoren, Abb. 98 das Schaltsinnbild.

### 4.2.4 Flipflopschaltwerke

Das Flipflopschaltwerk ist ein Schaltnetz, dessen Ausgänge über Flipflops auf die Eingänge rückgeführt sind. Ein Beispiel liefert Abb. 99 für einen Ringzähler. Die Bedingung $r \wedge s = 0$ muß am Eingang jedes Flipflops sichergestellt sein. Notfalls kann sie, wie in Abb. 100, durch Rückführungen und vorgeschaltete Konjunktionen sichergestellt werden. Gelegentlich wird auch im **Doppelsignalbetrieb** gearbeitet, d. h. es tritt mit jeder Schaltvariablen auch deren negierte explizit auf, und an den Eingängen und Ausgängen von R-S-Flipflops liegen solche Schaltvariablenpaare. Ein Beispiel zeigt Abb. 103 für eine Kette aus Flipflops, die im Zusammenhang mit der noch zu besprechenden Taktsteuerung von Bedeutung wird. Bei Doppelsignalbetrieb tritt die Wertkombination (0, 0) am Flipflopeingang nicht auf. Durch ihre Ausnützung ergeben sich aber oft Vorteile.

Prinzipiell kann ein Verzögerungsschaltwerk sofort durch ein Flipflopschaltwerk ersetzt werden, da nach Abb. 101 jedes Verzögerungsglied durch ein Flipflop ersetzt werden kann. Die zusätzlich erforderliche Negation am Eingang wird wettgemacht durch den Umstand, daß der Ausgang auch negiert zur Verfügung steht. Die Verfügbarkeit der Negation am Ausgang erlaubt auch, Flipflopschaltwerke mit zweistufigen Codeumsetzern nach Art von Abb. 86 unmittelbar zusammenarbeiten zu lassen. Generell kann man Negationen unter Benutzung der Gesetze von DE MORGAN „durchziehen" und damit jedes Schaltwerk negationsfrei, z. B. lediglich mit Konjunktionen, Disjunktionen und Flipflops aufbauen.

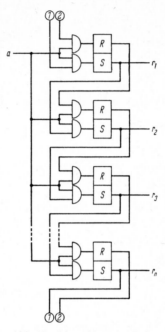

Abb. 99    Ringzähler mit Flipflops
(Aus: BAUER–HEINHOLD–SAMELSON–SAUER „Moderne Rechenanlagen, Teubner, Fig. 94)

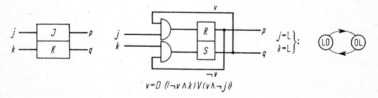

$$v = D \; ((\neg v \wedge k) \vee (v \wedge \neg j))$$

Abb. 100    $J$-$K$-Flipflop
(Aus: BAUER–HEINHOLD–SAMELSON–SAUER „Moderne Rechenanlagen", Teubner, Fig. 91)

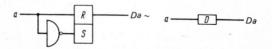

Abb. 101    Verzögerung mittels Flipflops

Überwiegend werden heute **taktgesteuerte** Flipflops verwendet, bei denen die Übernahme der am Eingang anliegenden Kombination in den inneren Zustand nur im Taktzeitpunkt, im Augenblick des Eintreffens eines **Taktimpulses,** der von einer Taktuhr kommt, erfolgt. Solche Flipflop-Schaltwerke werden als **taktsynchron** arbeitend bezeichnet. Das Schaltsymbol für ein taktgesteuertes Flipflop ist aus Abb. 102 ersichtlich.

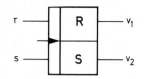

Abb. 102 Taktgesteuertes Flipflop

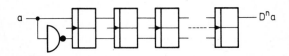

Abb. 103 Verzögerungskette aus taktgesteuerten Flipflops

Insbesondere werden auch Verzögerungsglieder durch taktgesteuerte Flipflops dargestellt. Abb. 103 zeigt ein $n$-faches Verzögerungsglied. Flipflop-Schaltwerke sind natürlich umgekehrt auch als (Verzögerungs-)Schaltwerke auffaßbar. Beispiele für Flipflop-Schaltwerke werden in größerer Zahl im nächsten Abschnitt auftreten.

### 4.2.5 Technische Verwirklichung von Schaltwerken

Reine Verzögerungsglieder werden heute so gut wie nicht mehr gebraucht, die Definition in 4.2.2 hat mehr theoretisches Interesse (siehe 7. Kap., Automatentheorie).

Flipflops werden fast ausschließlich unter Verwendung von Transistoren aufgebaut. Die Schaltzeit von Flipflops in integrierter Technologie liegt nur noch bei einigen $10^{-9}$ sec. Es werden daher neuerdings bereits große Speicher einigermaßen wirschaftlich in einheitlicher elektronischer Technologie gebaut.

Billiger, und daher bis heute beim Bau großer Speicher vorherrschend, ist die Verwendung von magnetisierbarem Material mit ausgeprägter, fast rechteckiger Hysteresis für Flipflops. Die beiden möglichen Magnetisierungsrichtungen ergeben die beiden Flipflopzustände. Hierunter fällt insbesondere der Ringkern aus Ferrit, der in den sogenannten **Kernspeichern** Verwendung findet. Während das Setzen oder Löschen sehr einfach ist, bereitet das Ablesen des gespeicherten Zustands – anders als bei elektronischen Flipflops – Schwierigkeiten. Die Abfragezeiten sind daher verhältnismäßig hoch, sie liegen wie die Schaltzeiten bei einigen $10^{-7}$ sec. Neuerdings wird in den **Magnetdrahtspeichern** die Magnetisierung dünner Magnetschichten mit zwei Vorzugsrichtungen ausgenützt.

Weiterhin fällt grundsätzlich unter die Wirkungsweise von Flipflops die Speicherung auf bewegten oder beweglichen Magnetschichten (**magnetomotorische Speicher**). Darüber wird mehr im 6. Kap. gesagt werden. Für Einzelheiten soll wiederum auf spezielle Literatur *(Physikalische und elektrotechnische Grundlagen der Informatik, Elektronik-Praktikum)* verwiesen werden.

## 4.3 Hauptbestandteile digitaler Rechenanlagen

### 4.3.1 Verarbeitungswerke

Die in 3.2.6 unter Rechenbefehle zusammengefaßten Verarbeitungsoperationen werden in Verarbeitungswerken durchgeführt, und zwar an binär codierten Objekten. Die **Verarbeitungsbreite,** d. h. die Anzahl Bits, die in einem einzigen Befehl verarbeitet werden, entspricht normalerweise der Wortlänge, insbesondere wenn das Wort verarbeitet wird, das Inhalt der durch die Adresse bezeichneten Zelle ist. Entspricht die Verarbeitungsbreite lediglich einem Halbwort oder Byte, so wird meist durch **Verschiebungen** der gewünschte Bestandteil des Wortes an die Verarbeitungsstelle gebracht. Akkumulatoren enthalten daher meist Einrichtungen zur Verschiebung nach rechts oder links, die also dem Befehl (3.3.1)

$$\times 2\uparrow \text{ ›ganze Zahl‹}$$

entsprechen, oder wenigstens zur Verschiebung um eine Stelle. Ein Verarbeitungswerk mit einem Flipflop-Akkumulator und einer Einrichtung zur Addition einer direkt binär codierten, am Eingang anstehenden ganzen Zahl, in Verbindung mit einer Einrichtung zur Verschiebung um eine Stelle zeigt Abb. 104. Durch Taktimpulse werden die zur Addition bzw. Verschiebung nötigen Wege geöffnet.

Die Multiplikation mit einer ganzen Zahl kann als wiederholte Addition mit Stellenverschiebung erhalten werden. Da der Multiplikand für den ganzen Multiplikationsvorgang verfügbar sein muß, wird auch er in der Regel in einem Multiplikandenregister (*MD*-Register) bereitgestellt. Schematisch zeigt das die Anordnung Abb. 105. Das *AC*-Register ist (ohne Additions-Schaltnetz, jedoch mit Verschiebe-Schaltnetz) nach rechts verlängert und nimmt schließlich das ganze Produkt auf. Durch Taktimpulse B werden, wie in Abb. 104, die für die Verschiebung[12] nötigen Wege geöffnet, durch Taktimpulse A werden die Wege vom *MD*-Register ins Additionsschaltnetz geöffnet, gesteuert über ein *UND*-Glied von der Multiplikatorstelle. Der Multiplikator kann selbst in einem Register mit Rechtsverschiebeeinrichtung

---

[12] Verschiebung nach rechts unter Nachziehen von 0.

bereitgestellt werden, die jeweils benötigte Stelle befindet sich dann stets am rechten Ende dieses Registers ($MR$-Register) und wird von dort abgegriffen. Aus ökonomischen Gründen wird häufig die rechte, ursprünglich nicht besetzte Hälfte des $AC$-Registers als $MR$-Register mitverwendet.

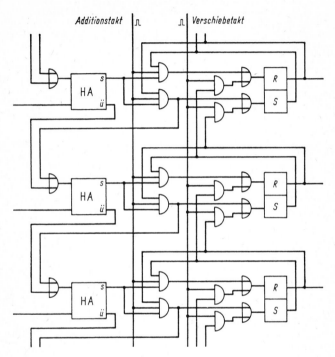

Abb. 104    Ausschnitt aus einem Akkumulator mit Additions- und Verschiebeschaltnetz
(Aus: BAUER – HEINHOLD – SAMELSON – SAUER „Moderne Rechenanlagen", Teubner, Fig. 113)

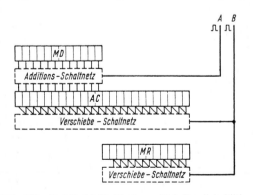

Abb. 105    Serielle Multiplikation mittels Paralleladdition

Bevor wir die Subtraktion besprechen können, ist zunächst die (Binär-)Codierung negativer ganzer Zahlen zu besprechen. Es sei angenommen, die Verarbeitungsbreite der Addition sei $N$ Stellen. Eine nicht-negative ganze Zahl im Dualsystem lautet dann

$$b = \sum_{k=1}^{N} b_k 2^{k-1} .$$

Als **Stellenkomplement** von $b$ bezeichnet man die (nicht-negative ganze) Zahl

$$\bar{b} = \sum_{k=1}^{N} (1 - b_k) 2^{k-1} ,$$

bei der also stellenweise die Ziffer 1 durch 0, die Ziffer 0 durch 1 ersetzt ist. Offenbar ist

$$b + \bar{b} = \sum_{k=1}^{N} 2^{k-1} = 2^N - 1 .$$

Somit gilt $2^N - b = \bar{b} + 1$, und wird $\bar{b} + 1$ (auch als **echtes Komplement** bezeichnet) an Stelle von $-b$ verwendet, so ist es lediglich um $2^N$, also um eine Einheit der $(N+1)$-ten Stelle, der **Überlaufstelle,** zu groß[13].

Wird der Zahlbereich eingeschränkt,

$$-2^{N-1} \leqq b < 2^{N-1} ,$$

so werden positive und negative Zahlen wohl unterschieden, und zwar ist

$$b \text{ positiv falls } b_N = 0 ,$$
$$b \text{ negativ falls } b_N = 1 .$$

Bei direkter Binär-Codierung wird die monadische Operation $-$, die Bildung des Negativums, durch stellenweise Vertauschung von O und L (also stellenweise durch die monadische Operation $\neg$ bei klassischer Codierung (4), 3.2.5) und anschließende Addition einer Einheit der Einerstelle bewirkt.

Für die Subtraktion genügt es also, im Register $MD$ Stellenkomplemente zu bilden, d. h. die andere Seite der $MD$-Flipflops anzuzapfen und das Additionsschaltnetz (Abb. 85) auch in der Einerstufe mit einem Volladdierer auszustatten, in dessen Übertragseingang dann bei der Addition eine O, bei der Subtraktion eine L eingeführt wird.

Als Umkehrung der Multiplikation kann die Division auf wiederholte Subtraktionen zurückgeführt werden.

Die Division erfordert wie die Multiplikation Stellenverschiebungen und besteht im übrigen aus Subtraktionen, die (unter Mitzählung) solange wiederholt werden, wie noch ein positiver Rest verbleibt. Praktisch subtrahiert man solange, bis das Vorzeichen umschlägt und erspart es sich meist, durch eine einmalige Addition

---

[13] Diese Darstellung negativer Zahlen ist in den Logarithmentafeln trigonometrischer Funktionen üblich.

wieder einen positiven Rest herzustellen (Division mit Rückstellung), verschiebt sogleich und addiert sodann, bis das Vorzeichen wieder positiv wird (Division ohne Rückstellung). Man hat dazu im Quotientenregister, in dem der Quotient aufgebaut wird, abwechselnd aufwärts- und abwärts zu zählen und im übrigen die Ablaufsteuerung vom Vorzeichen des Rests abhängig zu machen. Dieser wird üblicherweise im $AC$-Register gehalten, der Divisor im $MD$-Register, und der Quotient kann im $MR$-Register aufgebaut werden, ökonomischerweise auch im jeweils freiwerdenden Teil des $AC$-Registers. Gegenüber dem Aufbau einer Multiplikationsschaltung ändert sich im übrigen nichts.

Über die vier Grundrechnungsarten geht man heute in verdrahteten Schaltungen kaum noch hinaus; bei kleinen Anlagen fehlt manchmal sogar die eingebaute Division.

Für die Codierung für Objekte der Art **real (Gleitpunktdarstellung)** und die Durchführung der Grundrechnungsarten muß auf Lehrbücher der Numerischen Mathematik verwiesen werden.

Sieht man neben dem Additionsschaltnetz noch Schaltnetze zur stellenweisen Durchführung der Konjunktion und der Disjunktion vor, so sind auch Boolesche Operationen und stellenweise die Grundverknüpfungen für Binärzeichen durchführbar. Durch **Masken**, d. h. Worte, die an geeigneten Stellen mit O besetzt sind, kann in Verbindung mit der Konjunktion aus einem Wort ein uninteressanter Teil **ausgeblendet** werden. Zusammen mit Verschiebungen und der Addition kann damit auch jede Konkatenation von Zeichenfolgen durchgeführt werden. Die bedingten Sprungbefehle schließlich brauchen, soweit sie auf dem Größer-Gleich-Vergleich des $AC$ mit 0 beruhen, bei der oben angeführten Codierung nur die Stelle $b_N$ in Betracht zu ziehen. Für Identitätsvergleich mit 0 ist eine Prüfung, ob sämtliche Stellen des $AC$ mit O besetzt sind, erforderlich **(Vielfach-Koinzidenzschaltung)**.

Üblicherweise beschränkt man sich auch in größeren Rechenanlagen auf die besprochenen Grundfunktionen des oder der Verarbeitungswerke. Die Multiplikation von Zahlen lieferte schon ein Beispiel, wie auf ihnen kompliziertere Operationen aufgebaut werden können. Hierher gehören auch gelegentlich zu findende Schaltungen für die Bildung des Signums, der Entierfunktion, der Rundung und der Betragsbildung von Zahlen. Die hierzu nötigen Abläufe werden oft durch ein **Mikroprogramm** (4.3.2) gesteuert. Die nicht solcherart durch Maschinenfunktionen verfügbar gemachten Operationen, z. B. auch die für komplexe Zahlen, werden, wie auch die Standardfunktionen, durch Unterprogramme bewerkstelligt. Selbstverständlich bedeutet das einen größeren Zeitaufwand. Es hängt deshalb von Wirtschaftlichkeitsüberlegungen ab, wo die Trennungslinie zwischen „verdrahteten" und „programmierten" Maschinenfunktionen gezogen wird.

Neben der Lösung, alle Verarbeitungsvorgänge in einem Verarbeitungswerk durchzuführen und deren eventuell mehrere vorzusehen, also nicht-artspezifische Verarbeitungswerke zu haben, gibt es auch artspezifische Verarbeitungswerke, z. B. für zahlartige Objekte **(Rechenwerke)**. Hierunter fallen insbesondere **Adressenrechenwerke** (3.3.3).

### 4.3.2 Leitwerke

Die Abfolge von Befehlsschritten und der Ablauf des einzelnen Befehls, wie sie in 3.3.3 besprochen wurde, erfordert ein Leitwerk. Abhängig von der Situation ist der Ablauf nicht stets der gleiche: Er hängt sowohl vom bereitgestellten Befehl als auch von zusätzlichen, die Interpretation des Befehls beinflussenden, den Verarbeitungsobjekten eigentümlichen Umständen ab – wie etwa beim Sprungbefehl vom Vorzeichen des $AC$. Dasselbe gilt auch für Teilabläufe, etwa den Ablauf einer Multiplikation. Abb. 106 zeigt das **Ablaufdiagramm** für den Ablauf der Multiplikation mit

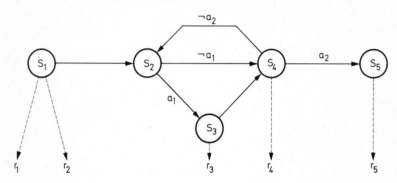

Abb. 106    Ablaufdiagramm der Multiplikation

Hilfe eines Paralleladdierwerks (Abb. 105). Im Zustand $S_1$ ist eine Zahl (aus dem Speicher) in das $MD$-Register zu bringen (Ausgangssignal $r_1$) und das $AC$-Register zu löschen (Ausgangssignal $r_2$). Zustand $S_2$ ist eingeschoben, um genügend zeitlichen Spielraum zu lassen. Im Zustand $S_2$ ist zu prüfen, ob die niedrigstwertige Stelle des $MR$-Registers mit 0 oder 1 besetzt ist (Bedingung $a_1$: ($MR$ letzte Stelle) $\neq 0$). Bejahendenfalls erfolgt Übergang nach $S_3$, andernfalls nach $S_4$. Im Zustand $S_3$ ist das $MD$-Register zum $AC$-Register zu addieren (Ausgangssignal $r_3$: Taktimpuls $A$). Im Zustand $S_4$ ist das $AC$-Register und das $MR$-Register um eine Stelle nach rechts zu verschieben (Ausgangssignal $r_4$: Taktimpuls $B$). Sind alle Stellen des Multiplikators verarbeitet (Bedingung $a_2$: $MR$ ganz mit Nullen besetzt), erfolgt Übergang zum Endzustand $S_5$, in dem die Beendigung an das übergeordnete Leitwerk signalisiert wird (Ausgangssignal $r_5$). Andernfalls geht es zurück zum Zustand $S_2$. Das hier beschriebene Ablaufdiagramm ist ein **Übergangsdiagramm,** es wird uns im 7. Kap. wieder begegnen.

Am einfachsten ist es, eine Ablaufsteuerung so vorzunehmen, daß das Übergangsdiagramm direkt im Schaltungsaufbau wiedergespiegelt wird **(Schrittsteuerung).** Für das obige Beispiel zeigt Abb. 107 die Realisierung mittels eines Flipflopschaltwerks. Es besitzt, entsprechend der Anzahl der Zustände, fünf Flipflops. Eine besondere Leitungsführung bewirkt, daß jedes Flipflop stets „hinter sich zuschlägt". Dadurch wird erreicht, daß stets nur ein Flipflop gesetzt ist.

Der extremen Lösung, die Schaltung dem gewünschten Übergangsdiagramm topographisch nachzubilden, steht als anderes Extrem gegenüber, mit einem Minimum an Flipflops auszukommen oder, anders ausgedrückt, mit $m$ Flipflops bereits bis zu $2^m$ Zustände zu realisieren. Besonders bei umfangreichen Steuerwerken kann

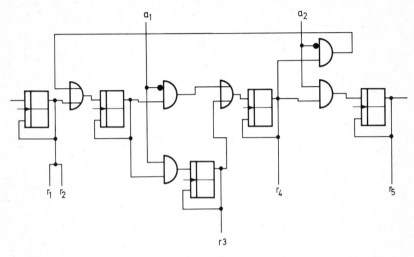

Abb. 107   Schrittschaltwerk mit Flipflops

das angezeigt sein. Ist das Übergangsdiagramm streng zyklisch, so kann ein Binärzähler zur Ablaufsteuerung verwendet werden. Im allgemeinen entsteht das Problem, eine möglichst günstige Binärcodierung für die Zustände zu finden. Jeder Folgezustand hängt ab vom vorhergehenden Zustand und von den Eingangssignalen, ebenso hängen auch die Ausgangssignale davon ab. Damit haben wir gerade die allgemeinste Situation eines Schaltwerks (4.2.2) vor uns. Die Umcodierung kann beispielsweise erfolgen durch einen Codeumsetzer in einen 1-aus-$n$-Code und einen Codeumsetzer aus einem 1-aus-$n$-Code; unter Verwendung von Flipflops ergibt sich eine Prinzipschaltung wie in Abb. 108 für die sogenannte **Codesteuerung.**

Es fällt auf, daß die elementaren Schaltvorgänge, darunter die besprochenen wie Löschen des $AC$, Bringen des $MD$, Addition, Verschieben, selbst wieder wie Befehle eines Programms ablaufen. Man kann daher versuchen, unterhalb der Ebene der Maschinenbefehle eine Ebene der sogenannten **Mikrobefehle** einzuführen.

Während aber Maschinenbefehle Operationen einerseits, Adressen andererseits enthielten, sind Mikrobefehle von anderer Sorte: Sie stützen sich auf eine kleine Anzahl Register, darunter auch das Adressenregister (Adressenteil des Befehlsregisters), die die Ablaufbedingungen liefern und auf denen operiert wird, und die Operationen, die auszuführen sind, sind ohne inneren Ablauf, können durch Schaltnetze realisiert werden. Dabei ist die Zerlegung in Mikrobefehle und das Repertoire an solchen durchaus nicht eindeutig bestimmt; in der Entscheidung darüber liegt ein maßgeblicher Teil des Entwurfs der Kombination Verarbeitungswerk-Leitwerk, des **Prozessors**. Als günstige ingenieurmäßige Lösung und als Ordnungsprinzip auf einer Ebene unter der Ebene der Maschinenbefehle sind Mikrobefehle von WILKES (1953) eingeführt worden. Die **Mikroprogrammierung** wird meist als Sache des Entwerfers angesehen.

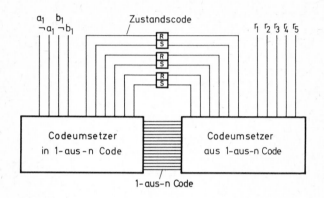

Abb. 108    Codesteuerung

Obwohl die bisherigen Versuche, die Mikroprogrammierung den Benutzern (oder doch wenigstens einem Teil von ihnen, z.B. den Systemprogrammierern) zugänglich zu machen, nicht recht erfolgreich waren, versucht man neuerdings wieder, ingenieurmäßig und funktionell zu neuen Mikroprogrammierungslösungen zu kommen, die eine flexiblere Verwendung von Prozessoren erlauben.

### 4.3.3  (Zentral-)Speicher

Zum Aufbau des Speichers, der Objekte und, wie in 3.3.3 beschrieben, auch Befehle aufnimmt, dienen Aggregate von Flipflops. Sie sind üblicherweise wortweise einzeln adressierbar. Gelegentlich findet man auch die Möglichkeit der byte-weisen oder gar bitweisen Adressierung, d.h. eine entsprechend fein gestufte Zugriffsmöglichkeit.

Die **Speicheranwahl** bedeutet nun die Auswahl eines Wortes, Bytes oder Bits aus dem Speicher zum Zwecke des Schreibens in den Speicher oder Lesens aus dem Speicher. Sie erfordert einen Codesetzer, der die Menge der $2^n$ Adressen – bei Adressen mit $n$ Binärstellen – auf einen 1-aus-$2^n$-Code umcodiert. Jeder der $2^n$ Ausgänge dient zur Öffnung der Leitungen, die in die Speicherzelle bzw. aus der Speicherzelle führen. Die Ausführung des Schaltnetzes für die Anwahl kann einstufig nach Art von Abb. 86 (linke Hälfte) erfolgen. Sparsamer ist die $n$-stufige **Pyramidenschaltung,** die (für $n=4$) Abb. 109 zeigt.

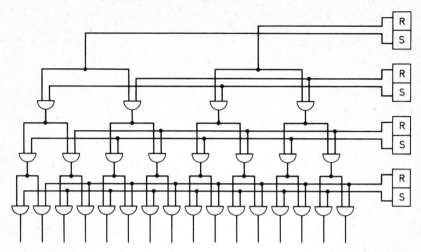

Abb. 109   Vierstufige Pyramidenschaltung als Codeumsetzer für Speicheranwahl

### 4.3.4  Die Grenzen der Technologie

Der äußerlich auffälligste Fortschritt, den die Technologie der Rechenanlagen in den letzten beiden Jahrzehnten genommen hat, zeigt sich in den Abmessungen der Bauteile von Schaltwerken. Ein einzelnes Glied, etwa ein Flipflop in Röhrenbauweise, hatte 1952 die Abmessungen $50 \times 60 \times 160$ (in mm), grob gerechnet, und nahm damit $5 \cdot 10^{-4} \mathrm{m}^3$ ein. Damit hatte man höchstens $2 \cdot 10^3$ Bit/m³. 1972 wird man voraussichtlich auf einem Halbleiter-Plättchen mit den Abmessungen $9 \times 6 \times 3$ (in mm), also in $1{,}6 \cdot 10^{-7} \mathrm{m}^3$, mindestens 1000 Flipflops in integrierter Bauweise unterbringen – einer Dichte von $6 \cdot 10^9$ Bit/m³ entsprechend. Auf einem kleineren Plättchen mit den Abmessungen $2 \times 2 \times 0{,}25$ (in mm), also in $10^{-9} \mathrm{m}^3$, kann man bereits heute einige Flipflops unterbringen, entsprechend einigen $10^9$ Bit/m³.

Die Herstellung von elektronischen Bauteilen und -gruppen in integrierter Bauweise erfolgt durch einen komplizierten Aufdampf- und Eindiffundierungsprozeß. Dabei werden zur Abdeckung Masken benützt, die heute schon Feinheiten von $10 \mu\mathrm{m}$ wiedergeben müssen, die Dicke der wirksamen Schichten reicht bis $4 \mu\mathrm{m}$ herab. Man bewegt sich dabei in Abmessungen, wie sie für Nervenzellen gelten. Abb. 110 zeigt einen Größenvergleich zwischen einer Nervenzelle mit 5 Eingängen und einem 5-Eingangs-Und-Glied in der sogenannten MOS-Technik (mit Metalloxyd-Silizium-Transistoren). Bis 1972 wird man Emitterbreiten der Transistoren von $1 \mu\mathrm{m}$ und Basisdicken von $0{,}25 \mu\mathrm{m}$ erreicht haben. Da das sichtbare Licht im Wellenlängenbereich $0{,}4 \cdots 0{,}8 \mu\mathrm{m}$ liegt, ist die der lichtoptischen Abbildung gesetzte Grenze erreicht. Um weitere Verfeinerungen zu erreichen, muß mit elektronenoptischer Abbildung gearbeitet werden.

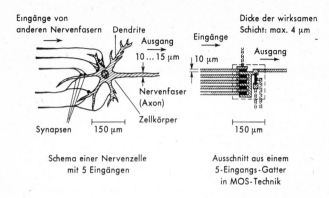

Abb. 110    Größenvergleich von Nervenzelle und technischem Schaltglied

Daß die Abmessungen der Rechenanlagen seit 1952 nicht um einen Faktor $10^5$ zurückgegangen sind, liegt zunächst daran, daß die Anlagen funktionell umfangreicher geworden sind, und daß mechanische Teile, Stromversorgungen etc., kaum weniger Platz als früher einnehmen. Der für rein elektronische Schaltungen allein aufgewandte Platz wird bis 1972 um den Faktor $10^2$ zurückgegangen sein – bei einer Packungs- dichte der elementaren Schaltglieder von $6 \cdot 10^2$ pro m$^3$ im Jahre 1950 und $6 \cdot 10^4$ pro m$^3$ im Jahre 1972. Noch immer ist die in den größeren Einheiten, den Flachbaugruppen einschließlich Steckern, erzielte Dichte nur ein Tausendstel der auf den Halbleiter- Plättchen vorliegenden. Die Fassung der Halbleiterplättchen und die Leitungsverbin- dungen zwischen ihnen nehmen dabei einen großen Teil des Platzes weg. Ziel wei- terer Entwicklung muß es daher sein, nicht nur tausend Verknüpfungs- oder Spei- cherglieder in integrierter Schaltung zusammenzuschließen, sondern als Großinte- gration $10^5$ bis $10^6$ an der Zahl. Bezüglich der Fehlerfreiheit stehen dem noch große Schwierigkeiten und auch Wirtschaftlichkeitsüberlegungen entgegen.

Eine Grenze besteht aber in der Wärmeabfuhr. Für 1972 wird man für eine fort- schrittliche Rechenanlage (ohne Speicher) mit $2 \cdot 10^5$ Verknüpfungsgliedern rechnen müssen. Pro elementares Schaltglied fallen, je nach Technologie, $2 \cdots 50$ mW Wärme- verlustleistung an. Eine Erhöhung der Packungsdichte ist nur bei gleichzeitiger Ver- ringerung der Leistungsaufnahme möglich. In der schon erwähnten MOS-Technik wird bis 1972 die Wärmeverlustleistung pro Speicherglied auf $10^{-9}$ W zurückgehen und dieses Problem zumindest für Speicher vorläufig gelöst sein. Allerdings sind in dieser Technik die Schaltzeiten mit 50 nsec noch unverhältnismäßig hoch.

Eine Herabsetzung der Abmessungen verringert auch die Laufzeit der Signale – einem Laufweg von 30 cm entspricht eine Laufzeit von $1$ nsec $= 10^{-9}$ sec. In dieser Größenordnung und darunter liegen auch die bis 1972 erreichbaren Schaltzeiten. Für die weitere Entwicklung darf man nach dem derzeitigen Trend zunächst annehmen, daß alle 6 Jahre eine Verbesserung der Schaltzeiten um den Faktor 10 erfolgt. Soll diese sich als Geschwindigkeitssteigerung voll auswirken können, muß die Groß-integration kommen und das Problem der Wärmeabfuhr gelöst werden.

Bei einer Leistungsaufnahme von rund 10 mW und einer Schaltzeit von 10 nsec ergibt sich pro Schaltvorgang eine Arbeit von $10^{-10}$ Wsec. Das liegt noch um 10 Zehnerpotenzen über dem Wert von rund $10^{-20}$ Wsec, den die Wärmequantenenergie kT ln 2 bei einer Temperatur von $T = 300°K = 27°C$ als Grenze setzt. Die Schaltquantenenergie h$\nu$ – bei einer Schaltfrequenz von $10^9$ Hz beträgt sie knapp $10^{-24}$ Wsec – wirkt sich demgegenüber noch nicht aus.

Interessant ist der Vergleich mit menschlichen Nervenzellen. Ihre Arbeitsweise ist verhältnismäßig langsam, mit Schaltzeiten in der Größenordnung von einigen msec. Jedoch ist die Zahl der Eingänge groß: Einzelne Neuronen haben bis zu tausend Synapsen. Auch ist die Packungsdichte beträchtlich: In der Hirnrinde trifft man $10^5$ Neuronen pro $m^3$, entsprechend $10^{14}$ Bit/$m^3$, einige Zehnerpotenzen mehr als in der heutigen Technologie. Mit einer Gesamtanzahl von bis zu $10^{10}$ Neuronen übertrifft der Mensch schon quantitativ die größten heutigen Rechenanlagen um einige Zehnerpotenzen, und dies mit einer Leistungsaufnahme, die nahe der durch Quanteneffekte gezogenen Grenze liegt.

Noch erstaunlicher ist die Speicherung genetischer Informationen in den Doppelwendeln der Gene. Hier herrscht gar eine Dichte von $10^{27}$ Bit/$m^3$, verwirklicht durch eine Codierung mit Molekülgruppen, die um einige Dutzend Atome enthalten.

*„So eine Arbeit wird
eigentlich nie fertig."*
GOETHE, 1787

# Literatur

## Allgemein

[101] DIN Norm 44300 Informationsverarbeitung: Begriffe (Entwurf August 1968). Berlin: Beuth-Verlag.
[102] KNUTH, D. E.: The Art of Computer Programming. Vol I –. Reading, Mass.: Addison-Wesley 1968.
[103] BAUER, F. L., HEINHOLD, J., SAMELSON, K., SAUER, R.: Moderne Rechenanlagen. Stuttgart: Teubner 1964.
[104] Taschenbuch der Nachrichtenverarbeitung. Hrsg. KARL STEINBUCH. 2. Aufl. Berlin – Heidelberg – New York: Springer 1967.

## Erstes Kapitel

[11] SCHADÉ, J. P., FORD, D. H.: Basic Neurology. Amsterdam: Elsevier 1965.
[12] BERGER, E. R.: Nachrichtentheorie und Codierung. In: Taschenbuch der Nachrichtenverarbeitung, Hrsg. K. STEINBUCH, 2. Aufl. Berlin – Heidelberg – New York: Springer 1967.
[13] KAHN, D.: The Codebreakers. New York: MacMillan 1967.
[14] ZEMANEK, H.: Elementare Informationstheorie. München: Oldenbourg 1959.
[15] PEI, M.: The Story of Language. Philadelphia: Lippincott 1949.

## Zweites Kapitel

[21] VAN DER MEULEN, S. G., LINDSEY, C. H.: Informal Introduction to ALGOL 68. 4th Draft Working Paper of Working group WG 2.1 of IFIP.
[22] VAN WIJNGAARDEN, A. (ed.), MAILLOUX, B. J., PECK, J. E. L., KOSTER, C. H. A.: Report on the Algorithmic Language ALGOL 68. Numer. Math. **14**, 79–218 (1969).
[23] HOARE, C. A. R.: Record Handling. In: Programming Languages, F. GENUYS (ed.). New York: Academic Press 1968.
[24] DAHL, J., NYGAARD, K.: Simula – an ALGOL-Based Simulation Language. Comm. ACM **9**, 671–678 (1966).
[25] WIRTH, N., HOARE, C. A. R.: A Contribution to the Development of ALGOL. Comm. ACM **9**, 413–431 (1966).
[26] NAUR, P., et al.: Revised Report on the Algorithmic Language ALGOL 60. Numer. Math. **4**, 420–453 (1963).
[27] DIJKSTRA, E. W.: Letter to the Editor. Comm. ACM **11**, 147–148 (1968).
[28] —Notes on Structured Programming. Technische Hogeschool Eindhoven 1969.
[29] DIN Norm 66001 Informationsverarbeitung: Sinnbilder für Datenfluß- und Programmablaufpläne (September 1966). Berlin: Beuth-Verlag.

# Drittes Kapitel

[31] BAUER, F. L.: The formula controlled logical Computer „Stanislaus". Math. Table Aids Comp. **14**, 64–67 (1960).
[32] SAMELSON, K., BAUER, F. L.: Sequentielle Formelübersetzung. Elektronische Rechenanlagen **1**, 176–182 (1959).

# Viertes Kapitel

[41] BAUER, F. L., HEINHOLD, J., SAMELSON, K., SAUER, R.: Moderne Rechenanlagen. Kap. 7. Stuttgart: Teubner 1964.
[42] SPEISER, A. P.: Digitale Rechenanlagen. Berlin – Göttingen – Heidelberg: Springer 1961.
[43] KAUFMANN, H.: Die Zukunft der Computer-Technologie. Elektronische Rechenanlagen **12**, 138–145 (1970).

# Namen- und Sachverzeichnis

Satz und Druck: Zechnersche Buchdruckerei, Speyer

# Heidelberger Taschenbücher

## Physik — Chemie — Technik

## Aus den übrigen Fachgebieten — Eine Auswahl